Le plein emploi de soi-même

Bernard Zekri
Michel-Antoine Burnier

Le plein emploi de soi-même

© Éditions Kero, 2013
ISBN : 978-2-36658-061-7

À Suzanne, Stella, Ava et Véronique.

Avenue Matignon, dans le 8e arrondissement de Paris, j'ai garé ma Twingo rouge et cabossée devant le Market, une cantine de chasseurs de tête qui ressemble à une banque. Moi, ce jour-là, j'étais plutôt chassé.

Il pleuvait. Ma chemise, achetée 10 euros sur Internet, prenait l'eau : quand elle est mouillée, une chemise bon marché tourne vite au Sopalin froissé. Je cours sur le trottoir désert sans regarder ces immenses vitrines si chic qu'elles en sont presque vides. Il n'y a que des banques et des galeries. La secrétaire de Matthieu Pigasse, directeur de la banque Lazard, m'a donné rendez-vous : vingt heures tapantes au coin de la rue du Faubourg-Saint-Honoré. Pigasse, toujours en décalage horaire, arrivera en retard.

Aujourd'hui, les aventuriers modernes, ce ne sont plus les reporters, les globe-trotters, les détectives, mais les banquiers.

Lima, Buenos Aires, Shanghai, Athènes, New York, la grande distribution, le tourisme, l'audiovisuel, le football, Pigasse se promène partout, touche à tout, deale, vend et achète. Il est grand, beau, il a quarante-quatre ans, de l'argent et il aime séduire. Pour dernière passion, sur les traces d'un de ses maîtres banquiers qui possédait le *New York Magazine*, il a découvert la presse. En 2009, il a acheté *Les Inrockuptibles*, hebdomadaire de musique, de culture et de mœurs, arbitre d'une élégance d'avant-garde mais déficitaire et plus révéré que lu.

C'est mon patron. Il m'avait convaincu de le suivre et engagé comme directeur de la rédaction. Il voyait déjà *Les Inrocks* en news culturel et jeune qui eût concurrencé le *Nouvel Observateur*. Avec l'équipe, nous avons presque doublé les ventes, de 30 000 à 55 000 exemplaires. Faute de relance et d'embauches, nous plafonnons. Désormais, Pigasse m'ignore : en douze mois, je ne l'ai vu qu'une demi-heure.

C'était déjà à l'hôtel Bristol, sous l'ancien régime, un petit déjeuner avec son copain David Kessler, devenu depuis conseiller du président Hollande, et Louis Dreyfus, devenu président du directoire et directeur de la publication du *Monde*. Dans la douceur de septembre, nous avions évoqué *Les Inrocks* qui perdaient toujours de l'argent, la politique qui allait mal et la Grèce qui plongeait. Puis chacun avait rangé son Blackberry comme cela se fait dans le western moderne. Nous avions prévu de nous revoir la semaine suivante. De là, il a disparu.

Où était passé le play-boy qui me faisait écouter le dernier tube ramené d'Argentine et encore ignoré des branchés français ou me débusquait en riant un dimanche soir au journal où, solitaire, je bouclais l'éditorial ?

Dix mois plus tard, ce 12 juillet 2012, après quinze mails infructueux, je l'attends enfin au bar du même Bristol. Je commande un verre de condrieu à 28 euros. Pigasse n'est pas là. Le toujours jeune Arno Klarsfeld, avec sa mèche et son jean déchiré de faux rebelle, traverse le hall au bras d'une ravissante. Je me sens moyen avec ma chemise grande surface. Je me redresse afin qu'elle me boudine moins.

Voici enfin mon patron de banquier : pressé, impeccable dans son costume Dior, le smartphone collé à l'oreille. Il reste à l'écart de ma table : il termine sa conversation, sans doute son dernier deal de la journée.

J'avais depuis trois mois la tête farcie de rumeurs : après *Le Monde*, le *Huffington Post* et la chaîne *teVous*, Pigasse rachète *Libération*, Pigasse veut transformer *Les Inrocks* en supplément de *Libé*, Pigasse va nommer deux nouveaux directeurs à l'hebdomadaire, Pigasse veut me virer, Pigasse veut me garder, Pigasse veut me caser ailleurs, Pigasse va fermer le journal, Pigasse va investir à nouveau… La rédaction s'angoissait. Je savais tout et rien.

Mon patron est un propret : il commande un thé à neuf heures du soir. Il me raconte que tous ses copains, parvenus au pouvoir à la suite des socialistes, le poursuivent pour lui demander des conseils. Il en est fier et pourtant ça l'agace. Lui, il se voyait ministre des Finances d'un Dominique Strauss-Kahn, rêve qui s'évapora un jour de mai 2011 dans la chambre 2806 d'un Sofitel à New York.

Conversation décousue, nos phrases se chevauchent. Il ne me dit pas ce qu'il est venu me dire puis :

« Aubron, Pulvar, je les ai pris aux *Inrocks*...

— Pour me remplacer ?

— Jamais. Aubron voulait monter sa boîte... »

« J'ai voulu lui donner sa chance, poursuit mon propriétaire. Quant à Audrey Pulvar, elle sera directrice en charge de l'éditorial. Vois-les le plus tôt possible, il faudra que ça marche entre vous.

— Un directeur de la rédaction et une directrice éditoriale ? Tu veux me virer ?

— Mais non. Je t'aime, Bernard ! »

C'était un mot de rupture.

Sur le trottoir et sous la pluie, je m'interrogeais : qu'est-ce que je foutais là, dans le quartier des puissants, moi, fils d'un huissier d'Avallon d'origine algérienne ?

I

Libraire, c'est mieux que rock-star

Une 104 contre une librairie – La liberté sexuelle chèrement acquise – La Taupe m'emmène à New York – Il faut savoir résister à ces envies-là – La chanson du Français fauché – Je découvre le rap – Un paysage menaçant – Derrière la porte rouge

En 1978, j'avais vingt-trois ans et je me disais à l'inverse de Nizan que c'était le plus bel âge de la vie. Je vivais heureux dans ma librairie de Dijon. Je m'étais associé avec trois amis, deux étudiants en médecine et Brigitte qui avait fait Lettres et Langues-O à Paris. Chacun y avait investi un peu d'argent. Moi, fauché, j'avais vendu ma voiture, une 104 Peugeot, pour mettre quelque chose au pot de cette petite SARL nommée « Les doigts dans la tête ».

J'échappais enfin aux tribulations de mon adolescence et de ma jeunesse, un départ précipité d'Algérie en 1966 après le putsch du colonel Boumediene, une scolarité bousculée par mes incartades et, sur fond de mai 1968, de brutales disputes avec mon père qui rêvait que je reprenne sa charge d'huissier à Avallon. À seize ans, j'avais fini par me faire gicler de la maison. J'avais lâché mes études, repris mes études et je m'étais réconcilié avec mon père qui m'offrit cette 104 dont la vente me permettait de contribuer à l'achat de la librairie.

Le magasin – pas-de-porte à 65 000 francs[1] – se trouvait par bonheur en face des facultés historiques de lettres et de psycho

1. Environ 33 000 euros de 2013.

13

où se pressaient des centaines d'étudiants et surtout d'étudiantes.

Un couloir séparait mes deux boutiques. Dans l'une, je vendais du Lacan à la pelle, du Foucault et du Roland Barthes, *Libres enfants de Summerhill, Une société sans école* d'Ivan Illich, du Marguerite Duras et du Robbe-Grillet mais mon hit, c'était *La Société du spectacle* de Guy Debord. Dans l'autre boutique, on trouvait des collections d'*Actuel*, le magazine de l'underground, la revue *L'Avant-scène* qui publiait le texte des pièces de théâtre, du Maspero, l'éditeur universel du gauchisme depuis les années 1960. Je fournissais enfin des disques de jazz aux bobos de l'époque et, rareté extrême, les premiers vinyles d'un mouvement scandaleux, le punk, qu'on m'apportait de Londres tous les lundis.

À l'étage, des copains inscrits en histoire de l'art avaient installé une galerie aux choix radicaux pour Dijon : Boltanski, Rutault, Morellet, Buren d'avant ses colonnes et Paul Armand Gette, tous inconnus à l'époque.

Dans le défilé des acheteurs, des baratineurs et des pousse-mégot, je voyais arriver le croisement du look baba alors dominant, veste en velours, pattes d'eph, barbe et chemise paysanne, avec les tout nouveaux pantalons de skaï et les épingles à nourrice sur des blousons étriqués.

Libraire, c'est mieux que rock-star ou pilote de course.

La fin des belles années 1970 télescopait les prodromes des années 1980. Une liberté sexuelle chèrement acquise s'épanouissait enfin jusque dans les provinces. Miracle : de mon pupitre de vendeur où je me sentais moi-même en vitrine, je rencontrais chaque jour des dizaines de jeunes filles qui venaient me demander conseil pour leurs lectures et leurs musiques. Pas besoin de grandes manœuvres et de dragues nulles pour trouver un début d'intimité, et vite davantage. Je vivais avec bonheur sans un rond.

J'avais, hors de toute aventure sentimentale, une bonne amie que l'on surnommait la Taupe. Le sobriquet lui venait de ses grosses lunettes rondes et de ses yeux plus ronds encore. Intelligente et drôle, plus sexy que jolie, elle travaillait comme institutrice dans une école d'Autun, le rude Morvan. Redoutant une

carrière sinistre et linéaire à l'Éducation nationale, elle fantas-
mait voyages et aventures. Un jour de janvier 1979, elle m'avoua
qu'elle économisait pour partir à New York l'été suivant.

« Tu viendrais avec moi ?

— Pourquoi pas. »

Je possédais déjà mon diplôme de grand routard, une virée en
Inde jusqu'à Katmandou. Restait un problème : elle avait un
peu d'argent, moi pas. Tant pis. Je demeure incapable de dire
comment j'ai trouvé de quoi acheter le billet.

Nous avons pris le chemin des fauchés : de Dijon à Paris, de
Paris à Bruxelles pour décoller sur Capitol Airlines, une
compagnie qui existait à peine et qui disparut il y a vingt ans.
J'avais prévenu la Taupe que nous n'allions pas forcément
passer ensemble la durée de notre brève visite, une dizaine de
jours. Hors trois lamentables billets de cent francs [1], je gardais
dans ma poche un papier froissé avec le numéro de téléphone
d'une inconnue, une Française étudiante en cinéma.

Au bureau de l'immigration, mon look qui plaisait aux jeunes
filles n'avait guère de succès devant les balaises de la douane
américaine. Ce fut un premier flip. Le second, quoique moins
grave, me saisit à la vision de l'hôtel que nous autorisait notre
impécuniosité. Les motels américains ont une odeur que je res-
pirais pour la première fois, senteurs d'une moquette épuisée,
de matelas défoncés, de draps douteux. Les robinets chantent,
la climatisation fait un bruit de tracteur et le cafard familier se
planque à peine.

Sans hésiter, la Taupe se déshabille pour sauter dans une
baignoire à la crasse menaçante tandis que je m'affale devant
une antique télévision. Plaisante surprise : contrairement à la
France et ses trois chaînes obligatoires, on peut zapper une
bonne dizaine de fois. C'est ainsi que je découvre sur une image
pâle et presque décolorée, au milieu des bruits d'eau, le *Star
Trek* du Captain Kirk. Ajoutons-y un trouble : nue, la Taupe me
semble canon et nous n'avons qu'un lit. J'envisage de résister à
cette envie-là.

Le matin à New York, le bleu est plus bleu, le soleil plus
soleil, les gratte-ciel contrastent l'ombre et la lumière comme

---

1. 300 francs, cela fait un peu moins de 150 euros.

Paris ne sait pas le faire. La fraîcheur vous envahit d'une énergie, l'impression que si l'on n'accélère pas, on sera dépassé.

Le décalage horaire nous a réveillés à l'aube mais New York, le dimanche matin, a cela de commun avec Dijon que les rues restent vides. La Taupe et moi, nous marchons depuis une heure dans la ville inconnue. Image que le numérique a désormais effacée, l'édition dominicale du *New York Time* s'empile en montagne à chaque coin de rue. La Taupe me fait la gueule.

Nous n'avions pas vécu une nuit de rêve : il ne s'était rien passé. Elle venait s'éclater à New York et une bonne baise sans conséquence y eût manifestement contribué. Mon comportement de jeune fille effarouchée lui avait tapé sur les nerfs. Moi, sans fric, je flippais et je ne voulais pas qu'elle me colle. Entre quelques billets d'un dollar, je triturais le papier avec le numéro de téléphone de l'inconnue qu'on m'avait recommandée, mon seul espoir d'échapper à un sort de *homeless*. À moins de taper la Taupe – ce qui m'aurait humilié –, j'étais incapable de m'offrir une deuxième nuit à l'hôtel.

Tous les trois blocs, je me précipitais sur une cabine téléphonique pour appeler mon inconnue. Dix fois, ça sonna dans le vide. À la onzième fois, on décrocha. En entendant la voix féminine, je compris que ce n'était pas l'enthousiasme : la fille connaissait déjà la chanson du Français fauché à New York et cela ne l'emballait pas. Elle me donna tout de même son adresse. C'est alors que j'ai quitté la Taupe, trop fière pour me retenir.

Nous nous séparâmes sur West Side, à l'angle de la 18e rue, dans une bonne humeur factice et une gêne réelle. Comme d'une prophétie alors incompréhensible pour moi, je me souviens d'un Black avec son long manteau en plein mois de juin, des bottes et des lunettes de soleil, une radio sur l'épaule qui crachait à tue-tête ce que je sus plus tard être « The Break » de Kurtis Blow. Pour la première fois, j'entendais cette étrange façon de scander des paroles sur un rythme de danse : je découvrais le rap. Je n'appréciais guère et pris cela pour un nouveau disco commercial. J'en étais resté à la musique engagée, le « London Calling » des Clash balayait tout cette année-là.

Je pars vers l'est. Plus j'avance, plus le paysage me semble menaçant. Finis les gratte-ciel, finis les portiers en uniforme, des fenêtres brisées, des portes calcinées, des poubelles brûlées, des bornes à incendie cassées qui inondent la rue de jets incontrôlés, des terrains vagues couverts de détritus, un décor de guerre. Des junks édentés traînent devant des épiceries minables, la boîte de bière à la main. Des putes sales et fatiguées me hèlent sans y croire.

Je rase les murs, je suis vert de trouille.

Tout au bout d'Alphabet City, ce monde perdu de dealers, de maquereaux, de gangsters, j'arrive enfin à l'adresse indiquée. Une porte rouge avec une poignée dorée, un couloir, un escalier abrupt qui monte droit sur trois étages, je sonne. On m'ouvre.

Je ne m'attendais pas à ça.

II

Le groupe sans nom

Une vraie bourgeoise dans un coupe-gorge – Quatre potes d'un
coup – Dans la peau d'un road-manager – Un cri sauvage
secoue les murs – Une bonne dose de n'importe quoi –
« L'apathie, voilà l'ennemi » – Un public foudroyé – Une
promesse irréfléchie – Une étreinte en bord de mer

L'inconnue s'appelle Nathalie. Il ne s'agit ni d'une baba effon-
drée ni d'une punk rageuse : tout en elle dénonce la bonne bourgeoise, une tranquille autorité, une aisance, une robe discrète.
Vivant dans ce coupe-gorge, elle mesure un mètre cinquante, la
peau diaphane, le cheveu court et bouclé, une poitrine plus que
généreuse. Elle a la voix traînante, une ironie amusée dans le
regard et ne termine que rarement ses phrases.

Elle habite un loft immense et sombre, sans cloisons, il faudrait presque un vélo pour en faire le tour. J'aperçois dans un
coin des amplis Marshall et une batterie, deux ou trois matelas
sur le sol. Elle a protégé son lit d'un méchant rideau de velours
d'Utrecht dévoré par des générations de mites. Sur les murs de
briques, elle a collé des affiches de concert sans nom de groupe,
juste un cercle barré par une croix en X. Je comprends que les
instruments appartiennent à ce groupe mystérieux.

Un seul disque traîne par terre, celui de Public Image Ltd du
bassiste Jah Wobble et de Johnny Lydon, soit Johnny Rotten,
l'ancien chanteur des Sex Pistols. Ces situationnistes de la
musique ont jeté le punk à la poubelle, sorti trois vinyles dans
une boîte ronde pour films de cinéma, en aluminium, absolu

défi au commerce. Je les adore, elle les aime : on va pouvoir s'entendre.

Je lui raconte aussitôt ma librairie, ce qui me fait sortir de la case zonard, celle du squatter pique-assiette et désespéré. Nathalie termine des études de cinéma à la célèbre Cooper School. Son père est agent de change à Paris. Comme une vraie bourgeoise, elle s'amuse mais ne frime pas.

Je ne saisis pas bien pourquoi elle m'accueille mais au bout d'une heure, je suis encore là et je sais que je peux y rester.

Il ne me fallut que deux jours pour me métamorphoser en New-Yorkais. Je n'avance plus tête en l'air, humant la ville comme ces touristes qui se prennent pour De Niro à chaque taxi. Je marche comme un mec d'ici, je sais où je vais, c'est ça, les New-Yorkais, ils traversent la rue comme leur cuisine, perdus dans leurs pensées et leurs ennuis de New-Yorkais.

Je me suis fait quatre potes d'un coup : les mecs du groupe sans nom. Bruce, un physique de Viking, promène une gueule tout en angles qui rappelle celle d'Antonin Artaud. Il parle d'une voix grave mais lorsqu'il s'adresse à moi, il chuchote et articule avec un débit très lent. Je devine que c'est à cause de mon anglais. Rik en jette comme un jeune Mastroianni, charme italien, sourire de mauvais garçon et l'accent traînant du Sud. C'est un séducteur, à l'inverse de Dave son frère, le batteur, qui ne l'ouvre jamais. Tous trimballent des cahiers à couverture cartonnée qu'ils couvrent en permanence d'une écriture fébrile, tantôt serrée, tantôt relâchée, épaisse ou maigre, coupée de ratures, de dessins et de gribouillis abstraits. Il y a là des paroles de chansons, des esquisses de tableaux, des collages entre Dada, les surréalistes et les beatniks.

Mes nouveaux copains musiciens sont d'abord des artistes. Tony, le chanteur, travaille dans un magasin de fournitures d'art, un bon filon : à son boulot, il pique des cahiers, des fusains, des tubes de peinture et des feutres.

J'arrive à un moment capital. Dans moins d'une semaine, le groupe joue au Tier 3, un des lieux récents de la scène new-yorkaise. Pour eux, ce concert doit marquer leur reconnaissance, des articles dans la presse, peut-être une maison de disques. Mes copains ont la pression et, sans savoir comment, je me retrouve dans la peau d'un road-manager.

Cela commence par un bizutage, un collage d'affiches sauvage avec seaux et balais. Je n'avais pas assez d'expérience militante pour éviter les grumeaux et les plis. Une affiche collée par moi se reconnaissait aussitôt par son côté bancal. En chef de groupe, Bruce me chambre :

« Je croyais que tous les Français savaient coller et faire grève. »

Nous sommes encore dans l'antiquité : comment créer le buzz sans Internet ? Nous recouvrons les affiches d'autres clubs, CBGB, Max Kansas City, j'ai l'impression de visiter ma collection de disques. Nous collons sur les portes des journaux et des magazines, dans les coins branchés, devant les bars hip, shoot de liberté et d'une clandestinité sans trop de risques.

Le lendemain, j'assiste à ma première répétition. L'immeuble est une cage à lapins, une case par groupe. L'ascenseur répartit à chaque étage l'histoire de la pop américaine, ici du gros rock, là de la country, un peu de disco au fond du couloir, du heavy metal à la réception. Quand s'ouvre une porte, rompant le silence étouffant de l'insonorisation, une puissante taffe de décibels, qui peut en croiser une autre, envahit un instant le couloir. Chacun y croit et rêve de grands stades et de disques d'or. Qui sort de cet immeuble possédera le monde. Ceux-là seront rares, nul ne l'ignore et personne ne veut le savoir.

Il se dégage de là une agitation tranquille, ordonnée, comme celle d'une chaîne de montage où, par les mêmes gestes, chaque ouvrier fabriquerait une voiture différente.

Arrive le jour du concert pour le groupe sans nom. Nous espérions une longue file d'attente devant la salle du Tier 3, les élégances de la nuit new-yorkaise, la presse. Nous ne trouvons que les copains, les fidèles, une petite centaine de personnes pour un espace qui pourrait en contenir le double. Les autres, la scène, ne se sont pas déplacés. Ces salauds n'ont rien compris et nous les haïssons.

Les lumières du Tier 3 s'éteignent. Poussée au maximum, la sono crépite. Un silence électrique tend l'atmosphère. L'éclair imprévu du flash de Nathalie révèle le tricot percé aux épaules de Tony.

Un cri sauvage secoue les murs. La basse suit en cognant, la batterie et la guitare s'arrachent en un déluge de notes, accords distordus. Une puissante complainte me scotche au sol. C'est du punk free-jazz ; pour un public moins passionné, une bonne dose de n'importe quoi. En voilà assez pour m'assommer et me ravir.

Quitte à le nommer, on dirait du no wave, terme que le groupe récuserait d'ailleurs.

No wave, pas de vague : il s'agit pourtant de l'inverse et cela lève en moi des vagues monstrueuses. Ici l'on se moque des petits Anglais de la new wave qui rêvent comme leurs aînés Beatles et Stones d'envahir l'Amérique. Il existe déjà un cinéma no wave qui nous jette dans l'underground new-yorkais, des installations et des performances no wave, des artistes qui sans être musiciens rejoignent le rock. Le Velvet d'Andy Warhol a ouvert la voie, Glenn Branca, DNA, James Chance vont plus loin dans une authentique déconstruction dont pour une fois Derrida se trouve innocent. Finis les stars, les tubes, les couplets, les refrains...

Le groupe de Bruce et ses amis se montrent plus extrémistes encore puisqu'ils ne veulent même pas de nom. En désespoir, on les désigne par leur logo, le rond barré de la croix en X, Circle X. Pour eux, comme le punk, la no wave paraît déjà une compromission avec le monde du commerce et de la société bourgeoise.

« L'apathie, voilà l'ennemi », s'exclame Tony.

Devant la scène, je pense au petit garçon du film *Le Tambour* qui casse toutes les vitres de la maison lorsqu'il se met à crier. Cette année 1979, le jury de Cannes avait décerné deux palmes d'or, fait rarissime : l'une au *Tambour*, l'autre à *Apocalypse Now*, deux histoires d'une déconstruction absolue.

L'avalanche sonore n'a plus de fin. Le batteur tape dans les têtes, la guitare sonne le tocsin, la basse gronde et Tony, chanteur crieur, agrippe la salle et l'ébranle jusqu'au cervelet. Je vois les veines de son cou gonfler : à la vie, à la mort, il veut réveiller le monde.

Un dernier accord, les lumières se rallument. Le public épuisé, soufflant, suant, reste foudroyé, moi aussi.

Nathalie, le groupe terrassé par l'effort et moi qui ne vaut guère mieux, nous nous retrouvons au Puffy's, un bar irlandais très commun proche des quais, au coin de Warwick. Nos musiciens planent dans une euphorie douce comme après l'amour que relève par bouffée une rage contre le grand public absent et la presse qui n'est pas venue.

« Comment faire ? râle Tony

— On laisse tomber, lâche Dave. Trop loin du show-biz... »

Dave figure le pessimiste de la bande : il a déjà quitté le groupe trois fois. Rik le contredit :

« Le patron du Tier 3 avait l'air content. Il est d'accord pour qu'on revienne. Ce qu'il nous faudrait à tout prix, c'est un disque. »

La conversation traîne et dévie. Bruce sort des billets de sa poche, le cachet du concert. Il me tend dix dollars : « Va payer les bières. »

Au bar, une fille me présente la note. Sa mèche brune tombe sur un œil bleu irlandais. Elle a la peau très blanche, quelques taches de rousseur. Elle me toise :

« Vous, les Français, je vous connais : vous êtes pingres sur le pourboire. »

Elle se penche. Elle ne porte rien sous son tee-shirt.

Une solitude m'envahit, celle du mec qui regarde les seins d'une fille en croyant qu'elle ne s'en aperçoit pas.

Je quitte le bar à regret. Sur le chemin du retour, la conversation sur l'avenir du groupe se poursuit.

« Les punks anglais se posent moins de questions, insiste Tony qui trouve qu'on ne se secoue pas assez. Ils foncent. Ils n'attendent rien des maisons de disques. »

J'en rajoute :

« C'est le *do it yourself*. En Europe, les groupes préfèrent leur indépendance même lorsqu'ils manquent de thune. »

Je sens un malentendu, comme si ma position de disquaire à Dijon légitimait ma qualité d'expert dans l'industrie du disque. Cela ne ralentit pas mes fanfaronnades.

C'est alors que je prononce en toute inconscience les mots qui vont bouleverser ma vie :

23

« Je sais que je peux vous produire un maxi-single. Je vais voir ça dès mon retour en France. »

Il va de soi que je n'y connais rien et que je n'ai aucune relation dans le milieu. Mais si mon assurance me paraît gonflée, sur le moment, j'y crois et pire, eux aussi. Mettons cela sur l'ivresse de la nuit new-yorkaise. Je dois partir après-demain et, Cyrano de bazar, j'aimerais quitter mes nouveaux amis sur une note *up*. Vers St Mark Place, notre bande se scinde en deux. Dave, Tony, Rik partent vers la 13ᵉ rue et je comprends que Bruce, lui, vient dormir dans le lit de Nathalie. Peut-être parce que le reste du groupe est parti, Nathalie, qui n'a guère parlé de toute la soirée, lâche l'air de rien cette phrase :

« S'il s'agit de produire le disque, je peux avancer l'argent. »

Je déteste les veilles de départ : on est encore là et c'est comme si l'on était déjà parti. On compte les heures, la journée s'étire. Je décide de jouer ma dernière soirée au Puffy's et de retrouver les yeux irlandais rencontrés la veille.

Quand j'arrive, ma farouche barmaid n'a même pas un regard. Une petite foule s'agglutine autour du comptoir. Le tube de Blondie « Call me » tourne en boucle dans le juke-box. Je gratte dans mes poches : j'ai de quoi me payer un verre, un seul. Je commande un scotch, me désespérant à l'idée de le faire durer toute la soirée.

Je mendie l'attention de la fille. Par une bribe de conversation, j'apprends qu'elle se nomme comme toute bonne Irlandaise Pat pour Patricia. Je ne connais que deux moyens pour séduire une fille : soit l'écouter, soit la faire rire. Dans le vacarme et la fumée du bar, Pat a autre chose à faire que de raconter sa vie. Je cherche donc une phrase drôle, un trait que je ne trouve pas. Mon verre est vide. Elle le remplit alors que je n'ai rien commandé. Un signe ? Elle ne me regarde pas davantage et ne me dit pas un mot. Elle me resservira plusieurs fois.

Une autre fille, une cliente s'approche de moi et engage une conversation de bistrot. À ce moment, mon Irlandaise lui jette un regard de feu. Bonheur : il se passerait quelque chose entre nous ?

À quatre heures du matin, le bar se vide. Pat sait que je l'attends. Elle sort, je la suis, je la sens différente : elle n'est plus barmaid. Je lui propose de m'accompagner dans le loft de Nathalie.

« *You are crazy. I have a boyfriend.* »

Me voilà douché. Sur les rues désertes, le ciel commence à blanchir. Nous marchons tous deux vers les quais de l'Hudson. J'apprendrai plus tard que le boyfriend, un marin, vogue en ce moment sur des mers lointaines. Je la vois agacée :

« Qu'est-ce que tu crois, dit-elle, que tu vas embarquer comme ça la barmaid ? »

Que répondre ? Je bafouille un « non, non » d'autant plus hypocrite que je me sens tomber amoureux.

« Tu veux qu'on se quitte ? »

La question l'irrite davantage :

« Tu ne peux pas te taire ? »

Je saisis que je gâche un moment aussi ambigu que poétique. Elle me prend la main et m'entraîne à courir pour traverser une sorte de périphérique à quatre voies. De l'autre côté, nous sommes au New Jersey. Devant le fleuve et quelques vieux bateaux, je respire à la fois l'air du large et son parfum chargé des effluves du bar. J'avance mon nez dans ses cheveux. Elle ne me repousse pas.

Je m'emballe. Une fois, dix fois je lui demande : « Viens avec moi en France. » Elle ne prend guère au sérieux ces propos d'adolescent :

« Je suis barmaid à New York. Je serai là demain et la semaine prochaine. Tu es un *frenchman* qui fait le joli cœur. Tais-toi. »

Je saisis d'un coup qu'une belle barmaid est une fille qui passe sa vie à se faire abreuver de sottises et de baratins alcoolisés derrière son comptoir. Mais elle avait raison : dans le silence, la grâce s'installe. Je quitte New York demain et cela lui plaît.

C'est ainsi qu'elle décide de me faire l'amour puisqu'elle ne me reverra jamais. Puis elle pleure : certainement pas sur moi mais sur elle. Pourquoi ?

Dans l'avion qui me ramène en Europe, j'ai tout oublié, la Taupe, Nathalie, le groupe, le disque. Mais le Puffy's, l'Hudson et le souvenir de cette étreinte de bord de mer m'explose la tête.

III

Les Américains de Dijon

Un vrai cabriolet pour rebelle – Mon diplôme de contestaire –
Le groupe sans nom débarque – Une guitare comme une
tronçonneuse – Sylvie découvre son artiste maudit – Le petit
chien est mort – Notre situation pue la loose – Un journal qui
ne ressemble à aucun autre – Bizot en son domaine

À Dijon, l'été 1979 fut un délice. Après les turbulences de New
York, je goûtais cette librairie tranquille, les vacances universi-
taires et cette langueur exquise où l'on a le temps de tout faire
parce qu'il n'y a rien à faire. Les populations ordinaires de la
province sont parties, celles qui restent prennent possession de
la ville avec les quelques filles bronzées déjà de retour. J'avais
acheté une Méhari, fausse jeep Citroën et vrai cabriolet pour
gauchiste. Dans cette voiture cheap et chic, on pouvait frimer et
jouer la mode sans sortir de sa condition de rebelle.

Cette Méhari m'avait déjà donné mon diplôme de
contestataire. Un an plus tôt, elle m'avait mené à la manifestation de Creys-Malville, dans l'Isère, contre le surgénérateur
Superphénix. Il y avait dix ou vingt mille militants français,
dont quelques autonomes, les plus violents, et un bon millier de
Verts allemands organisés à la prussienne et qui voulaient
casser du flic. Nous avions passé la journée dans les champs
sous la pluie à jouer à la guerre. Nous courions en ciré, couverts
de boue, poulets sans tête qui suivaient les mouvements de
foule, fuyaient devant les flics, en avant, en arrière, à droite, à
gauche sans savoir où nous allions et pourquoi nous galopions.

Durs affrontements, on compta un mort et une centaine de blessés, sans parler de quelques gardes mobiles gravement touchés.

Une médaille de plus sur ma poitrine de jeune gauchiste qui rêvait de mettre le feu à la société, voire au monde. J'avais déjà fricoté avec des trotskistes de la Ligue communiste qui, comme il est logique, avaient scissionné pour monter un groupuscule baptisé Contre le courant avant de rejoindre des trotskistes de l'Alliance des jeunes pour le socialisme, AJS, les plus raides, les plus sectaires et donc les plus opportunistes, qui avaient déserté les barricades de mai 1968. Je constatai vite qu'il existait un bel écart entre leurs leçons de marxisme et leurs comportements sans scrupule. À cause de mon père huissier, ils me gardaient en marge, moi qui voulais me faire accepter.

Je me sentais déjà peu orthodoxe, lisant *Charlie* et *La Gueule ouverte*, découvrant la naissance de l'écologie politique, marqué par le jazz, Bob Marley et le punk. Je préférais Foucault, Roland Barthes et les situationnistes à la lecture recommandée de Lénine, Boukharine et Mao Tsé-toung. Je séchais les réunions militantes pour des virées nocturnes en Méhari.

J'avais découvert comment entrer par un vasistas dans une piscine municipale en pleine nuit. Une piscine pour soi seul, ou plutôt avec une fille ou en bande, c'était pour moi, cet été-là, le luxe suprême. Le frisson de l'interdit multiplie le plaisir de l'eau, de se baigner nu et de faire l'amour dans les douches. Nous découvrions aussi le boucan que produit une piscine dégagée des cris et des plongeons des baigneurs, comme une usine qui ronronne. Chaque bruit et chaque voix résonnent tels en un théâtre antique. On chuchote, on se glisse dans l'eau avec l'impression qu'un plongeon réveillerait la ville entière. À la fin de la nuit, les cheveux trempés, nous foncions à la gare chercher les premiers journaux qui arrivaient de Paris. Une Méhari, des copines, un coup de café et des cigarettes, c'était toujours le plus bel âge de la vie.

Je vendis pourtant la Méhari et sur le motif le plus inattendu. Parti pour un week-end en Normandie avec une jeune psychiatre tournée psychanalyste et qui faillit me rendre fou, je m'aperçus qu'on ne pouvait s'entendre dans ma décapotable de gaucho. On se criait dans l'oreille, j'avais beaucoup investi dans cette histoire sentimentale et je sentais que cette conversation impossible tournait à l'aigre. Il fallait choisir, la voiture ou la fille. Courageux, je m'arrête dans un garage, je vends la Méhari et rachète aussi sec une Ami 8 Citroën, plus bourgeoise certes, mais où l'on peut se parler. J'y ai gagné six mois d'amours irrégulières.

Bien sûr, je me vantais de mes brèves aventures new-yorkaises. À l'époque, un tour en Amérique, cela demeurait rare et vous campait un personnage à Dijon. Mais c'était une histoire de vacances et je ne pensais plus une seconde à mes gasconnades de faux producteur et à ma promesse de sortir un disque.

Un matin pluvieux de septembre, des coups frappés à ma porte me tirent de mon petit déjeuner. J'ouvre. Une apparition, le souvenir oublié devient réalité : ce sont mes quatre Américains du groupe Circle X. Ils n'ont pas la même tête qu'à New York. Emmitouflés dans des haillons, un look invraisemblable, Rik avec une écharpe en foulard sur la tête, Bruce qu'on dirait couvert d'une cotte de mailles trouée par mille combats, Tony et Dave dans des jeans trop grands et plus tachés que ceux d'un peintre en bâtiment. On ne peut pas dire qu'ils se sont endimanchés. Ils traînent leurs instruments, trois guitares et quelques sacs destroy. Je suis content de les revoir, en même temps inquiet : « Merde, le disque ! »

À peine installé devant un café, Bruce me tend un chèque à mon nom signé Nathalie, cinquante mille francs[1]. Impossible de reculer, il faut que j'assure.

Je loge mes Américains dans l'ancienne galerie d'exposition au-dessus de la librairie et pour le moment inutilisée. On tasse des matelas dans la pièce du fond. La grande salle gardera une apparence jusqu'au jour où ils briseront les chaises pour se chauffer. Par bonheur, ils mangent pour pas cher. Comme moi, ils n'ont que la peau sur les os et se bourrent de riz et de pain, une côte de porc les meilleurs jours.

Dijon possède ses punks, un fort contingent de babas, quelques jeunes gens modernes de la new wave et, en masse, de la coupe de footballeurs. Bref, la ville a du look mais mes récents

---

1. Un peu plus de 20 000 euros en 2013.

amis déclenchent des torticolis, plus grands, plus hirsutes, plus maigres, plus pâles que tout ce que le Dijonnais moyen avait déjà subi. À New York, ils se fondaient dans la ville, ici ils détonnent.

Dès les premiers jours, la présence des Américains nourrit des rumeurs mégalos dans la scène rock : « Il paraît que le guitariste partage un appart avec Richard Hell » ; « Les copains de Lou Reed vont enregistrer à Dijon ». On les imagine en copie de Sid Vicious ou, plus fort, de Jimi Hendrix. Tous les groupes locaux donnent leur avis : « Ces types-là, ils jouent plus vite et tellement mieux. » On les guette place d'Arcy ou au café en face des Beaux-Arts. Sans même les connaître, on se les dispute déjà. Chacun veut son morceau de New-Yorkais. De son côté, le groupe, aussi émerveillé qu'un touriste devant Versailles, découvre la ganja bourguignonne, le vin. Il traîne dans les bistrots. Tandis que les autres dessinent, écrivent, Bruce, le plus francophile, se plonge dans les livres de poésie. Il me questionne :
« Charleville, combien de kilomètres ? »
Il ne pense qu'à Rimbaud.
Certains soirs, je les retrouve éméchés dans des troquets. Je les ramène en Ami 8 au-dessus de la librairie.
Au bout de quelques jours, alors que je m'agite pour trouver un local de répétition, des groupes du coin invitent Bruce à bœufer dans un hangar. On lui prête une guitare électrique. Le groupe répète et entonne « Anarchy in the UK », le tube des Sex Pistols.
Catastrophe.
Bruce tient sa guitare comme une tronçonneuse. La petite scène dijonnaise tombe de haut : il ne sait pas jouer l'hymne sacré du punk !
« L'Américain est une brêle ! »
La rumeur repart en sens inverse : ce n'est pas Jimi Hendrix. La ville se divise, les pour, les contre. La bande des contre tourne autour de Luc, un relieur familier de ma librairie. Luc a une bonne raison d'avoir Bruce dans le nez, cette raison se nomme Sylvie. Cela s'est passé dans le restau qui me sert de cantine. La

première fois que Bruce l'a vue, elle jouait au flipper. Elle l'a fixé et a laissé partir sa boule. Je ne sais plus comment elle s'est glissée à notre table mais, bien avant le dessert, je comprends que Sylvie va marquer l'histoire des Américains de Dijon. Bruce n'entend pas le français, Sylvie ne parle pas l'anglais. Ce soir-là, il l'a séduite par la méthode la plus préhistorique qui soit, des dessins sur sa serviette en papier. Une heure après, la voici dans la chambre au-dessus de la librairie. Ils ne vont plus se quitter.

À Dijon, même dans l'univers anomique du rock, on conserve le sens des convenances et Sylvie se retrouve au ban du petit monde de la contre-culture : « Quelle groupie ! Elle va se fracasser avec son Américain. » Il y a plus méchant : « La salope, elle a largué Luc alors qu'il payait tout depuis deux ans. »

Parce qu'elle vit jours et nuits avec Bruce, Sylvie se fiche du qu'en-dira-t-on. Elle ignore tout de New York et de la no wave. Elle vient d'un autre monde et ce nouveau continent ne l'intéresse guère. Leur passion ne se comprend pas. Chacun aime chez l'autre ce qu'il se refuse à lui-même : l'artiste maudit pour Sylvie, une vie posée pour Bruce. L'orgueil du couple ignorant des ragots entre dans l'épopée de ceux qu'on ne nommera plus que les Américains de Dijon.

Pendant ce temps-là, je me démène pour lancer le groupe, organiser des concerts, fabriquer un disque. Hormis la répétition ratée, aucun de mes amis n'a encore entendu leur musique.

Marc Piffoux, mon associé de la librairie, propose sa maison d'Avallon pour une première apparition privée, galop d'essai avant les triomphes attendus. Cette démonstration inaugurale fait une victime, le teckel que Mme Piffoux mère a recueilli et bichonne depuis trois ans. Poursuivi par la musique enragée des Américains, le clebs affolé trouve une porte malencontreusement ouverte et s'enfuit. Mais la route nationale est toute proche et un semi-remorque l'aplatit.

« Beaucoup de bruit, beaucoup de bruit », répète la maîtresse endeuillée du teckel. Le drame freine l'enthousiasme musical de mes amis avallonais.

Quelques jours plus tard, le deuxième concert, un happening, ne fera pas de mort. Il se tient dans la rue à Dijon devant ma librairie. Toujours autant de bruit, en tout cas assez pour singer les groupes punk de Londres : les flics arrivent et interrompent la démonstration sonore au troisième morceau. Cet éclat me vaut un passage sur France 3 Bourgogne, ma première rencontre avec la télévision. Mieux, le groupe se retrouve en pleine page avec photo dans le *Bien public*, grand journal local qui consacre un article à l'incroyable virée des Américains de Dijon. Nous voici sur les chemins de la renommée.

Après des jours de quête, je trouve enfin un studio d'enregistrement qui entre dans nos prix. Une nuit, nous chargeons l'Ami 8 comme une 404 de blédars. Des amplis de location, les instruments, les quatre Américains et moi, la caisse de la petite Citroën touche presque terre et ses phares éclairent les arbres. Tous dorment tandis que je roule vers Troyes. Il pleut, nous sommes en novembre. Nous trouvons le studio, une maison genre Phénix au bord d'une forêt, décor angoissant où les plus allumés pourraient voir des fantômes ou des vampires.

Le studio semble petit mais correct, en tout cas pour moi qui n'ai aucun point de comparaison. La console en cabine de pilotage m'impressionne. L'ingénieur du son, un bandeau dans ses cheveux longs, m'inquiète : il ne s'attend pas au fracas que nous préparons. Mal réveillés, courbatus, les Américains sont de mauvaise humeur. En fait, ils ont peur.

Nous décidons d'enregistrer dans les conditions du live.

Tony le chanteur couve une grippe, fâcheux pour un enregistrement. Ce matin, rien ne paraît idéal. Loin des rêves que nous avions à New York notre installation se révèle laborieuse. Mes amis se sentent trop vedettes pour décharger la voiture; ils le font en râlant : tout juste s'ils ne me prennent pas pour un négrier. Puis la batterie du studio ne convient pas. Dave, à cran, parle de repartir, sa copine et sa vie américaine lui manquent. Le groupe s'engueule. Pour en rajouter, l'ampli de Bruce ne fonctionne pas.

J'imagine le chèque de Nathalie gaspillé, la journée d'enregistrement perdue, et je n'ai loué le studio que pour vingt-quatre heures. Ces oiseaux de nuit n'envisagent pas de pouvoir jouer à l'aube : c'est comme leur proposer de la vodka au petit déjeuner. Là, non seulement je les ai traînés pendant deux cents kilomètres compressés dans une Ami 8 mais je leur demande de cracher leur fureur de noctambules urbains avant neuf heures en pleine campagne.

« Tu marches sur la tête », lâche Rik d'un ton navré.

Par bonheur, le psychodrame que déclenchent les jérémiades de Dave a le mérite de les réveiller. Ils se mettent enfin d'accord sur un sujet : ils me détestent. Je les ai enfermés dans un studio ringard pour jouer à une heure impossible.

Ma nervosité les agace. Ils me jettent des regards de menace comme si j'avais fomenté ce désastre dans l'intention de les spolier. Me voici en producteur de caricature, pillant leur talent, exploiteur de ces génies incompris de l'art. Je l'ai mauvaise. Je nous vois déjà quitter le studio avec des bandes vierges.

Nos règlements de comptes énervent l'ingénieur du son qui n'a pourtant encore rien entendu.

« Si vous voulez finir ce soir, il serait temps de vous y mettre », insiste-t-il. Il nous prend pour des baltringues.

Nous nous y mettons enfin. Les prises poussives se succèdent. Au mixage, l'ingénieur ne comprend pas que le groupe veuille couvrir la voix de Tony par les instruments. Bruce pique une colère :

« Eh, dis donc, trou du cul, on n'est pas en train d'enregistrer de la variété française ! »

Nous terminons dans le fracas et à deux doigts de péter la gueule à l'ingénieur qui, comme beaucoup de ses congénères, se prend pour un artiste et prétend nous expliquer la vie. Nous avons tout de même enregistré quatre morceaux.

Sur la route du retour, nous nous tirons la tronche. Je sais que je n'ai pas capturé le souffle qui m'avait séduit au Tier 3. Ils le savent aussi. Nous sommes frustrés. Le studio, le disque ne visaient pas un tube au top 50. L'ambition se voulait bien plus haute : marquer l'histoire de la pop culture et, au-delà, de l'art tout entier, nouveaux Duchamp rock and roll et héritiers punk d'Andy Warhol.

« *Fuck* ! » marmonne Bruce au fond de l'Ami 8, les yeux dans le vague.

La situation pue la lose.

Je m'inquiète. Il ne reste presque plus rien de l'avance de Nathalie et je songe que je n'aurai pas de quoi payer les pochettes. Contre toute attente, mon père, l'huissier d'Avallon, me donnera l'argent. Ça, c'est un bon papa.

Il n'y a pas que le fric. La cote de mes Américains dégringole à Dijon. Cela fait deux mois qu'ils errent comme des zombies dans la ville. Personne n'a vraiment entendu leur musique et la performance de Bruce dans le hangar a suscité la moquerie. Nos stars new-yorkaises ne seraient que des gros nuls, et mythos en plus. J'y passe moi aussi.

Rik, le plus cool de la bande, réagit : « On n'a qu'à faire un vrai concert. » Facile à dire mais comment remplir une grande salle avec un groupe inconnu et sans nom ?

J'ai une idée : inviter un groupe en vogue et placer nos amis en première partie. Cela ne leur plaît qu'à moitié mais je m'en fiche. Je veux m'en sortir. Coup de chance, je débusque au téléphone le manager de Marquis de Sade. À Paris, tout le monde parle d'eux. Leur premier album est annoncé pour la fin du mois : on les voit déjà comme la prochaine sensation. Ils acceptent de venir se chauffer à Dijon avant leur apparition aux Transmusicales de Rennes.

Après des hésitations et une vanité aussi froissée que malvenue, le projet finit par exciter nos Américains. Je retrouve enfin de l'énergie et, petit Rastignac de province, je dois conquérir Paris. C'est là qu'on gravera et pressera le disque, c'est là où l'on peut secouer les médias. J'ai un fantasme : obtenir un article dans *Actuel*.

Le petit mensuel de l'underground s'était arrêté depuis quatre ans, la première année où il avait fait des bénéfices : un faux suicide de seigneurs. Jean-François Bizot, le directeur, avait conservé son équipe, concentrée dans un hôtel Louis XV en mauvais état sur les bords de Marne à Saint-Maur-des-Fossés. Saint-Maur Défoncé, à côté de Joinville. Fausse communauté, vrai intellectuel collectif. Ils avaient publié deux almanachs prophétiques :

« Depuis 1978, écrivaient-ils, nous avons fait 250 000 kilomètres pour réaliser cet almanach. Il est venu d'un coup un puissant besoin d'air, l'effondrement de tous les baratins, l'agonie des propos de table, une sorte de désert futile. Nous n'avons rien à perdre à aller rencontrer ailleurs monsieur Réel. »

On nous sortait enfin des métastases des gauchismes sectaires, des maos épouvantés par le totalitarisme dans lequel ils
avaient barboté. Après mai 1968, la France s'était fermée sur
elle-même, ses querelles, ses révolutions imaginaires, son vieux
marxisme, les flics, les années Pompidou et Giscard. *Actuel*
s'ouvrait sur le monde, découvrait et disait que l'Afrique décolo-
nisée, l'Asie, le communisme entraient dans une autre histoire,
que les musiques changeaient. Les rigolos de l'ancien *Actuel*
underground se sont coupé les cheveux, ont jeté leurs peaux de
biques afghanes ; désormais, ils chantent l'avenir, la science, le
progrès, l'entreprise. Ils racontent des aventures modernes qui
échappent au conformisme d'une presse tant militante que
conservatrice. Ils parlent d'une France audacieuse, un pays
qu'on ne connaît pas.

Portés par le succès de leur *Almanach des années 1980*, ils
ressortent en mensuel à l'automne 1979. Ils espéraient vendre
80 000 exemplaires. En deux mois, les voici à 140 000. Avant de
redescendre, ils grimperont jusqu'au chiffre historique de
410 000. Bref, ils sont affreusement à la mode et règnent sur les
lieux parisiens devenus mythiques, des Bains-Douches au
Palace.

Je veux rencontrer Bizot, le boss. À tout prendre, je me sens
déjà cousin de cette étrange famille : j'ai tant vendu de collections de leur canard dans ma librairie.

Actuel se fabrique dans un appartement sur deux étages au 39
rue Réaumur, à quelques pas des Halles de Paris, détruites et
transformées, où s'agitent de petites foules underground. On y
entre comme dans un moulin. Je ne suis pas le seul à grimper
l'escalier jusqu'au cinquième étage, plusieurs individus envapés
squattent déjà le canapé de l'entrée. Je n'ai jamais mis les pieds
dans un journal, mais je sais déjà que celui-ci ne ressemble à
aucun autre.

La pagaille dans les bureaux d'*Actuel* m'impressionne, mais
aussi l'activité. Tout va plus vite qu'à Dijon. Des piles de livres,
de vinyles, de journaux, de papiers, des cendriers débordants,
des bouteilles de bière chaude : ça court et ça pond des articles
dans tous les coins. Je n'avais jamais vu ces énormes machines

35

à écrire électriques – pièces de musée aujourd'hui. Je repère aussi ceux qui frappent sur de petites Olivetti lettera 37, genre littérature américaine, polar, Kerouac et scénaristes d'Hollywood, baroudeurs du romantisme. Nul ne glande et personne ne me regarde. J'entends des phrases : « C'est bon, ça marche pour le Palace ce soir. » Un excité transmet une communication : un reporter en péril appelle de Peshawar au Pakistan. Je suis au cinéma. Je ne sais où dénicher le bureau de Bizot, je ne sais plus par où je suis entré ni par où je pourrai ressortir. On m'indique l'étage supérieur.

Dans un escalier en colimaçon, un chien presque aussi haut que moi, chien des Baskerville à oreilles en pointe, manque de me basculer. Après deux nouvelles pièces bourrées de paperasse, j'arrive chez Bizot.

Une grande et belle table espagnole couverte de manuscrits gribouillés, de paquets de Dunhill menthe entamés, d'immenses cendriers pleins et d'une foule d'objets absurdes, statuettes exotiques et figurines kitsch, stylos ouverts avec des encriers de toutes les couleurs, bouteilles à moitié vides, dont une de menthe, et trois verres sales où nagent des mégots. Derrière la table, un individu dont je ne distingue pas le visage, juste les cheveux blonds et raides : il écrit. Sans lever la plume ni la tête, il mange une phrase :

« C'est toi qui vends des collections d'*Actuel* à Dijon ? »

Il continue à écrire puis me regarde enfin. L'homme est de haute taille, un gros cigare Roméo et Juliette sous un nez fort. Il cligne de l'œil. Est-ce une complicité ?

Je viens lui parler du disque des Américains. Ce qui l'intéresse, c'est ma librairie. Il veut savoir qui sont mes acheteurs, vieux babas ou pas, et ce qu'ils pensent de la nouvelle formule moderniste d'*Actuel*. Je lui explique. Je ne sais jamais s'il m'écoute ou pas. Je saurai plus tard qu'il est sourd d'une oreille – un accident de moto qui l'a sauvé du service militaire – et il en profite.

Il ne s'habille pas en gaucho mais ses costumes bourgeois, fripés et tachés définissent une sorte de clodo magnifique. Un charme étrange irradie de son allure et de phrases senties, parfois si incompréhensibles qu'il faudrait un décodeur. Je mettrai du temps pour apprendre que ce traducteur existe dans le journal mais pour l'instant je ne le connais pas. Bizot me vanne, entre la gentillesse et la complicité, comme une façon d'établir sans en avoir l'air sa supériorité. Il joue à ne pas être le chef et pourtant il l'est tellement.

Je poursuis mon histoire d'Américains de Dijon à laquelle il répond par l'un de ses mots à l'évidence favoris :

« Faut voir. »

Il lève un œil quand il apprend que je prépare un concert avec Marquis de Sade. J'ignore que le groupe fournira la couverture du prochain numéro d'*Actuel* titré « Les jeunes gens modernes aiment leurs mamans ». Dès lors, il me prépare mon plan com.

« Va voir Rémy Kolpa Kopoul qui s'occupe de la musique à *Libé*. »

Devant moi, il appelle ce Kolpa Kopoul pour me brancher : le gars termine un papier chez lui et je peux m'y rendre sur-le-champ. Il me donne aussi le numéro de Pierre Bénain, le dandy de la nuit qui organise les concerts les plus pointus de Paris chaque mardi soir aux Bains-Douches.

Je n'ai plus besoin de faire l'article : je devine que j'aurai un journaliste d'*Actuel* au concert de Marquis de Sade et des Américains à l'amphi Aristote de la fac de Dijon. Quand je sors du journal, j'ai l'impression d'avoir perdu pour une part ma dégaine de provincial. En fin d'après-midi, Rémy Kolpa Kopoul, le journaliste de *Libé*, m'attend chez lui rue du Faubourg-du-Temple. Quand j'arrive, il a déjà enfilé son blouson :

« Faut que je parte au Palace pour le concert des Talking Heads. Si tu veux qu'on parle, viens avec moi. »

Il a une voix grave et nasillarde, cuivrée, dont on me dira plus tard qu'elle ressemble à celle du Sartre des mauvais jours. Et le Palace, théâtre des folies de l'avant-garde... À Dijon, c'est une légende, un rêve, une péninsule jusqu'ici inaccessible.

Rémy me précède dans une Alpha Sud vert métallisé, une autre classe que ma vieille Ami 8 avec laquelle je le suis difficilement dans les rues mystérieuses de Paris. Pour qui connaît, le Palace, c'est la porte à côté. Pour moi, c'est traverser la métropole. Il fonce. Si je le perds, adieu Rémy, Palace, Talking Heads, article dans *Libé*. Au risque d'y laisser ma carrosserie, je m'accroche.

Nous arrivons, nous doublons les masses élégantes et lookées qui poireautent dans la rue : Rémy a ses entrées. Il a aussi beaucoup de monde à voir et peu de temps à me consacrer. Mon histoire d'Américains l'amuse.

« Tu auras un papier dans *Libé*, promet-il, mais je le sortirai trois jours avant *Actuel*. »

Je découvre la guerre des vanités dans la contre-culture.

Un article dans *Libé*, je marche trois mètres au-dessus du sol. J'ignore que je vais bientôt atteindre l'Himalaya. Quittant le Palace, je file aux Bains-Douches, l'autre sommet des nuits parisiennes. Grâce à Bizot, j'ai rendez-vous avec Pierre Bénain, le programmateur des concerts qui arbitrent entre le succès et le ringard. Avec lui, même si on ne connaît pas les groupes, on s'y rue pour pouvoir dire qu'on y était. Son dernier exploit fut la révélation de Joy Division du sombre Ian Curtis.

Si je ne lui avais pas parlé, j'aurais sans doute pris Bénain pour un frimeur. Il a de la gueule, grand, blond, sapé. Il s'agit du premier mec que je vois dans un futal en cuir. Il me semble plutôt accueillant et sympa : avec lui, j'oublie que je ne suis qu'un péquenot de province. J'ai mes arguments, New York et mes promesses d'articles dans *Actuel* comme dans *Libé*.

« Qui sort le disque ? » me demande Bénain.

Comme depuis le début, je me vante :

« Je vois Rough Trade à Londres la semaine prochaine. »

Soit les princes de la production indépendante en Grande-Bretagne.

Là, je l'ai bluffé. Il programme un concert de mes Américains aux Bains-Douches une semaine après celui de l'amphi Aristote de Dijon.

Le lendemain matin, la tête encore farcie de mes succès inespérés, je redescends un bon coup. J'ai la mauvaise idée de téléphoner à la librairie pour prendre des nouvelles du groupe et de la boutique. Ma banque a appelé : entre la location de la salle Aristote, les affiches et mon expédition parisienne, j'ai un trou de plus de 10 000 francs[1] sur mon compte personnel. Si je ne le bouche pas dans les jours qui viennent, je me retrouverai interdit bancaire et tout s'effondrera.

---

1. Pas loin de 5 000 euros.

IV

Sauvé par la banquière

Mme Lelièvre du Crédit Agricole – Marquis de Sade à la
rescousse – Un pied dans les Bains-Douches – Le groupe sans
nom brûle mes chaises pour se chauffer – Les amours
clandestines de la banquière – Amoureux frustré, me voici en
baby-sitter – Avec Bruce, c'est la poudre qui l'emporte

Sur l'autoroute de Dijon, l'angoisse me gagne : un fils d'huissier interdit bancaire, voilà qui craint pour ma réput' et mon
daron va péter les plombs. En arrivant à la librairie, encore une
mauvaise surprise : mes rêves de grandeur ont fatigué Brigitte,
Marc et Christian, mes trois associés. Emportés par une frénésie téléphonique, les Américains passent leur temps à appeler
New York. « Nos affaires ne permettent aucun écart de budget,
me menace Brigitte. Si on reçoit une méga note des PTT, c'est
toi qui régleras. »

Avec quel argent ?

Pour tout arranger, le groupe se déchire. Dave, de plus en
plus critique, se réfugie dans le mutisme. Il en a marre de Dijon,
du vin et des baguettes. Il ne songe plus qu'à rentrer aux States.
Autre complication surgie lors de mon absence : le groupe supporte mal les amours de Bruce et de Sylvie. Celle-ci donne son
avis sur tout, les repas, le loyer de l'appartement new-yorkais,
l'ordre des chansons pour le concert à venir... Elle isole Bruce
qui se défile à chaque querelle.

Grand classique du rock, la petite amie propriétaire de son
amant tente d'évincer le groupe : Linda McCartney et Yoko Ono

pour les Beatles, Patti Hansen et Marianne Faithfull pour les Rolling Stones... Les Américains vivent l'exclusivité de cet amour comme une trahison. Bruce les a jetés dans cette aventure et maintenant il les lâche. Arrive un ultime souci, un mot de Nathalie adressé au groupe et à moi-même : « *Mother fuckers* ».

Je n'ai jamais reçu de lettre aussi courte et désagréable.

Je noie mes ennuis dans le travail. Je m'épuise à rassurer mes associés, à remobiliser le groupe, surtout à convaincre la banque de m'accorder encore un délai.

Avant de pénétrer dans le bureau de Mme Lelièvre – nous l'appellerons ainsi – du Crédit Agricole de la route de Chenôve à Dijon, je m'éclaircis la voix. Je prends l'air le plus décidé du monde :

« Madame Lelièvre, dans quel pays vivons-nous ? Si chaque fois qu'un type se lance dans une entreprise, on lui coupe le crédit, plus personne ne voudra prendre de risque et l'on dépassera bientôt le million de chômeurs. »

« La presse nationale parle de nous, la fac et la mairie me soutiennent.

— D'accord, d'accord, rétorque Mme Lelièvre avec le sourire ourlé de la banquière méfiante, ce ne sont pas eux qui vont régler vos dettes. »

Mme Lelièvre a trente ans, jolie, les cheveux tirés en arrière pour se donner l'air sérieux, un corsage blanc boutonné jusqu'au col. Chez elle, rien ne dépasse. Une folle envie me prend de mettre un désordre dans la sévérité de sa mise. Loin de les relever, cette idée loufoque brouille mes arguments. Je repars :

« Les milliers de jeunes qui viendront au concert de Marquis de Sade et de mon groupe sortiront, dépenseront. C'est bon pour la ville et votre banque, madame Lelièvre.

— Ah oui ? Vous n'allez pas m'expliquer que c'est vous qui payerez mon salaire. »

Elle accompagne ces derniers mots d'un sourire presque complice. J'y vois une ouverture. Je poursuis sur un ton dépité :

« Vous refusez de me soutenir quinze jours pour 10 000 balles ! »

Elle hésite puis lâche :

« Je vous attends avec l'argent le lendemain du concert à neuf heures du matin. »

C'est risqué mais quel soulagement. Ce premier obstacle franchi, je respire, quasi amoureux de cette Mme Lelièvre et bien décidé à remettre mes New-Yorkais au boulot. Je me crois doué pour les affaires, le succès de mon arrogance me pousse au fantasme : serai-je le nouveau Malcolm McLaren bourguignon ? Je file donc à Londres, la ville de Malcolm. Cette fois, la réalité me remet les idées en place. Un directeur de Rough Trade, le fameux label indépendant, me conseille avec politesse de trouver un distributeur français avant de m'attaquer à la Grande-Bretagne. Mon disque ne les intéresse pas. Je profite pourtant du voyage pour m'offrir un concert de Bauhaus dans un bourg de la banlieue londonienne. Cela me permettra toujours de faire le malin devant Pierre Bénain et ses Bains-Douches en évoquant le charisme du chanteur Peter Murphy. J'ai déjà ma phrase toute prête : « Il se prend pour un vampire quand il chante "Bella Lugosi's dead". »

À Paris, j'explique donc cela à Pierre Bénain : « Fais venir Bauhaus, me dit-il, personne ne les a jamais vus en France. »

L'intérêt que porte Bénain à mes petites infos soigne ma vanité écornée. Je me sens reconnu, j'ai mes entrées chez les branchés. Mon groupe américain est déjà casé : les Bains-Douches ont imprimé l'affiche du futur concert avec le cercle barré du X. Je la rapporte comme un trophée prémonitoire à Dijon.

En attendant, nuit après nuit, nous collons du Marquis de Sade dans toute la ville. Quand fin novembre ceux-là débarqueront, j'ai la certitude que l'amphi Aristote sera plein à craquer.

Pour changer, Bruce et ses potes font la gueule, jaloux de l'attention portée aux rockers français. Dans son numéro du mois précédent, *Actuel* a publié une double page sur le chanteur et sa sombre beauté. Ces photos n'ont pas échappé aux étudiantes dijonnaises.

Le soir du concert, elles assiègent l'amphi Aristote tandis que les musiciens n'en sont qu'à régler leur balance. Devant l'amphi bondé, je songe à Mme Lelièvre et à son blanc corsage. Nous allons même transgresser les règles de sécurité. Gare aux mouvements de panique. Après une demi-heure d'attente, la foule gronde son impatience sous les lumières crues des néons d'Aristote. Les largesses de Mme Lelièvre ont limité le budget éclairage.

Je le craignais : les Américains sont en retard et je peste. Soudain, l'obscurité. Déboule une tornade sonore que nous prenons en pleine gueule. Ce n'est pas un concert : mes Américains ont préparé une embuscade, un traquenard, une machine infernale, un guet-apens. Le volume du son, jusqu'à l'intolérable, massacre les tympans. Tony hurle à s'en déchirer les boyaux, encore plus fort que les clochards de la Bowery à New York. Dave, bête en furie, cogne sa rage d'être là. Bruce crache de sa guitare tronçonneuse une énergie de supersonique qui laisse dans son sillage une traînée immonde de polluants. Rik fait grincer les larsens comme s'il voulait nous opérer à vif. Ils ne s'arrêtent pas entre les morceaux, pas de quartier, pas de cadeaux. Quand ils quittent la scène, Dijon réveillée reste effarée, sans comprendre la violence de ces pirates américains.

« Ce n'est pas de la musique », me lance une charmante venue pour les yeux noirs du chanteur de Marquis de Sade. Mes Américains ne lui donneraient sans doute pas tort puisque tel est leur but. Marquis de Sade enchaîne dans cette étrange atmosphère. Le public, cette fois comblé, s'enflamme.

J'ai organisé une fête à la librairie. Patrick Zerbib, le jeune journaliste d'*Actuel*, s'est isolé avec mes Américains au premier étage. Durant l'interview, Bruce fracasse des chaises qu'il brûle dans la cheminée, n'oublions pas que nous sommes en novembre. Cette mise en scène exagérée ravit le photographe. Les Marquis de Sade débarquent, fatigués, heureux : ils ont eu plein de rappels, bon signe avant les Transmusicales de Rennes où la presse parisienne viendra les jauger.

Zerbib me conseille : « Tu devrais voir Karakos pour sortir ton disque. Il a une réput' de forban mais il fait du biz à la cool et il cartonne avec son label Celluloïd. »

Du saucisson, de la bière, quelques bouteilles de bourgogne, je n'ai pas vidé l'enveloppe de biftons que je dois porter à Mme Lelièvre le lendemain. Je l'avais invitée, elle n'est pas venue. Dans la librairie, je fais le deejay pendant que se poursuit le défilé des copains qui m'ont aidé. Sur le concert, les commentaires s'avèrent plutôt positifs. Les Américains n'ont pas fait taire toutes les critiques mais on ne traite plus ces furieux d'escrocs. Une euphorie gagne la soirée. Il faut que j'appelle Nathalie à New York. Elle me répond, glacée :

« Tu as retrouvé mon numéro ? »

Je lui explique mes galères, le manque de fric, je détaille mes exploits parisiens, je mentionne les engueulades du groupe sans parler de Bruce. J'ignore si elle connaît l'existence de ses amours avec Sylvie. Elle me coupe : « Te fatigue pas, je connais l'oiseau. »

Surpris qu'elle le prenne sans drame, je comprends vite. Nathalie a plongé dans une autre aventure et trouvé un job de monteuse sur le film de Charlie Ahearn qui raconte la vie de Lee aka George Quinones et des pionniers graffeurs. Charlie est l'un des premiers branchés de Downtown à croire au rap et il a trouvé de l'argent. La scène de l'avant-garde new-yorkaise bat désormais à son rythme. Va-t-il réussir à boucler son film sur le rap en indépendant ? On se pose la question au Mudd Club et dans les after-hours. Charlie a lancé son tournage. Il se fait conseiller par Steven Hager, le premier critique à écrire sur le hip-hop. Un seul journal accepte de publier ses papiers, l'*East Village Eye*, la dernière feuille underground qui tache les mains.

Hager raconte les débuts du rap, les noms qu'on s'invente pour taguer son identité sur les murs, les nouvelles danses de rue, les duels de deejay. Cette énergie joyeuse ne s'apparente guère à la noirceur de mes Américains.

Je raccroche, presque vexé de voir avec quelle aisance Nathalie a changé d'univers. Telle est la vérité de New York : la ville ne s'arrête jamais et le passé n'existe pas.

Sans psychodrame, on ne saurait dire d'une soirée rock qu'elle est réussie. Cette évidence me saute à l'esprit quand, à ma sidération, un ouragan dégringole l'escalier, bouscule les mangeurs de cacahuètes et disparaît par la porte qui claque. C'est Sylvie qui fonce sans même que Bruce tente de la retenir.

Le groupe a cru élégant de lui expliquer qu'elle ne sera pas du voyage aux Bains-Douches. Comme d'habitude, Bruce n'a rien dit et laissé faire. Cette nuit-là, et les jours suivants, son amoureuse ne remettra pas les pieds à la librairie.

43

Le lendemain à neuf heures du matin, j'arrive dans le bureau de Mme Lelièvre. Je la trouve en veste pied-de-poule et bottes marron. Mon enveloppe froissée et bourrée de billets la fait sourire. Le compte y est. Alors que je m'apprête à la quitter, elle me glisse :

« Je vais au vernissage de Messagier demain. »

Un rancard ?

Au vernissage, Mme Lelièvre devient Catherine. On se tutoie. Comme les toiles de Messagier ne nous séduisent guère, nous voici au troquet du coin. Même si je la trouve plus coincée que mes étudiantes de la librairie, Catherine a rompu avec son apparence de banquière. Vive et gaie, elle vanne ma bande de gauchos et leur suffisance idéologique. Elle précise :

« Bien sûr, je ne dis pas ça pour toi. »

J'ai la faiblesse de la croire, fasciné par le film que je tourne dans ma tête et que je titrerais volontiers *La giscardienne et le voyou*. J'imagine que mes copains vont tomber à la renverse le jour où ils vont la rencontrer. Après réflexion, je pense qu'elle exigera le secret pour notre future liaison. Un amour, deux mondes, je plane. Elle me propose d'aller boire un verre chez elle. Cette audace me surprend. Je me dis que, sous l'hypocrisie de la bienséance, les bourgeoises se montrent parfois aussi libérées que nous. La descente en sera d'autant plus brutale.

Catherine, en instance de divorce, élève seule Sabine, sa fille de six ans, et traverse un drame affreux, une passion avec un jeune aristo des environs de Dijon. Celui-ci ignore l'existence de la petite et attend cette nuit même son amoureuse en son château. Mais Catherine se retrouve avec la jeune Sabine sur les bras. Dilemme : le châtelain ou la petite ? Qu'elle révèle sa situation à son amant et elle risque de se faire larguer.

Aurais-je la gentillesse – je pense : l'abnégation – de garder l'enfant pendant le week-end tandis que Catherine courra à ses amours ? Quel râteau ! Mais comment dire non sans passer pour un ingrat devant ma complaisante banquière. C'est aussi une garantie pour mes découverts futurs. Charitable et marri, je me retrouve dans l'Ami 8 avec la fillette. Celle-ci ironise sur le foutoir qui envahit mon véhicule.

Je n'ai jamais eu d'enfant entre les pattes. Elle, elle s'est à l'évidence souvent fait garder par des inconnus. Je la sens beaucoup plus à l'aise que moi. Je la prenais pour un bébé : erreur, c'est une enfant-femme qui a une petite fille, sa mère. Elle sort des phrases de gosse avec des mots d'adulte. Quand j'arrive à la librairie, mes Américains ricanent : « T'as déjà fondé une famille ? C'est ta nouvelle conquête ? »

Ces deux jours imprévus à m'occuper de la fillette me ramènent sur terre comme une pause nécessaire avant un nouveau départ pour Paris.

L'absence de Sylvie a ressoudé le groupe. Mes Américains répètent et bossent comme des malades. Jusqu'ici, Bruce était leur leader, à la fois celui qui les entraîne et celui qui les noie. On dirait qu'ils sortent enfin de l'esprit nihiliste. Faut-il y voir l'influence de la douceur française ? Un indice : ils commencent à cuisiner comme cela se fait chez nous. Allez, Paris est plein de promesses, pour eux comme pour moi.

Dernière étape de l'opération disque : trouver un distributeur. Pour balader jusqu'à Paris les deux mille cinq cents exemplaires du vinyle pressé à bas prix, j'ai dû lâcher ma petite Ami 8 et charger la Toyota que mon père, complice généreux et inconscient, a bien voulu me prêter.

Je n'ai pas le choix. Patrick Zerbib d'*Actuel* m'a indiqué le seul distributeur possible pour un pareil boucan, Jean Karakos de Celluloïd. Celui-ci a logé son label dans une épicerie du 10e arrondissement. Pour arriver jusqu'à sa table poussiéreuse, il faut traverser plusieurs pièces où des piles de cartons montent jusqu'au plafond. On dirait la documentation de Gaston dans *Spirou*.

Mon histoire fait rigoler ce chevalier d'aventures qui allait jouer un rôle primordial dans mon existence.

« Ah bon, s'exclame-t-il, c'est ton vieux qui a payé les pochettes ! »

Il accepte le disque sans hésiter. Avec les Bains-Douches et le torrent d'articles que je lui promets, il est sûr de faire quelques ventes. En me quittant, fanfaron, il me déclare : « Un jour, j'irai m'installer à New York. »

Ce vieillard de quarante ans ? Je n'y crois pas : « *Too old, man.* »

Enfin, les Bains-Douches. Ceux-là gardent bien leur nom : la boîte, tout en carrelage blanc, servait auparavant à l'hygiène des nombreux Parisiens dépourvus de salle de bains. Pas de clinquant : ce n'est pas l'idée que se fait un provincial du lieu le plus lancé de Paris. Je découvre le post-moderne. À l'étage, le restaurant reçoit l'avant-garde de la branchitude, de Mondino à Starck, de Bizot à Ardisson. Dans la foule, des petits malins tournent autour de grands top models, Ellen von Unwerth, Maria Rudman, Farida…

Mes Américains, par principe adversaires de cette légèreté bourgeoise, ricanent avant d'en passer par là. Je pense aussi qu'ils ont la trouille, ce qui nourrit leur rage rebelle.

La salle, trop petite pour leur bruit, étouffe leur effet bombardement. Tony joue des percussions sur une bouteille de Valstar, la bière des clodos.

« Il aurait pu s'en passer », me souffle Pierre Bénain.

Le public s'interroge devant le fracas incontrôlé, je repère cependant quelques pogoteurs enthousiastes.

D'un coup, je sens un soubresaut dans le rythme : Rik, Dave et Tony découvrent dans la salle Sylvie qui les fixe de ses yeux noirs. Pour eux, c'est comme un ampli qui exploserait. Seul Bruce, avec sa tête de Viking, ses cheveux roux hirsutes et ses bras noueux, reste impavide. Il la regarde sans la voir ou la voit sans la regarder.

Le concert est-il un succès ? Pas si simple aux Bains-Douches. S'il ne s'agit pas d'un triomphe, au moins le public a-t-il entendu ce à quoi il ne s'attendait pas, un son loin de l'habituelle copie d'un groupe de new wave. Quand à mes Américains, ils n'ont qu'une pensée : « Gosh, Sylvie n'a pas lâché l'affaire ! »

En réalité, elle ne lâchera jamais. Elle les suivra à New York. La petite jeune fille qui se rêvait une vie propre en province se retrouvera dans le destin d'un artiste maudit. Malgré son dégoût, elle devra affronter les cafards dans cet appartement destroy où ils vivent à cinq. Telle sera sa première guerre, qu'elle gagnera contre les blattes infectes. Les autres du groupe la détestent. Il faut qu'elle leur paye un verre au bistrot pour rester seule avec Bruce et faire l'amour. Ils sont fauchés, elle a de l'argent. Elle en trouve encore en posant nue pour les étudiants des Beaux-Arts. Mais Bruce, fatigué des querelles qu'elle suscite en permanence dans le groupe, retombe dans l'héroïne. Elle reproche aux autres de changer Bruce en junkie, ceux-là lui font grief de le transformer en petit-bourgeois.

Contre la poudre, elle croit enfin avoir gagné. Comme il était prévisible, le groupe se fissure. Sylvie et Bruce partent vivre à Louisville dans le Kentucky, un Dijon américain où elle croit retrouver une normalité et chasser les démons de son amoureux.

Mais voici que le groupe fait à Sylvie ce que Sylvie avait fait au groupe lors du concert des Bains-Douches : débarquer par surprise. Rik, Dave et Tony surgissent à Louisville. Finie la vie petite-bourgeoise. L'aventure repart, d'abord des concerts sur place puis un retour à New York.

À la fin, c'est la poudre qui l'emporte. Bruce a attrapé le sida et meurt. Sylvie rentre à Dijon. Elle est contaminée. Elle meurt elle aussi.

V

Une fière leçon de com'

Un petit péché – Pulvar me remplace aux *Inrocks* – Pulvar se déguise en rockeuse comme les deux Dupont(d) en Chinois dans *Le Lotus bleu* – « Il faut bien que quelqu'un fasse le sale boulot » – J'appelle mon avocat

En cet hiver 1979, sortant du concert, j'étais fier de mon coup de com'. À vingt-quatre ans et au premier essai, j'avais produit un disque, obtenu l'attention et les articles des trois journaux qui comptait pour moi, *Actuel, Libération, Rock & Folk*, et propulsé un groupe aussi inconnu que tapageur jusque sur la scène des prestigieux Bains-Douches. Je n'étais qu'un apprenti ébloui par son premier voyage à New York et qui avait dû tout improviser. Il me restait encore, comme on va le voir, quelques leçons de com' à prendre.

Trente ans plus tard, rue de Marseille dans le 10ᵉ arrondissement au nord de Paris, je m'autorise tous les vendredis matins un petit péché, « un pain des amis », fait à la main, cuit sur la pierre, un goût de châtaigne. Sa croûte épaisse et craquante protège une mie consistante. J'adore ce rituel d'avant le weekend. Une fois par semaine, je me mélange à ces Canadiens, ces Chinois, ces Japonais qui, pris de fièvre boulangère, font la queue dans la boutique jusqu'au trottoir. Je vois des photographes nous mitrailler. Ils assemblent les images qui inciteront d'autres Japonais, Chinois ou Canadiens à venir, tous clients du dernier produit que nous savons encore fabriquer et vendre, l'art de vivre à la française.

Ici, les opticiens se baptisent « galerie de lunettes » et les joailliers « médecine douce ». Les marchands de fringues mettent des livres dans leurs vitrines. C'est le résultat d'une invasion : les bobos, dont je suis malgré moi, ont conquis en dix ans le canal Saint-Martin, le quai de Valmy et ses alentours, dont la rue de Marseille. Chaque semaine, mon pain chaud sur la banquette arrière au milieu des vieux journaux et des CD de promo, je conduis ma Twingo cabossée jusqu'aux *Inrocks* : une balade à la cool avant la conférence de rédaction.

Ce vendredi 13 juillet 2012, mon smartphone pique une crise. D'abord, un texto de Julien Bellver, un journaliste du site *Pure médias* que j'ai croisé dans une autre vie : « Je suis très surpris. On annonce qu'Audrey Pulvar te remplace aux *Inrocks*. » Suit un lien avec l'adresse du site LesEchos.fr. Puis mon portable clignote, vibre, sonne, affiche des numéros inconnus. Les uns après les autres, sites et journaux reprennent l'info. Des amis perdus de vue depuis des années m'appellent. Des journalistes qui ont déniché mon numéro réclament ma réaction. Je ne suis déjà plus qu'un dommage collatéral : c'est Audrey Pulvar la vedette de cette excitation.

Aux *Inrocks*, je tombe dans une ambiance orageuse. On me dévisage. S'agit-il de ma propre pulvarisation ? Pas vraiment. Deux rédacteurs, voisins dans l'open-space, se sont battus en pleine rédaction pour les boucles et les yeux bleus d'une jeune collègue, pugilat peu fréquent dans la maison. Même chez les journalistes, les affrontements sentimentaux passionnent davantage que les tribulations d'une entreprise, fût-elle la leur.

L'attachée de presse du journal déboule dans mon bureau :

« Matthieu (Matthieu Pigasse donc, notre propriétaire) m'a demandé de rédiger un communiqué pour assurer qu'Audrey Pulvar sera directrice générale, mais sans prendre ta place. Il veut que tu l'appelles. »

Je le joins trente secondes au milieu d'une réunion :

« Je suis exaspéré par ce qui sort sur Internet, dit-il, va voir Louis, il faut gérer. »

Louis Dreyfus a quarante ans, passé par HEC et New York, et s'il faut gérer, c'est bien l'homme de la situation. Il a déjà administré un quotidien, *La Provence*, un autre quotidien, *Libération*, un hebdomadaire, *Le Nouvel Observateur*.

Me voici à midi devant un café en terrasse, à deux pas du *Monde*. Louis sort de son journal, agacé par un article de *Télérama* dont il est aussi le gestionnaire, et qui se paye Pigasse, Pulvar et *Les Inrocks*. « Quelle connerie ! s'exclame-t-il, il va falloir que j'arrange le coup. » Ces moments lui appartiennent : le désordre, les crises, l'agitation ne lui déplaisent pas. Il sait et il aime faire face, déminer les situations.

C'est la bande à Pigasse, pour une part formée au cabinet de Dominique Strauss-Kahn et Laurent Fabius, ministres des Finances de Lionel Jospin entre 1997 et 2002. HEC, énarques, polytechniciens, jeunes et hypermodernes, ils ont secoué la lenteur des fonctionnaires à tradition et les règlements éternels de Bercy. Le vieux monde renâcle.

Ce matin-là, tous les articles qui tombent sur la nomination d'Audrey Pulvar aux *Inrocks* sont négatifs, et pourtant les grands éditorialistes hargneux n'ont pas encore frappé. Pas de quoi troubler un Louis Dreyfus.

« C'est, me dit-il, la même histoire que lorsque nous avons nommé Anne Sinclair à la tête du *Huffington Post* (le site que Matthieu Pigasse a acquis au début de l'année.). Tous les journaux gueulaient et posaient la question de son indépendance. Qui s'interroge encore aujourd'hui ? *Les Inrocks*, c'est chaud mais ça passera. »

J'ai surtout l'impression que je vais y passer.

Ce jour-là, comme à regret, il ne m'a rien signifié. Pigasse me balade et je me retrouve en plein brouillard

Le lendemain, j'ai rendez-vous avec Audrey Pulvar à la brasserie Les Grandes Marches en face de la colonne de la Bastille. Je la découvre à l'intérieur, contre la vitre, avec son tout récent co-directeur. Ils tiennent une table pour deux qui me place d'emblée en surnuméraire. Mieux assis, co-directeur ne vaut pas beaucoup plus cher. Au premier mot, je saisis qu'avant même son installation, le voici déjà rabaissé en exécutant accessoire, lui aussi pulvarisé.

Quant à notre vedette, Audrey Pulvar, j'ai la surprise de la voir en coupe afro, perchée sur de hauts talons qui lui donnent en se levant presque ma taille. Huit ans plus tôt, alors directeur de la rédaction d'I>Télé, je l'avais reçue pour un essai, jeune fille sage et sévère, les cheveux lissés et bien attachés.

Je prends cette récente fantaisie capillaire pour ce qu'elle était : un subtil coup de com'. Puisqu'il s'agissait des *Inrocks*, la voilà plus sûrement déguisée en rockeuse que les deux Dupont(d) en Chinois dans *Le Lotus bleu*. Mieux encore, elle crée le buzz pour tous les médias, marque qu'elle se veut rebelle, plus proche du hip-hop que des ministères. Elle rappelle aussi qu'elle est femme et black, fille du sénateur Pulvar, fondateur d'un mouvement indépendantiste créole. Je ne suis pas au niveau.

Elle se montre charmante et m'écoute avec politesse sur mes projets de rentrée. Pendant que le co-directeur perd son regard dans la vitre, elle marmonne :

« Il faut bien que quelqu'un fasse le sale boulot. »

Puis, à haute voix :

« Je vais réfléchir. Je t'appellerai pendant l'été. Je dois voir si l'entreprise peut supporter la charge de ton salaire en plus des nôtres. »

Un quart d'heure plus tard et cinquante mètres plus loin, rue de Lappe, l'ancienne rue des mauvais garçons, j'appelle un avocat.

VI

Les doormen prennent le pouvoir

Vers vingt heures, les Fabuleux commencent à chercher où
ils vont attaquer – Le rock cesse d'être le média dominant –
Arrivent les peintres, les photographes, des poètes, des
écrivains, des dee-jays, des doormen – Je reste à New York
pour un visage qui s'appelle Ann

Février 1980. Le jeune portier du Peppermint Lounge, la boîte
à deux pas de Time Square, repousse avec agacement un petit
punk coiffé huron et une jeune fille en robe Brigitte Bardot
jaune citron[1] :
« Non, toi, tu ne rentres pas, ni toi ! »
À l'inverse, il sourit à une grande blonde vêtue d'un sac de
plastique transparent couvert de cartes à jouer, une vraie table
de poker :
« Toi, tu peux y aller.
— Et moi, râle le Huron, pourquoi pas moi ?
— J'ai assez de punks ce soir, ricane le portier, va te changer
et on verra. »
Il oublie le petit punk, me repère. J'avance vers le club dont je
suis désormais un familier. Elisabeth D. m'accompagne. Elle
porte un anorak blanc façon Chinois avec un col de fourrure, sa
tête est ronde sur un joli corps rond et des seins ronds, un nez,
une bouche, un menton et un esprit pointus : c'est une journaliste d'*Actuel*, de loin la plus jeune, dix-neuf ans et déjà ancienne

---

1. Pour ce passage, je me suis inspiré de mes notes de l'époque et d'un article que j'avais
écrit avec Elisabeth D. pour *Actuel*, n° 27, janvier 1982. Un certain nombre d'articles que j'ai
écrit pour *Actuel* ont nourri ce livre.

de *Libé*. Elle représente une nouvelle génération, écolo avant l'heure, sportive, ni alcool ni tabac et absolument libérée.

« Dépêche-toi, me crie le portier. Les Fabulous Five Hundred sont là, ça commence.

— Qui, qui ? demande Elisabeth.

— Les Cinq Cents Fabuleux. Ce sont ceux qui entrent toujours gratos dans les boîtes et les concerts de Downtown, des branchés acharnés, des musiciens, des artistes plus ou moins ratés, des zonards, des producteurs... La scène de Manhattan, les purs noctambules, quoi.

— On les a élus, ces Cinq Cents Fabuleux ?

— Ouais, les portiers de club les ont sélectionnés. Un doorman, c'est tout-puissant : il décide sans appel qui entrera ou non. »

L'ambiance, la coloration d'une soirée dépendent des doormen. Ils mêlent à leur guise les groupies et les musicos, les défoncés et les normaux, dosant les fêtes comme un cocktail savant. Le doorman compte autant que le disc-jockey. Le deejay crée l'atmosphère musicale, le doorman, chef d'orchestre des rencontres, choisit le public. Ne le confondez surtout pas avec le videur : lui, il tranche, le videur exécute, d'un côté le ministre, de l'autre le flic.

Ce soir-là, les portiers vont monter sur scène pour se présenter. Par exception, ce sont eux les stars. Il y a là des écrivains, des performers, des acteurs, des musiciens qui font leur numéro. Sur la petite scène à l'italienne du Peppermint Lounge, Haoui Montauk, le plus fameux doorman de Manhattan, accueille le public.

« Bonsoir. Bienvenue au cabaret. Montez sous les feux de la rampe, vous avez trois minutes. Trois minutes seulement pour faire ce qu'il vous plaît, trois minutes pour faire ce que vous ne savez pas faire. Ah, ah ! Trois minutes pour nous faire rêver, nous raconter une histoire ou pour nous faire rire. Mais jamais nous ennuyer. Ha, ha ! Qui de vous a une blague, une histoire ? Vous ? Vous ? Non, c'est si facile d'être drôle. D'ailleurs je me demande pourquoi je n'y arrive pas. »

Haoui envoie un baiser au public et quitte la scène en trottinant. Il a laqué ses cheveux en arrière, s'est poudré le visage en blanc, ses lèvres bavent un rouge putain et son costume crache un de ces bleus qui vous arrachent les yeux. Un charme vulgaire très Berlin 1930, bref, la classe.

Dans la salle, les Fabuleux restent attablés autour de leurs verres et, fait extraordinaire, ils se parlent. D'habitude, ils arpentent la salle, dansent et jactent dans les recoins. Le Peppermint Lounge a des tables rondes en vieux bois. En général, on ne trouve pas de tables dans les boîtes new-yorkaises et, s'il y en a, elles sont angulaires, glacées, en aluminium chromé, arrosées de néons frigorifiques. Ici, on pense plutôt à la chaleur des anciens cafés beatniks. Dans chaque angle et au-dessus du bar, des télévisions projettent les toutes dernières vidéos des derniers groupes, Blondie, Psychedelic Furs, Bow Wow Wow, qu'entrecoupe un célèbre discours de Reagan sur la guerre froide. L'image s'arrête, saute, fait bégayer le président américain; un effet électronique lui tord le cou et le barbouille de couleurs bizarres. La salle s'amuse. Le show commence.

Une grande asperge masculine avec un bonnet de ski et le nez qui coule saute sur scène. « C'est George Robert Haas, le doorman du Mudd Club », dis-je à Elisabeth D. qui a commandé un Manhattan.

L'asperge sort trois feuilles dactylographiées. Il lit sa prose. C'est l'histoire de son anniversaire avec des amis. Nous avons droit à tous les détails. Pour l'occasion, il a mangé un enchiladas au chocolat-chili dans un restaurant mexicain. L'air d'une nouille, l'air de rien, George emboîte ses récits :

« Frank Moore, le peintre, m'a demandé de vous expliquer pourquoi je préfère le job de doorman à tous les autres. Avez-vous déjà pensé à l'incroyable potentiel érotique qu'il faut à un homosexuel pour faire basculer un hétéro dans la pédérastie rien qu'en lui ouvrant une porte? Voyez-vous, le boulot a ses avantages. Ai-je oublié de mentionner la cocaïne? J'aime baiser avec les couples hétéros bien-pensants qui traînent dans les endroits à la mode. Mon psychanalyste prétend que j'ai tout simplement envie de faire l'amour avec papa sous le regard de maman, une inversion des rôles. S'il se trouve parmi vous ce soir quelques couples harmonieux, ils peuvent venir me rejoindre après le spectacle. »

Sous les applaudissements, l'asperge brille mieux qu'une enseigne et quitte l'estrade sur son morceau de gloire.

Au suivant ! Le mime Keith Burger impose le silence. Dix minutes de contorsions plus tard, il termine son numéro d'angoisse en se pendant sur scène, mais sans corde. On s'y croirait.

Cookie Mueller lui succède. Elle a joué dans les films de John Waters et figuré dans ceux d'Andy Warhol, sexe et compagnie. Cookie fait le lien avec l'underground des années 1960. Encore un numéro d'écrivain : elle sort elle aussi une feuille et récite un poème dont un saxophone trop bruyant bousille le texte. Suit un strip-tease de haut vol, un beau jeune homme élastique et jungle qui se déshabille en souplesse sur une musique de sauvages.

Haoui apparaît et disparaît entre chaque numéro :

« Et voici maintenant le fameux détective-poète Peter Smith ! »

Je me penche vers Elisabeth : « C'est le doorman du Continental, le nouveau club after-hours. »

Les clubs after-hours représentent la dernière invention new-yorkaise. Ils ouvrent en général à trois heures du matin, après l'heure légale de fermeture des débits d'alcool, ce qui ne les empêche pas d'installer un bar et une bonne sono.

Pour lancer un club, les patrons font circuler la nouvelle parmi les Cinq Cents Fabuleux et ceux-là s'empressent d'en parler autour d'eux. Un club after-hours peut s'installer n'importe où : dans l'appartement d'un particulier, un loft inhabité, une ancienne boîte qui périclite. En général, ils tiennent le coup quelques semaines ou deux mois, le temps que la police les repère, les rackette ou les ferme. Qu'importe, un autre s'ouvrira bientôt. Ils jouent un rôle crucial dans la nuit new-yorkaise. Celle-ci commence vers huit heures du soir, moment difficile où les Fabuleux choisissent dans quelle party ils vont entamer leur nuit. Chaque soir, une bonne demi-douzaine d'adresses circule chez les branchés. Comment trouver la bonne ? Cela se fait au téléphone en tirant sur un premier joint :

« Où tu vas ce soir ?

— Un nouveau bar s'ouvre dans l'East Village, le zinc est en plexiglass et on voit courir une bonne cinquantaine de rats à l'intérieur. T'as autre chose ?

— Un vernissage à Soho, la crème des nouveaux impressionnistes.

— Plutôt ringard. Rien d'autre ?

— Une soirée avec les Bush Tetras, la bassiste vient de dégotter un loft génial mais glacial. »

Les parties new-yorkaises tiennent du salon mondain, de la boum et du rendez-vous d'affaires. Les plus dynamiques des Cinq Cents Fabuleux s'y retrouvent, les musiciens en quête d'un producteur ou un organiste qui cherche à compléter son groupe, les fouineurs de show-biz amateurs de nouvelles vibrations, les mannequins à l'affût de photographes et les photographes à l'affût de managing editors. On boit juste assez pour accoster n'importe qui et prendre les rancards du lendemain. Surtout, on y discute de la nuit suivante.

Au Peppermint Lounge, trois deejays montent sur scène après Peter Smith. Le premier s'assied sur le bord de la scène et se rase, bzzzz, pendant que le deuxième fait grincer un violon désaccordé. Le troisième casse des disques avec nonchalance. Certains vinyles se brisent du premier coup, d'autres filent comme des soucoupes volantes vers le public. Geste symbolique ? Oui. Les deejays se moquent du rock. Ils en passent toute la journée et commencent à en avoir marre.

Phénomène frappant de cet hiver new-yorkais : le rock cesse d'être le média dominant. Parmi les Cinq Cents Fabuleux arrivent des peintres comme Schnabel, des photographes comme Robert Mapplethorpe mais aussi des poètes, des écrivains, des deejays, des doormen. Tous bricolent et innovent dans leur domaine, parfois seuls ou par petits groupes. En même temps, tous veulent faire du blé. Le bizness les renifle pour rafler les idées commerciales.

Cette soirée des doormen au Peppermint Lounge illustre à merveille la nouvelle situation. Après tout, ceux-là fabriquent tout autant la nuit new-yorkaise que les musicos. En prenant l'initiative d'organiser ces défilés, Haoui, notre maître de cérémonie, incarne cette prise de pouvoir. Haoui est un pur produit du mouvement new wave. Il a vécu le punk à Londres et, depuis deux ans, a travaillé aux portes de tous les clubs de New York. Il lui arrive même de tenir trois portes différentes en une seule nuit. C'est la commère de Downtown.

Vous voulez savoir qui est ce jeune type blond qui traîne au bar ou cette beauté au long imperméable ? Haoui vous donnera leurs noms, leurs origines, leurs boulots. Impossible de le prendre en défaut. Il se montre rigolo, acide, moqueur. Avec une mollesse de limace qui s'introduit partout et qui sait tout, cet homosexuel intello et activiste, l'un des pédés dissidents de la tribu disco du West Village, s'impose comme l'homme carrefour de Downtown.

Il en tire cette leçon :

« En deux ans de club, j'ai bien vu six cents groupes et je fatigue. J'ai pris trop de bruit dans les oreilles, trop d'images dans les yeux. Ça déborde de partout. J'ai rencontré trop de monde et trop vite. Ma mémoire me fait peur, encombrée de gens dont je n'ai que faire. Un jour, j'ai essayé d'oublier ces milliers de visages indésirables que je vois défiler chaque soir. Pour moi, la porte des clubs est un théâtre et cela m'épuise de jouer toujours la même pièce.

« Un soir, c'était la nuit d'ouverture de la Rocka et six cents personnes dehors cherchaient en vain à rentrer. En haut des marches, j'ai sorti un papier et je leur ai lu l'un de mes poèmes pour qu'ils ne perdent pas leur nuit. Le voici :

> « Au téléphone ce soir-là, alors que le ciel noircissait
> « Je dis non, en aucun cas je sors ce soir
> « J'ai passé tant de nuit à traîner. Je me sens interné.
> « Mais toutes les nuits, ça recommence, le club shopping en taxi jaune
> « Comme un malade mental trimballé d'une cellule à l'autre
> « Embarqué avec d'autres de la même espèce
> « Toujours les mêmes conversations avec les mêmes gens
> « Les faire circuler vingt fois jusqu'à ce que tu sois malade de ces paroles qui dégoulinent de ta bouche.

« Aussi, il te faut inventer un nouveau répertoire

« Et puis, tu entends tes propres histoires te revenir en troisième main

« Jusqu'à tes maux d'estomac

« Et tu te mets en quête d'une nouvelle rumeur ou d'une autre fable

« Ou bien tu tires sur le joint qui circule alentour

« Ou bien tu t'interroges au bar

« Espérant que quelqu'un te payera un verre

« Comme d'habitude tu n'as pas de cash

« Tu l'as claqué en courses de taxis

« Ou tu l'as perdu en chemin.

« Tu essayes de te rappeler la différence entre la nuit dernière et celle-ci

« Ou même la semaine dernière

« Mais tout se mélange dans ton esprit

« Tu penses que tu es en train de devenir fou

« Mais tu es quand même d'accord pour continuer au prochain club

« Il y a peut-être quelqu'un là-bas que tu as envie de serrer dans tes bras.

« De toute manière tout le monde y va. […]

« Peut-être se passera-t-il quelque chose, peut-être pas

« Tu tournes dans la salle […]

« Regardant tes amis à la recherche d'une pipe

« Obsédés par leur activité

« Comme des chiens de chasse sur une piste

« Alors qu'ils filent sans même te voir

« Pensant aux drogues, pensant au sexe

« Parfois ne pensant pas du tout

« Laissant le courant te porter

« Jusqu'au moment de rentrer, de dormir toute la journée

« Pensant que le soleil va briller

« La nuit reviendra

« Et ça, c'est sacré

« Te pose pas de questions

« Tu es trop accro. »

Haoui voulait décrocher, dissous, avalé par les mille et une nuits new-yorkaises. Beaucoup de ses amis ne s'en sont pas remis. Leurs cervelles n'ont pas résisté à l'électrochoc, happées chaque soir dans cette immense party qui ne finit jamais.

Hélas elle finira. Haoui et tous les acteurs de cette magnifique soirée du Peppermint Lounge sont morts. La guerre de cette génération ne fut ni le Viêt-nam ni l'Irak mais le sida. Ceux-là n'auront pas leur nom doré sur les plaques de marbre.

Mobilisé dans la tribu des Fabuleux, je me considère aujourd'hui comme un rescapé.

Je ne m'étais pas fait ma place en un tournemain parmi les Fabs. J'étais revenu à New York au début de 1980. Sous la concurrence de la Fnac qui faisait des rabais sur les livres, ma librairie vacillait et mes livres gauchistes passaient de mode. Les Américains s'incrustaient. Malgré *Actuel*, *Libé* et les Bains-Douches, leur carrière ne décollait pas. Je devais prendre un virage : j'hésitais entre Paris et New York. Mais comment s'installer à Paris avec mes Américains sur les bras ? Premier objectif, les expédier ou les ramener chez eux. J'ai choisi la solution la plus directe : si je pars aux États-Unis, ils seront bien obligés de me suivre.

Sur le coup, je n'ai pu en embarquer qu'un seul, Dave. Les autres en traînant les pieds ont fini par suivre un mois plus tard. Pour moi, j'ai cru qu'il ne s'agissait que d'un aller-retour. Je suis resté pour un visage qui s'appelait Ann.

VII

Naissance d'*Actuel*

Une Suissesse méfiante – Avec Ann, New York devient un
terrain de jeux – Il est des nuits et des femmes qui changent
une vie – Me voici floor manager – Je trouve un appart – Ann
me largue – Jean Georgakarakos dit Ragagos

Je l'ai rencontrée dès les premiers jours dans un bar enfumé
au coin de St Mark Place et de la 1re avenue. Nous étions tassés
contre le zinc à ne pouvoir glisser une punaise entre les habitués. Il fallait hurler pour placer un mot. Pour commander un
scotch, c'était l'*Iliade* et l'*Odyssée*. La faune du St Mark Bar ne
ressemblait en rien à celle des Fabuleux que je connaîtrais plus
tard.

J'avais passé la soirée à draguer une Suissesse méfiante et
décolorée, un pas en avant, deux pas en arrière. J'allais décrocher lorsque je repérai un couple maquillé avec outrance qui
riait et s'amusait plus fort que les autres. Le type avait de grands
yeux bleus bordés de khôl, des cheveux noirs frisés et gominés ;
la fille figurait une Jackie Kennedy punk, quel oxymore ! Son
rouge à lèvres éclatant aurait transformé en taureau le bœuf le
plus placide. Le bœuf, c'était moi.

Je me sentais gonflé de mon importance de Français aux
Amériques et prêt à me servir de mon arrogance pour me
pousser du col, expliquer à mes interlocuteurs la nullité du président Carter, la fripouillerie de Nixon, les ravages de la société
de consommation et les sales coups de la CIA.

À l'évidence, le couple s'intéressait à moi. Ils se murmuraient
à l'oreille et riaient en me regardant dans un ballet de séduction

équivoque. Ils m'abordèrent et je crois que je plaisais davantage au garçon qu'à la fille. Le type était homo, je ne l'ai réalisé que plus tard. « Kid » de Chrissie Hynde et « Rock in the casbah » des Clash nous assourdissaient. Chaque histoire d'amour a sa chanson : pour moi, ce seront celles-là.

Nous avons entamé une conversation incompréhensible tant à cause de la musique que de mon anglais déficient.

L'ami gay a vite compris qu'Ann me plaisait. Il nous a offert à boire puis disparut avec élégance. Nous voici dehors. Dans l'East Village sur la 2ᵉ avenue, deux restaus ukrainiens restent ouverts la nuit. Vidant nos poches, nous avons trouvé de quoi nous payer un paquet de Camel et quelques pirojkis, ces raviolis bien gras nappés de crème fraîche. Ann, comme toute New-Yorkaise, court après un rêve : devenir illustratrice. Elle dessine toute la journée des personnages élancés avec des robes étoffées ou des costumes généreux. Un jour, me dit-elle, elle dessinera pour le *New York Time*, pour *Vogue*. Elle me sort son carnet : la mode, la France, elle se montre ravie d'avoir pêché un Frenchie dans la faune du St Mark Bar. Elle souligne les différences qui font le secret du charme français :

« Tu vois, ton jean, jamais un Américain ne porterait un jean aussi serré que le tien.

— Vraiment ? »

Je comprends pourquoi elle riait avec son copain en me regardant : ils m'avaient pris pour un homo.

« Ton fut' te moule. Les Américains préfèrent être à l'aise. »

On voyait en effet la forme de mes couilles dans un froc aussi ajusté que la culotte Premier Empire de Napoléon. Quelle bonne mise en train !

Ann porte la plus mini des minijupes, en velours rose, sur des jambes qui vont avec. Sa chemise entrouverte laisse supposer une poitrine légère. De grande taille, elle dresse un visage de diva grecque sur un corps d'ado. Ses lèvres parfois boudeuses s'ouvrent sur un sourire qui l'éclaire. Ses phrases sont des surprises que coupent des waoh, des glups, des bingos... Elle s'émerveille de la vie et me transforme d'un regard en personnage exceptionnel. Elle a dix-sept ans.

Elle m'enchante : avec elle, New York devient un terrain de jeux, elle s'amuse à dénicher un fauteuil abandonné au bas d'un immeuble, un aspirateur chromé en forme d'avion, un vieux livre de photos des années 1970. Elle le ramasse : « Ça plaira à ma mère », rigole-t-elle. Sa mère, psy, hippie, californienne, souffre d'une séparation d'avec son dernier mec, un aristo WASP, vieille famille du Massachusetts, qui s'est découvert gay à soixante ans. Depuis, elle patauge dans une dépression et un rien pourrait la distraire. Nous faisons la queue dans la cantine ukrainienne. Ann écoute avec politesse mes théories brumeuses de géopolitique. Un clin d'œil :

« C'est tellement français », me coupe-t-elle.

Elle ne vit à New York que depuis six mois et suit des cours à la Parson, une école de mode réputée. J'attrape une info importante quoique fâcheuse : elle habite en coloc avec une vieille dame. Je ne terminerai donc pas la nuit chez elle. Où puis-je l'emmener ? Impossible de demander l'hospitalité à mes Américains de Circle X. Ils dorment à quatre dans la même pièce avec leurs cafards. Reste le loft de Nathalie. Mais il va falloir convaincre Ann de traverser le quartier pourri. La chose s'avère moins difficile que prévue. Dans la pièce immense, je me retrouve avec elle sur un matelas par terre.

Je croyais lui faire l'amour, elle me parle de son film préféré, *Le Magicien d'Oz*, une histoire pour teenagers qui ne me branche qu'à moitié. C'est moi qui me sens dans une armure de boîtes de conserves avec un entonnoir sur la tête. Dialogue absurde mais avec elle tout me semble délicieux.

Elle s'endort. Je la regarde avec émotion : elle me semble encore plus belle dans son sommeil.

Il est des nuits et des femmes qui changent une vie. Lorsque je me réveille le lendemain matin, Paris n'existe plus. Je sais que je ne rentrerai pas en France.

Je ne veux plus jouer au SDF qui cherche où coucher chaque soir et mendie ses clopes. Trouver une chambre, un lit, cela devient ma guerre. Avec Ann, nous arrivons à nous rencontrer ici ou là deux, trois fois par semaine. Mon histoire d'amour relève de la jonglerie.

À l'époque, ce n'était pas la crise. Même sans papiers, on trouvait du boulot. J'ai commencé par faire la vaisselle et nettoyer les chiottes dans une gargote tenue par un Grec. Je me souviens

du montant de mon premier chèque, 114 dollars et 20 cents[1].
Ann m'attendait au coin de la rue. Nous sommes partis tous
deux m'acheter un jean qui me serrerait moins les couilles.

J'ai vite plaqué le Grec pour deux vieux antiquaires homos,
un magasin près de Bleecker Street, la grande rue gay de New
York. Mes antiquaires rêvaient d'améliorer leur français et
d'embaucher un jeune costaud pour trimballer les meubles. Ce
n'était pas la mine. Tous les matins, je voyais des poilus torse
nu, pantalon de cuir et casquette, sortir épuisés mais comblés
des backrooms et des bains avec des chaînes attachées aux
tétons. Je ne suis pas resté longtemps.

J'ai vite trouvé un job dans un bar à vin sous la galerie de Leo
Castelli, la plus connue dans l'histoire de l'art pour avoir fait
découvrir Kandinsky aux Américains, exposé Jackson Pollock et
Rauschenberg, promu les stars du pop art, de Lichtenstein à
Warhol en passant par Frank Stella. On peut l'imaginer, le beau
monde défilait dans mon *wine bar*.

Comme tout immigré qui en veut, je bossais dur, douze heures
par jour. Entré commis, en deux semaines me voici promu *floor
manager*. J'ai une vingtaine de serveuses sous mes ordres, plus
jolies les unes que les autres : à New York, restaus, hôtels, boîtes
de nuit n'emploient que des artistes, des écrivains, des actrices,
des musiciens qui nourrissent ainsi leur carrière naissante ou
avortée.

Cette brusque ascension m'emballe. La paye est bonne,
500 dollars par semaine[2], et pour la première fois de ma vie, je
claque. Je travaille du jeudi au dimanche. Le mercredi, je n'ai
plus un rond. Je commence à fréquenter les boîtes, les vernissages et donc à savoir où ça se passe. Je me fais des copains,
début d'initiation avant de parvenir à la tribu des Fabuleux.

Au *wine bar*, je parade dans un costume blanc et une chemise
vermillon. Ann se moque de ce style m'as-tu-vu.

Notre relation n'est pas facile, elle avait connu un mec fauché
qui parlait mal l'anglais, elle se retrouve avec un dandy fort à
l'aise qui court les boîtes. On se rejoint, on se déchire, on s'aime,
on rompt, on se réconcilie. J'ai la naïveté de croire qu'en trou-
vant un appart, je pourrai stabiliser nos amours.

1. Environ 250 euros par semaine.
2. Environ 1 000 euros.

C'est une dénommée Norah qui va me fournir un logement. Je l'avais connue dans un bar, peu avant Ann, l'histoire d'un soir, un *one night stand* comme on dit là-bas. Elle m'avait donné rancard pour une balade à rollers dans les rues de New York. Elle filait avec élégance sur ses patins ; moi, piteux, je titubais entre deux gadins. Après pareille humiliation, allez-vous rattraper au lit ! L'opération resta sans lendemain. Mais Norah partait en Israël dans un kibboutz et cherchait un sous-locataire pour son deux pièces au coin de la 2ᵉ avenue et de St Mark Place, un quartier branché.

À peine en ai-je les clés qu'Ann me largue. Malgré ce malheur, j'ai un appart, un boulot dans un bar à la mode, de l'argent et cette liberté imprévue, tout le nécessaire pour intégrer la planète des Fabuleux.

Incroyable, le premier coup de fil que je reçois dans mon nouveau logis vient de Karakos, l'homme de Celluloïd qui avait distribué l'année précédente le disque fracassant de mes Américains de Dijon.

« Karrrakkos », fait-il en roulant les r.

Je n'en reviens pas. J'avais tout oublié de cet épisode pourtant fondateur. Devant mon silence, il se vexe :

« Qu'est-ce qu'il y a ? Ça te fait chier que je sois à New York ? Je t'avais dit que je viendrais et tu ne m'as pas cru. »

Il m'invite à son hôtel, l'Exelsior sur la 81ᵉ rue dans le West Side, autant dire sur un autre continent. L'homme s'est installé dans une suite avec un berger allemand, une danseuse suisse accompagnée de son gosse, surtout une bonne vingtaine de milliers de vinyles entassés dans sa salle de bains, sa chambre, son salon. Bref, il a trimballé les cartons de son épicerie du 20ᵉ arrondissement parisien jusque sur les bords de Central Park.

Comme en France, poursuivant son aventure de label indépendant, il veut mener la guerre aux grandes compagnies qui trustent le marché. Il parle à peine quatre mots d'anglais, ne connaît rien à l'Amérique et prétend faire découvrir Métal Urbain, Magma, Mathématiques Modernes et Jacno au Nouveau Monde.

Laissez-moi vous dire ce que représente Jean Karakos. De son vrai nom Jean Georgakarakos, dit Ragagos, dit la Karak, c'est un sacré loustic. Sa famille, d'origine grecque, arrive en France avant la guerre pour fuir la misère et la dictature. Orphelin dès l'adolescence, élevé par une grand-mère qui ne parle pas un mot de français, il commence sa carrière en vendant dans le quartier de la Bourse des pièces d'or réchappées de l'exil.

Bientôt, il ouvre six boutiques entre Grenoble et Montpellier où il solde des disques d'occasion pour nourrir sa grand-mère, ses frères et sœurs et des cousins eux aussi orphelins. Un jour, il se prend de passion pour le free-jazz.

C'est la musique qui choque, la révolution barbare, celle des Noirs qui veulent faire sauter l'Amérique, qui se convertissent à l'islam par provocation, celle des esclaves qui rejettent l'Occident et cherchent leurs racines, fussent-elles fantasmées. Né aux États-Unis à la fin des années 1950, le free-jazz se rebelle contre le be-bop, le swing. Bannissant toute mélodie, ces Noirs-là ne veulent plus faire danser les Blancs. Le mouvement croise la violence armée des Black Panthers et des Black Muslims, la fin de l'esclavage dans les têtes. Les Last Poets leur apportent les premiers mots de la colère. On ne le sait pas encore : le rap viendra pour une part de là. Dans le sillage de *Love Supreme*, le chef-d'œuvre de John Coltrane, Cecil Taylor, Eric Dolphy, Albert Ayler, Ornette Coleman attisent la révolte contre Babylone, l'Amérikkke dominante. Même si mes Américains de Dijon n'atteignaient pas ce talent, ils ne semblaient pas loin de cette sédition. L'appel de l'Orient – « l'Autre absolu », comme disait Malraux –, les expériences spirituelles, la drogue envahissent le mouvement telle une ultime dissidence. La défonce mènera bien des musiciens à une impasse, dont Coltrane, le plus brillant.

Les critiques matraquent avec entrain cette assourdissante nouveauté et dénoncent ce grand n'importe quoi. Comme pour le jazz naissant au début du xxe siècle, l'Amérique n'y prête guère attention : c'est en France que cela se passe.

Karakos lance une collection de disques free-jazz qui deviendra culte, mais plus tard, sous les labels Byg et Actuel.

Actuel : Karakos rachète en 1969 un petit mensuel de ce titre paraissant de temps en temps, criblé par la dette et fondé un an plus tôt par un batteur de jazz belge, Claude Delcloo. Il en fait un magazine d'avant-garde, de l'allure dans un élitisme genreux. Très jeune journaliste à *L'Express*, Jean-François Bizot dépiste le bougre, il veut faire son portrait et l'impose avec peine à la rédaction de l'hebdomadaire. Plus ardu, mettre la main sur Karakos lui-même, qui lui pose trois lapins. Il finit par le coincer.

« Pour qui tu te prends ? s'agace Bizot

— C'est pas toi qui vas payer mes dettes.

— Qu'est-ce que t'en sais ? » réplique l'autre qui lui fait un gros chèque sur-le-champ.

Bizot, d'une grande famille industrielle, venait d'hériter d'une grand-mère richissime.

Karakos, qui ne connaît rien à la presse, perd trop d'argent avec *Actuel*, son petit mensuel de free-jazz et de pop music. Jean-François Bizot, lui, a découvert l'Amérique de la contre-culture à l'été 1968, les communautés, l'acide qui lui a lavé la tête, Crumb, Shelton, Moscoso, la bande dessinée délirante. Il rêve de créer le premier organe underground pour éveiller une France encore engoncée dans son gauchisme marxiste-léniniste et qui, comme trop souvent, ignore les convulsions du monde extérieur.

« Tu veux un titre ? lui dit Karakos. Je te vends *Actuel* ou je le ferme : je ne peux plus payer.

— Tu diffuses à combien ? demande Bizot.

— Vingt mille », répond l'autre avec assurance.

Vérification faite, il arrivait tout juste à six mille. Mais un canard qui ferme, c'est toujours insupportable, une blessure chez un vrai journaliste. Bizot achète *Actuel* pour trois francs six sous, laissant un petit paquet d'actions à Karakos, mais sans reprendre les dettes.

Marché de dupes : le titre n'appartenait pas à Delcloo, son prétendu fondateur, et donc pas davantage à Karakos, son acquéreur filouté, encore moins à Bizot mais à une énorme agence internationale, Opera Mundi. Il faudra une bagarre, bien des ruses et des relations pour le récupérer.

À l'été 1970, Bizot prépare le numéro zéro de cet *Actuel* avec un jeune existentialiste, son copain Burnier. Ils avaient hérité de mètres et de mètres de bande de papier imprimé, les épreuves de notules littéraires que l'ancienne rédaction avait consacrées aux derniers livres parus.

« Il y a de quoi se faire une ceinture, rigole Bizot.

— Plusieurs », dit Burnier.

Bizot parvient en effet à s'entourer trois fois le ventre avec les bandes d'épreuves.

Ces textes sont d'un ennui ! Les deux gaillards coupent par paquets, jetant des paragraphes entiers dans la corbeille. De temps à autre surgit un articulet.

« Tiens, celui-là n'est pas mal, dit Burnier. Joli coup de plume. On le garde ?

— Oui, répond Bizot, je l'ai déjà remarqué. Mets-le de côté. »

À la fin, une grosse majorité des articles se retrouve signée PR.

« Tu connais ce PR, demande Burnier ?

— Il s'appelle Patrice... ou Patrick Rambaud. »

Les nouveaux propriétaires d'*Actuel* font ainsi la connaissance de PR, Pati pour les intimes, qu'ils invitent à dîner. Il a une tête de premier communiant, des cheveux mi-longs et de grosses lunettes, la moustache et la barbe n'ont pas encore camouflé son visage. C'est un surréaliste iconoclaste frotté de trotskisme qui a fréquenté la veuve Picabia, connu Duchamp, ne jure que par Breton, Georges Darien, Henry Miller, a été prestidigitateur dans un cabaret et qui clame sa révolte aux quatre coins de la salle à manger. Il réécrit en ce moment une interminable traduction des écrits militaires de Trotski et vient de publier un roman, *La Saignée*, un long cri inutile qui court sur des pages (l'éditeur en avait coupé les trois quarts) avec beaucoup de ton.

Voilà comment paraît à l'automne 1970 le numéro un de l'*Actuel* underground avec Jean-François Bizot, Michel-Antoine Burnier, Patrick Rambaud et Bernard Kouchner, le courageux docteur qui revenait du Biafra en guerre où il avait opéré les blessés sous les bombes. Un Didier Chapelot, dix-neuf ans, tête de Christ hippie, assure la créativité d'une maquette extravagante.

Le premier numéro se vend à quarante mille, le deuxième à trente mille, le troisième plonge vers les vingt mille. Le numéro quatre, « À bas la société mâle », conçu avec les copines du MLF naissant, relance la formule qui double ses ventes en deux ans.

À l'époque, sous le président Pompidou, dit Pompidar le mauvais dard, le terrible M. Marcellin, ministre de l'Intérieur depuis mai 1968, poursuit avec brutalité toute manifestation gauchiste, chevelue, hippie comme toute déviance. Pour lui, un festival pop représente l'horreur. Impossible d'arracher la moindre autorisation : Karakos, qui s'y essaye, se fait interdire cinq fois, des Halles à Saint-Cloud et jusqu'en province.

C'est là qu'il fut pionnier : en octobre 1969, il parvient enfin à organiser un premier festival, mais en Belgique, à Amougies. Bon prince, Patrick Ricard, l'homme de l'apéro triomphant, donne 100 000 francs[1]. Karakos monte un plateau colossal, Zappa, Gong, Archie Shepp, Pink Floyd (pour 4 000 francs), Captain Beefheart, Yes, etc., quatre cents musiciens. Malgré un brouillard qui bouche la vue et étouffe le son, le festival attire la foule de tous les marginaux. En cela, c'est un succès.

Cinq catcheurs sont censés tenir le service d'ordre. L'un deux prend un coup-de-poing, tous s'enfuient. Devant la pagaille, l'armée belge en chenillettes intervient. Le public les caillasse. Un colonel hurle.

Karakos perd 600 000 francs.

Moins d'un an plus tard, le 4 août 1970, il récidive, cette fois avec Bizot et en France.

Cela se tient à Biot, sept mille habitants, les Alpes-Maritimes. C'est la première fois, par on ne sait quelle grâce, que Marcellin autorise un festival de rock en France. Bizot pense préparer le terrain en louant un petit avion qui traîne une banderole marquée *Actuel* au-dessus des plages. Effet nul : les vacanciers ignorent tout de ce magazine qui existe à peine.

Il fait chaud sur la colline de Biot ce 4 août[2]. Le soleil tape si violent que les pins en paraissent gris. Les cigales font la sieste. Karakos a monté un beau plateau, Pink Floyd, l'Art Ensemble of Chicago, Soft Machine, Gong, coupés par la voix sublime de Joan Baez. Celle-ci vaut bien un orchestre à elle seule. Burnier la connaissait déjà et se souvenait d'un dîner avec elle trois ans plus tôt dans un cabaret tzigane. Il y avait Emmanuel d'Astier de La Vigerie, l'un des chefs de la Résistance sous l'Occupation,

---

1. Environ 100 000 euros en 2013.
2. On trouve le récit de l'aventure dans le n° 58 d'*Actuel* daté d'octobre 1975, numéro best-of qui fut le dernier de la période underground avant la renaissance moderniste de 1979.

Joseph Kessel, Bernard Kouchner et quelques autres. Kessel avait même consenti à manger un verre comme il le faisait dans sa jeunesse. Joan Baez chantait pour le plaisir.

À Biot, les chevelus de Paris et les marginaux du coin, pieds nus, décorés de hardes, s'assemblent par vagues. La musique à toute force secoue les têtes.

Apparaît un petit nuage sur la route auquel personne ne prête d'abord attention. Ce sont les maos de Nice, drapeaux rouges levés, qui exigent d'entrer sans payer en criant : « La pop au peuple ! La pop au peuple ! » Ils bousculent les vendeurs de billets et envahissent le festival. Karakos, qui voit sa recette s'envoler, se précipite bras levés pour les arrêter. Mais nous ne sommes pas au défilé des Thermopyles où Léonidas presque seul avait su retenir l'immense armée perse. Là, on peut passer à droite, à gauche, par les champs pelés. La meute marxiste-léniniste emporte tout et Karakos avec, ce Grec râblé en boxer short, qui ne peut opposer que son désespoir.

La loi des catastrophes veut que Soft Machine, jugeant son cachet insuffisant, refuse de jouer. Pis encore, la liaison avec RTL, qui devait diffuser et payer une bonne part du concert, ne fonctionne pas. Si la foule en joyeux désordre singe avec ferveur les grands festivals réussis de Wight et de Rotterdam, Karakos une fois de plus boit la tasse financière.

En apprenant tout cela je comprends pourquoi, sautant de culbute en culbute, Karakos fuit les chèques et brasse dans ses poches des liasses de billets écornés et chiffonnés. En 1980 à New York, on le surnommera vite Mister Cash. Il veut comprendre la scène et se brancher à tout prix ; je représente pour lui le fixer idéal. Il me suit partout. Il présente un gros avantage : il paye sans se fatiguer les taxis, les restaus et les drinks de ses billets froissés.

Karakos remet la main sur un vieux pote, Giorgio Gomelski. Tous deux se ressemblent, massifs, cheveux raides, voix rocailleuses, mal rasés avant la mode, la quarantaine dans un milieu qui vous met à la retraite dès vos trente ans. Gomelski parle l'anglais avec un accent des pays de l'Est. Il sort de la scène des swinging sixties de Londres, il a lancé les Rolling Stones, Rod Stewart et les Yardbirds. Il habite tout un immeuble qu'il fait retaper par de jeunes musiciens sans le sou, dont Bill Laswell, qui sera plus tard le grand producteur de Mick Jagger et d'Herbie Hancock.

Bill Laswell n'a pas oublié sa première rencontre avec Karakos. Pinceau et rouleau à la main, il l'entend disserter sur Magma avec Gomelski, évoquant le cultissime Christian Vander, batteur fou de l'épopée rock. Sortir Magma en Amérique, quelle bonne idée! conviennent les deux anciens. Heureuse coïncidence, Bill Laswell possède chez lui deux vinyles de Magma. Il court les chercher, à pied car il n'a pas assez de fric pour se payer le métro.

Les galettes en main, Gomelski et Karakos vont faire graver un master.

« Sur leur disque, raconte Laswell, on entendait les vieux gratouillis de mes trente-trois tours. J'ai pris là ma première leçon de bizness. »

À New York, ma nouvelle existence me ravissait. Pour la première fois, j'avais de l'argent. J'allais en boîte presque tous les soirs, Karakos payait et je me trouvais à deux doigts d'entrer dans la tribu des Fabuleux. Le clubbeur vit dans un autre pays où l'on se réveille l'après-midi, où l'on s'endort à l'aube. S'il ne sort pas, son problème, c'est l'insomnie. New York y pourvoie. D'abord la télé qui vous inonde de vieux sitcoms et de séries des années 1960 ou 1970 avec leurs applaudissements et leurs rires préenregistrés, d'immenses vedettes américaines inconnues des Frenchies, la découverte de la piquante Lucy et de son gommeux Latino, de *Star Trek* qui m'a donné les meilleurs cours particuliers d'anglais, de Jackie Gleason, ce gros monsieur en noir et blanc qui vocifère et ne cesse de monter des plans foireux... Devant mes poussées de blues depuis le départ d'Ann, tels furent les premiers copains de mes nuits sans sommeil.

New York se donne comme l'amie des somnambules. À trois, quatre ou cinq heures du matin, on peut acheter des clopes en bas de chez soi, des sodas, un nombre incroyable de saloperies sucrées, des fruits magnifiques sans aucun goût et la presse du monde entier. Un pizzaiolo qui ne fermait jamais nourrissait toutes les fringales et me fournissait l'essentiel de ma nourriture.

Et les filles ? Nous sommes avant le sida, l'onde de la liberté sexuelle née des années 1960 et 1970 fait encore vibrer les désordres amoureux. L'homosexualité flambe, ce qui retire bon nombre de petits mâles du marché. Pour les demoiselles, le produit hétéro devient plus rare, les garçons portés sur l'autre sexe en profitent, à commencer par moi. Cette aimable licence apporte sa contrepartie : avec la multiplication des coups et des rencontres, le romantisme s'évapore. Je me souviens d'une Maggy d'un blond roux, la peau perlide piquée de quelques taches de rousseur. Elle avait pour habitude de faire l'amour en regardant la télévision. Les gens de la nuit se connaissent et se reconnaissent. Les filles ne cherchent ni mariage ni grand amour, les garçons *idem*. C'est la routine des aventures d'un soir : on tire un coup, on se quitte sans rendez-vous, on sait qu'on va se revoir sans forcément redormir ensemble, deux solitudes qui se réchauffent pour quelques heures.

Bella par exemple : on ne pouvait pas rater ses yeux verts et son décolleté chavirant. Comme l'aurait écrit un Albert Camus plus coquin, « il y avait des seins et il y avait une femme ». Le soir que j'ai passé dans son lit, elle m'expliqua sa tristesse : elle avait l'impression que tous les mecs voyaient sa poitrine bien avant son cerveau. Elle ne comprenait pas cette attirance mammaire qui transformait ses amants en petits garçons lovés contre ces deux masses considérables. Je pense à Viola, cette ingénue dépravée, Italienne de Florence qui fabriquait des bijoux. Sur plusieurs années, jamais nous n'avons fait l'amour dans un lit mais dans un ascenseur, sur un trottoir, dans une voiture ou sous une porte cochère.

VIII

« Tu fais dans la limonade »

Bizot et *Actuel* débarquent à New York – La vidéo apporte le hip-hop dans les clubs du rock blanc – La scène la plus chaude, c'était les toilettes des filles – Évaporation du disco, place au rap – Bambaataa crée la Zulu Nation – Me voici journaliste new-yorkais – Apparition du sida – Le retour d'Ann

Ma vie new-yorkaise est un tourbillon qui m'étourdit moi-même, satisfait d'en être arrivé là. Un jour de printemps, deux de mes anciens associés de la librairie dijonnaise, Marc et Brigitte, débarquent pour passer quinze jours de vacances. Comme on s'en doute, j'essaye de les épater. Cette démonstration trop appuyée de branchitude les agace. Ils considèrent mon agitation et mon *wine bar*. Au bout de quatre jours, Marc prononce la phrase qui va me tuer :

« Si je comprends bien, tu fais dans la limonade. »

En un éclair, le prince de la nuit que je crois être retombe à son juste niveau : je ne suis qu'un serveur de bistrot qui traîne le soir dans d'autres bistrots.

Ce flash de lucidité me vexe d'autant plus que mes copains ont raison. Comment relever mon honneur ? Je ressors une vieille envie qui me tarabustait depuis longtemps sans que je me l'avoue : écrire, raconter, devenir journaliste. Je connais la porte d'entrée. Je fréquente Doug Ireland, le chroniqueur politique du *Soho News*. Je le croise dans tous les vernissages et parties où l'on doit figurer. Il n'ignore rien des deals et des liaisons sentimentales insolites, c'est une star de la nuit... Son

Bernard Zekri/Michel-Antoine Burnier

hebdo fait la mode bien davantage qu'il ne la suit. Un jour sur deux, dès le réveil, Doug fume joint sur joint et s'enfile des quarts de vodka. Son ventre déborde de son costard et son menton cache le nœud de sa cravate. Héros rabelaisien qui ne lirait que Karl Marx, il dérape la nuit, assure le jour. Gauchiste mais à l'américaine, c'est-à-dire éclaté, il s'est donné le président Reagan pour ennemi cardinal.

Je lui propose un article sur Coluche qui vient de déclarer sa candidature à l'élection présidentielle de 1981 et qui atteint les 16 % d'intention de votes, à la panique de Giscard et surtout de Mitterrand. « Un comique qui prétend à la présidence de la République française, c'est parfait pour le *Soho News*, répond Doug qui a l'enthousiasme facile. Tu me fais trois cents mots pour dimanche. »

Voilà comment j'ai signé mon premier papier dans un anglais approximatif et fort réécrit. La vision de ma prose imprimée courant en feuilleton au bas d'une page efface l'affront de mes copains de Dijon. Je n'en reviens pas que ce soit aussi facile, je sens l'esprit d'Albert Londres, de Joseph Kessel et d'Hunter Thompson irriguer mon cerveau.

Le sort est avec moi. Quelques jours plus tard, à cinquante mètres de mon appartement, je tombe nez à nez avec Zerbib, le journaliste d'*Actuel*, sac en bandoulière. Celui-ci m'apprend que Bizot et une poignée de ses rédacteurs se sont installés au Gramercy, un vieil et charmant hôtel rock. Mon ambition monte d'un cran, j'y vais plein d'espoir.

La chambre de Bizot est un spectacle : en deux jours, il a reconstitué le bazar de son bureau, des magazines bourrés de bouts de papier, les Post-its de l'époque, des coupures de presse, des bouteilles ouvertes, des cassettes, des magnétos, trois agendas, quatre carnets d'adresses qui perdent leurs pages et des notes éparpillées partout sans parler d'un embouteillage de maîtresses au téléphone. Je découvre un général en campagne, de Gaulle à Londres : il envoie ses reporters aux quatre coins de la ville, Frédéric Joignot, hétéro s'il en fut, dans les backrooms homos, Patrick Zerbib chez les Latinos, Jean Rouzeau le dessinateur chez les artistes. Lui-même assure seul trois autres reportages.

Je me sens inutile mais j'ai pourtant une histoire qui leur a échappé : les débuts du câble et sa première star, Ugly George. George le Laid anime une émission trash sur un concept élémentaire. Une petite caméra sur la poitrine, il aborde des filles dans les rues de New York et se donne cinq minutes pour les convaincre de montrer leurs seins. Il y parvient une fois sur trois. L'émission fait un carton.

« C'est un bon "Nouveau et Intéressant" », se marre Bizot. Ces mots désignent une rubrique au début du magazine, grande photo et petit texte. J'ai un pied dans la porte. Dans les mois qui suivent, j'arriverai à fournir non seulement *Actuel* mais aussi *Libé*, fortiche quand on sait la rivalité jalouse qui animait l'un contre l'autre les deux journaux.

Cette année 1980, une nouvelle révolution transforme la scène new-yorkaise : l'apparition des vidéos. Tous les clubs, tous les bars se couvrent d'écrans et diffusent en masse des clips de musiciens ou d'artistes. La Danceteria se montre le plus en pointe et les Fabuleux se pressent pour accéder à cette boîte d'un nouveau genre sur plusieurs étages avec un espace réservé à l'art vidéo, un autre pour les concerts où l'on peut découvrir les nouveaux groupes underground, un autre encore où paradent chaque jour des deejays différents. Des artistes en devenir y gagnent leur croûte en nettoyant les tables tel Keith Haring, peintre majeur qui triomphera dans le monde entier avant de mourir du sida. Fermée trois fois par la police, la Danceteria dut trois fois changer d'adresse pour survivre et préserver son succès.

En janvier 1981, le groupe Blondie réussit à placer une quatrième chanson en numéro un du Billboard, le CAC 40 du disque. Dans le morceau, à la fois rappé et chanté par Deborah Harry, on aperçoit Fab Five Freddy qui peint devant un mur de graffitis. Comme les vidéos restent encore rares, celle-là repasse en boucle dans tout Manhattan. Telle est la première irruption du hip-hop dans les clubs de rock blanc.

Une fois de plus, New York change.

Depuis dix ans, le son de la ville s'inventait au Studio 54. De Truman Capote à David Geffen, et d'abord le disco, tout ce qui comptait en Amérique dans le cinéma, l'art, le show-biz, la mode, le sport, les affaires, tout était passé, passe ou passera par là. Il y avait plusieurs niveaux, plusieurs scènes, le balcon, le sous-sol, le rez-de-chaussée mais les plus connus, les plus chauds qui inspiraient rêves et fantasmes, c'étaient les toilettes des filles et le bureau de l'excentrique manager Steve Rubbel. On chuchotait que Rubbel en bon vampire s'abreuvait du sang des clubbeuses, deux petites morsures dans leur tendre cou, pour nourrir sa jeunesse éternelle. On pouvait le croire car ce noctambule enragé ne semblait pas vieillir.

Les toilettes des filles remplissaient de multiples fonctions : lieu de rendez-vous où pouvaient se conclure de vrais marchés, supérette pour la coke, l'ecstasy et le LSD, baise dans les cabinets et le va-et-vient des demoiselles qui pissaient sans complexe toutes portes ouvertes.

Comme toujours, ce que la mode apporte, la mode le remporte. Dans un de ces retournements de tendances aussi prévisibles qu'inattendus, le disco s'évapora et le Studio 54 dut fermer.

Le disco, de Chic à Donna Summer, des Bee Gees aux Village People, de *Car Wash* à *La Fièvre du samedi soir*, avait englouti, piétiné la fin des seventies et dominé pendant plus de cinq ans. La violence du rejet qui le touchait désormais manifestait par contraste son incroyable succès passé. Un nouveau son pointait qui porta l'estocade : le hip-hop, le rap.

Pourtant, à considérer la genèse du premier triomphe mondial du rap, on ne peut que constater une injustice flagrante. Sans souci des formalités, Sugar Hill, la maison de disques, emprunta la musique du tube « Good Time » pour enregistrer le morceau « Rapper's Delight ». L'auteur de « Good Time », Nile Rodgers, génial guitariste disco du groupe Chic, raconte les mœurs du show-biz au début des années 1980 à New York[1] :

« Nous avons demandé à Atlantic, notre maison de disques, de protéger nos droits d'auteur. Mais Atlantic a refusé de poursuivre Morris Levy, le puissant boss de Sugar Hill Records, qui gouvernait un empire, concerts, night-clubs, management d'artistes et édition. Ce tycoon impressionnait pour avoir gagné un procès contre John Lennon lui-même. Sans Atlantic, nous avons décidé d'engager une action en justice. Sugar Hill a refusé

1. Cf. *C'est chic* de Nile Rodgers, éditions Rue Fromentin, 2013.

toute négociation. Par un après-midi d'automne, alors que nous étions en pleine séance d'enregistrement à Power Station, notre studio, le propriétaire des lieux débarque et demande à tous ses employés de déguerpir.

« Avant même que nous ayons le temps de comprendre, arrivent trois costauds à la mine soignée. Un type les guide, qui autrefois avait tenté sans succès de signer notre groupe Chic sur son label. La situation nous semblait étrange, mais comme nous connaissions le type et qu'il s'était jusque-là montré plutôt amical, nous ne nous sommes pas inquiétés outre mesure. Puis j'ai réalisé que les trois élégants costauds portaient des revolvers sous leurs vestons. Ils nous parlèrent à voix basse sur un ton protecteur : « Il ne sert à rien d'attaquer monsieur Levy. Même si vous gagnez, vous allez perdre. Écoutez, les frères, nous ne vous voulons que du bien. » À leur départ, terrorisés, nous nous sommes regardés. Nous avons appelé nos avocats qui nous ont conseillé la plus grande prudence et de les prévenir en cas de coup de fil anonyme, filature suspecte ou courrier menaçant.

« Notre courage remobilisé, nous n'avons pas cédé. Quand Sugar Hill a compris que nous refusions de nous soumettre, ils ont enfin négocié et nous ont rendu nos droits d'auteur. Nous avons gagné ainsi beaucoup, beaucoup, beaucoup d'argent. Nous avons dû cependant offrir à Levy deux billets aller-retour New York-Paris en Concorde et deux paires de Rolex pour lui et sa compagne de voyage. Quand notre avocat a demandé pourquoi à Levy, celui-ci répondit avec un grand naturel : « Allons, il faut bien que je baise. »

Ce fut dans cette alchimie malhonnête que le disco se transforma en son contraire, le rap.

Cette guerre des sons a déjà un héros, un ado allumé, Afrika Bambaataa, qui défend James Brown, Sly Stone et George Clinton de Parliament Funkadelic, la musique black qui ne se vend pas. Le premier signal vient du fond du Bronx. Pour le funk, arrive le temps de la revanche.

Bambaataa n'a jamais mis les pieds dans les clubs branchés de Manhattan mais il s'est baladé. En 1975, il a visité l'Afrique, la Côte d'Ivoire, le Nigeria. Il a dansé dans la boîte de Fela, l'homme de l'afrobeat, l'homme aux quarante femmes, le *black president*, le prophète. Bambaataa réalise que les Blancs mentent en prétendant que les Noirs d'Afrique méprisent ceux d'Amérique.

Bambaataa appartient à un gang qui terrorise le Bronx depuis 1968, les Black Spades. Dans le seul État de New York, le gang compte plus de cinquante compagnies. Le hip-hop naquit chez eux comme l'addition de la danse, des graffitis, de cette poésie populaire et scandée qui deviendra le rap, propulsée par l'art du mix, une invention des deejays. Le mouvement n'a pas encore atteint Manhattan, même si quelques tubes de rap, Sugar Hill Gang, Kurtis Blow, ont percé sans laisser grande trace.

À son retour d'Afrique, Bambaataa organise des *blocks parties* dans les gymnases et les rues du Bronx. Il fait découvrir les stars du funk. Il diffuse même du Fela et de la salsa. Dans les fêtes, les *battles*, deux deejays opposés se partagent le set et jouent une heure chacun son tour : qui mettra le feu au public ? On cite encore la fameuse bataille de Webster Street où Bambaataa à coups de Fela et de James Brown déborda le Jamaïcain Kool Herc, pourtant authentique inventeur du breakbeat, l'essence du hip-hop[1].

Bambaataa, militant du funk, trouve qu'il y a trop de morts autour de lui, son copain Soulski s'est fait tuer dans une fusillade. Il quitte son gang des Black Spades et invente la Zulu Nation, s'inspirant d'un film célèbre de 1964, *Zoulou*, la résistance héroïque d'un royaume noir submergé par l'armée britannique. Il veut mettre fin à la violence inouïe des Blacks qui se tuent entre eux et engage une pacification par la musique, le hip-hop.

Ces nouveaux rythmes et leurs paroles envahiront le monde. Pour l'instant, elles ne sortent guère du « Project Bronx River ».

Le disco en fin de règne, l'embourgeoisement de la new wave, la no wave son inverse dans une impasse : la place nette, bientôt le funk pourra ressusciter. On entend dans les rues de New York un tube annonciateur, « Busting Out » de Material chanté par Nona Hendryx.

1. Kool Herc, lui, n'est jamais sorti du Bronx, n'a jamais voulu traiter avec le business du disque, n'a jamais gagné d'argent. En 2011, malade, il n'avait même pas de quoi se soigner.

Material n'est autre que le groupe de Bill Laswell le fauché, le jeune mec qui repeignait l'appartement de Gomelski le jour de la visite de Karakos.

Bill Laswell se place au carrefour du free-jazz, du reggae, du hip-hop et de la musique africaine. Je le connais depuis trente ans mais, béret ou chapeau, je ne l'ai jamais vu tête nue. Il vient de Motor City, Detroit, la ville de l'acier, du MC5, du son lourd et des armes. Arrivé à New York sans un rond avec sa basse, il passe son temps à harceler son voisin Brian Eno pour du fric ou du boulot. Après une bonne critique de Material dans le *Village Voice*, Eno accepte de lui filer un coup de main et lâche les quelques dollars qui permettent à Bill d'installer un studio d'enregistrement à Brooklyn avec son pote l'ingénieur du son argentin, Martin Bisi.

Bill a la colère accrochée à son chapeau. L'industrie du disque se résume pour lui à un ramassis d'escrocs sortis des grandes écoles qui pillent la musique sans rien y connaître. Il les voit obsédés par le fric : à tout prendre, il préfère Karakos avec sa réputation de pirate. Il lui file les bandes du premier album de Material, *Memory Serves*. Je lui demande :

« Tu n'as pas signé de contrat ?

— Je n'ai jamais rien signé avec Karakos. On s'est tapé dans la main. Les contrats, je les connais bien, ils ne servent qu'à l'arnaque. Tu sais, des types comme Karakos, j'en ai vu des pires mais pas beaucoup de meilleurs. »

Bill a pensé la formule de son groupe comme s'il voulait déjouer les plans des as du marketing qui règnent dans les maisons de disques. De la dance au free-jazz, ce n'est jamais la même musique, voire le même groupe. Material sert d'abri où se mélangent des univers et où se croisent des musiciens. Ainsi sur *One Down*, l'album qui devait les propulser au-delà de l'underground, apparaît une inconnue qui vendra plus tard des dizaines de millions d'albums, Whitney Houston, une beauté renversante, une voix de déesse, timide à en pleurer. On la connaîtra en France pour son film *Bodyguard* et son passage dans une émission de Drucker, qui en explosa lorsqu'un Gainsbourg éméché lui jeta en plein direct et sans succès : « *I want to fuck you* ». Dans *One Down*, cette diva de la dance music chante

« Memory », une ballade suspendue au saxophone d'Archie Shepp, l'un des parrains du free-jazz. Sur la pochette, Bill Laswell affiche un billet d'un dollar pour provoquer les journalistes et rappeler aux branchés l'omniprésence du fric aussi méprisé que désiré.

Avec Bill Laswell, mon récent ami, je vis à fond mon rêve de nouveau journaliste new-yorkais. Il me trouve assez cool pour me permettre d'assister aux sessions d'enregistrement. Combien de pizzas froides et de bières tièdes, de paquets de Camel, de soirées passées, avachi sur les canapés effondrés qui meublent tous les studios du monde. Combien d'idoles et génies ai-je connu là, ébloui. Je croisais Ginger Baker, le batteur de Cream, Gil Scott-Heron qui annonçait que la Révolution serait télévisée, Sly et Robbie dans un nuage de fumée qui n'était pas celle du tabac, ces dieux du reggae qui avaient entre autres joué et produit la scandaleuse *Marseillaise* de Gainsbourg et le disque triomphal de Grace Jones, et Bootsy Collins le Jimi Hendrix de la basse, Don Cherry, Daniel Ponce, le grand percussionniste cubain et même Ornette Coleman qui m'avait raconté comme il avait flippé, enfant, la première fois qu'il avait vu un Blanc dans son Texas natal : il l'avait pris pour le diable. Après un séjour en France où on l'avait payé 50 000 dollars pour un solo sur un disque de Claude Nougaro, Ornette m'expliquait en zézayant : « Super, la France ! Les Français ne font rien. Ils boivent du café aux terrasses des bistrots. »

Je n'ai pas tardé à comprendre le système de Bill Laswell. Il se prenait à la fois pour Mandrin, Cartouche et Robin des bois. Désormais à la mode, les maisons de disques se l'arrachaient. Il les brutalisait, les insultait. Plus il les agressait, mieux elles le payaient. Cela lui permettait de redistribuer l'argent non point aux stars mais aux vrais talents jusqu'ici sans moyens.

Nous nous retrouvons chaque soir dans un restau japonais au sous-sol d'un hôtel crade de Midtown. Bill claque des milliers de dollars en sushis et saké pour des tablées de dizaines de musiciens.

Dans ces nuits d'ivresse, chacun raconte son morceau de légende, les folies des autres, l'affection de Jeff Beck pour les armes, une fascination pour les gangsters et les mafias qui dépouillent les bourgeois, comment Miles Davis a sorti un directeur artistique de son studio, les dernières défonces de Jaco Pastorius, bassiste cinglé. Ils peuvent parler pendant des heures d'une guitare hors de prix, d'un demi-ton de plus ou de moins, de l'incroyable voix de Bernard Fowler, le chanteur de « One Down », des boîtes à rythmes qui risquent de jeter les batteurs au chômage. C'est là que se construit le personnage de Karakos dans le récit exagéré de ses frasques autour du monde.

« Et tu sais comment il a baisé les Japonais ?

— T'as vu l'avance qu'il a tirée aux Allemands ?

— Et le pognon qu'il a gagné en distribuant Soft Cell ?

— Ah, le tube ! »

Immergé dans ce monde, je jouis d'immenses privilèges : d'abord les critiques n'ont pas accès à cette intimité, ensuite, au troisième verre et au quatrième joint, les musiciens oublient vite que je suis journaliste.

Je le suis en effet un peu plus chaque jour. Défilent chez moi tous les reporters que la presse parisienne expédie à New York et qui tentent de s'y retrouver dans les maquis changeants des nouvelles modes américaines. On me commande des portraits, Harrison Ford en Indiana Jones, des récits de concerts comme celui de James Chance au sortir des obsèques de sa petite amie chinoise morte d'un cancer du cerveau, on m'envoie au Dakota, l'immeuble de John Lennon, le soir de son assassinat. Puis il y a la sympathique folie de Bizot qui veut organiser une fête *Actuel* à New York.

Ce sera le rassemblement de toutes les tribus, de toutes les musiques, de tous les canons. Le *Soho News*, journal branché s'il en est, s'associe au projet et traduit – quel honneur ! – l'article de la une d'*Actuel* sur les complots des généraux espagnols.

Bizot atterrit à New York avec une partie de sa rédaction, ses annonceurs et ses invités, de quoi remplir la moitié d'un avion. Il s'installe au Saint Regis, l'un des plus beaux palaces de la ville. Karakos place ses groupes dans le programme, les Californiens Tuxedo Moon et Indoor Life, et bien sûr Material de Bill Laswell. Pierre Edelman, qui passe de la fortune à la misère tous les six mois, futur producteur pour TF1 de cinéastes aussi prestigieux que David Lynch et Almodóvar, viendra exprès de

Los Angeles avec Jack Nicholson pour épater la galerie. Bizot a réussi son coup de Frenchman à New York : toute la ville ne parle que de cette fête et l'on se dispute les invitations.

Non, je ne suis plus dans la limonade. Je négocie avec les musiciens, les deejays, les loueurs de salles, les VIP…

Emballé par la réussite de ce coup de com', Bizot n'a pas peur de penser grand. Six ans plus tard, pour le numéro 100 d'*Actuel*, l'homme sera capable d'organiser un concert de locomotives à la gare de Lyon sur une partition de Marinetti, le futuriste italien des années 1920, ce que jusqu'ici personne n'avait osé concevoir. Au début des années 1980, il cultive un rêve bien plus mégalo encore : une édition américaine d'*Actuel* qui ne verra jamais le jour. Le concert new-yorkais se tient au Ritz, une grande salle de l'East Village bondée de célébrités, de journalistes, d'artistes et d'un public si abondant que l'on trouve davantage de monde dehors que dedans.

Je n'avais pas pris la mesure de l'événement. Quand j'arrive sur les marches du Ritz, un ami crie mon prénom. Je demande au doorman de le laisser entrer. Soudain, me voici tel le lapin dans les phares d'une voiture : quatre mille personnes selon les organisateurs, un bon millier selon la réalité, hurlent : « Beurnaarde ! Beurnaarde ! » Je n'ai pas l'habitude de ces gloires aussi soudaines que furtives, je panique. Je dois mon salut à deux videurs qui me jettent à l'intérieur de la salle. Plus tard, je comprendrai que c'est grâce à cette apostrophe imprévue que je gagnerai mon ticket d'entrée définitif dans le club des Cinq Cents Fabuleux.

À cette époque, je me sens plus new-yorkais que français. Je ne pense qu'à travers ce pays qui bouge sans cesse en bien ou en mal – ce sont les années Reagan –, cette ville qui change, jusqu'à mon quartier où les galeries vont chasser les marginaux. À mon arrivée, il n'en existait pas une seule ; quelques années plus tard, il y en aura près de deux cents.

Désormais, on ne parlera plus de l'art mais du marché de l'art.

Jusque-là, l'East Village vivait dans un monde parallèle, comme une boîte de nuit dont le doorman refuserait l'entrée à la réalité. Ce monde possédait ses artistes à lui, sa musique, ses fêtes, sa bande dessinée, son cinéma, ses divas, Patti Astor, Cookie Mueller et tant d'autres, inconnues au-delà de la 23ᵉ rue mais en deçà plus célèbres que Jessica Lange ou Jean Seberg. La réussite, ce n'était ni la notoriété ni l'argent mais une soif d'inventer. Même nul ou maladroit, chacun pouvait y prétendre loin de tout format : la liberté.

Ces heureuses époques n'ont qu'un temps. La drogue, le retour d'un individualisme agressif avec Ronald Reagan, le sida ont chassé cet éphémère bonheur. À l'usage, les créatifs ont voulu sortir de la bohème pour gagner du fric, quitte à y laisser une part de leurs principes et de leur originalité.

Bel exemple, John Waters, le cinéaste de Baltimore. Il se donne à mes yeux pour le héros absolu : il a longtemps résisté à la poussée de Mammon, l'antique dieu syrien qui présidait aux richesses et que dénoncent en vain les Évangiles depuis vingt siècles. Il parvient encore à tourner en dehors d'Hollywood, à la fois chef de bande et provocateur, même si plus tard, il basculera dans le système avec *Hair Spray*.

J'obtiens de faire son portrait dans *Libération*, pour moi une belle promotion : une pleine page et sur un sujet qui sort de la musique. Bien sûr, je travaille à l'américaine, j'en rajoute, je vais le voir lui mais je pourchasse ses amis, son agent, ses acteurs…

Il n'a qu'un sujet, la ville d'où il vient, Baltimore. Cette capitale de la mayonnaise artificielle fabrique des obèses en masse. Elle a perdu sa classe moyenne : ne restent que les riches et les pauvres. Nous sommes loin des Fabuleux et des branchés de Manhattan. Dans ses films, on pète et l'on rit fort. C'est, avec dix ans d'avance, une version américaine du *Groland* de Benoît Delépine et Jules-Édouard Moustic, de l'alcool, des vieux, des gros et de pauvres moches. Bref, des gens merveilleux. Il fait à chaque fois tourner les mêmes comédiens, acteurs hors normes et hors look.

Comment John Waters trouve-t-il son fric ? Comment fait-il pour échapper aux grands studios ? Mystère, mais en tout cas il tourne.

Waters s'est fait connaître avec *Pink Flamingos*, tour de force trash qui lui a valu des fans inconditionnels mais qui a exaspéré l'Amérique profonde et une large part de la critique. Dans ce film, monument de l'underground, se croisent fétichistes, voyeurs, exhibitionnistes et la star de Baltimore, Divine, un travesti qui dépasse le quintal et qui réussit l'exploit de se violer lui-même – elle-même? – devant les caméras. Il ou elle pousse jusqu'à manger des crottes de chien, prétendant incarner le personnage le plus immonde de la planète.

Dans le même film, la concurrence semble rude pour ce titre maudit puisqu'on y voit aussi un couple de Thénardier du sexe qui se livre à un trafic de bébés pour fournir des couples lesbiens. Ils ont recours au service d'une espionne sournoise, Cookie Mueller, autre diva de la bande à Waters.

Je la rencontre à New York, un samedi après-midi dans l'été indien de Washington Square. Nous nous retrouvons entre collègues : elle tient une chronique dans l'*East Village Eye*, « Ask Doctor Mueller », où elle répond avec talent et fantaisie aux questions sur la vie ordinaire de l'East Village, du genre : « Dans une fête, John a fait un coma après avoir pris des pilules sans qu'on sache ce que c'est. Que faire dans ce cas? », « Déconseillez-vous le *fist-fucking* ? », en fait la chronique du petit peuple de la bohème qui ne ressemble à aucun autre. Elle écrit aussi des poèmes qu'elle récite dans les soirées d'Haoui Montauk, mon copain doorman.

Cookie ne joue pas les fringues mais le maquillage, son obsession et sa folie. Chez elle, crèmes, lotions et teintures remplissent des placards entiers. Vingt ans avant la mode universelle, elle se couvre de tatouages. Son allure *sex-hard* fait fantasmer le Village. Je la découvre, à l'inverse de son physique, en bonne fille sympa, douce et marrante. Enfant de hippies et de *road movies*, elle a fait le tour de l'Amérique et de ses communautés dans une vieille Plymouth verte. Elle m'emmène à son appartement au coin de la 6ᵉ avenue.

Nous passons l'après-midi à traîner et nous parlons de tout. Elle me raconte son été, ses vacances puis, comme elle habite à deux pas de Bleecker Street, la rue des homos, elle me cite un article stupéfiant qu'elle a lu début juillet 1981 dans le *New York Times* et titré : « Un cancer gay touche quarante et un homos ». Je sens que cette information l'inquiète.

Je découvre ainsi le premier papier qui parle du sida avant que celui-ci ne soit encore nommé, identifié et craint. Le journal prétend que la maladie n'est pas contagieuse et que les hétéro-sexuels en seront par miracle épargnés. Cookie pense que cela vient d'une nouvelle drogue qui amplifie le plaisir sexuel.

Que d'erreurs, d'imprudences, d'inconscience : dix ans plus tard, Cookie et son amoureux vont mourir du sida.

À la même époque s'achève enfin un autre film au tournage interminable, *Wild Style*. Downtown a vécu pendant des mois dans l'attente : Charlie Ahearn, le réalisateur, aura-t-il assez d'argent pour terminer ? Patti Astor, la diva du film *Underground USA*, y joue une galeriste qui s'efforce de placer les graffeurs et tagueurs de métro dans le monde de l'art.

Ce sera le premier film hip-hop.

Hip-hop : le mot surgit comme une invention d'Afrika Bambaataa à qui une radio demande à quoi riment ces histoires de graffitis, de breakdance, de deejays, de rappeurs et qui répond : « It's hip-hop. »

Patti Astor décide de jouer dans la vie le personnage qu'elle tenait dans *Wild Style*. Elle ouvre chez elle la première galerie de l'East Village, la Fun Gallery. Futura, connu pour ses graffitis dans le métro, l'inaugure. Pas de tableaux, pas d'installation : il a peint un mur comme dans la ville. Des artistes inconnus et sans le sou s'y bousculent, qui deviendront tous célèbres avant un an. Ils se nomment Keith Haring, Kenny Scharf, Jeffrey Deitch, Fab Five Freddy. Ils en profitent pour repeindre la cuisine de Patti. Celle-ci ne connaît peut-être pas grand-chose au marché de l'art mais elle sait réussir une fête. La Fun Gallery repose sur une idée simple : à chaque exposition, l'artiste peut à sa guise modifier l'espace, voire changer le nom de la galerie. C'est là que Kenny Scharf révèle ses personnages d'Hanna-Barbera inspirés de la bédé, Jean-Michel Basquiat redécoupe les lieux en montant des murs, Keith Haring démarre son expo en peignant des figurines sur le trottoir. Kenny Scharf impressionne en présentant ses tableaux dans la pénombre.

Un jour dans la galerie, entre deux peintres, je retrouve Ann.

Cela fait plus de deux mois qu'elle m'a largué. J'étais venu à l'expo avec Magda, une Palestinienne aux yeux bleus. Avec Ann, je m'attendais à des retrouvailles, un dîner, une explication. Mais voici qu'avec le plus parfait naturel, comme si nous vivions encore ensemble, elle s'inquiète pour savoir s'il reste du jus d'orange dans mon frigo. Cette continuité fictive me désarme. Foin de toute courtoisie : arrivé avec Magda, je repars avec Ann.

À ma surprise, notre relation a changé et elle me considère comme son mec. Je lui expose l'un de mes projets : toujours dans l'illégalité, je veux des papiers et j'ai trouvé une amie qui accepte de m'épouser pour m'y aider. Ann manifeste un vif désaccord. Elle n'a pas envie qu'une autre nana s'appelle Zekri. Elle finit par me convaincre de célébrer avec elle un faux mariage blanc pour couronner notre vrai amour reconsommé.

Un matin avant d'aller au boulot, nous nous retrouvons à City Hall, l'imposante mairie de New York. L'affaire ne dure guère que cinq minutes, comme un mirage dont je n'arrive pas à croire qu'il est réel.

Mais il existe quelque chose de plus difficile que le mariage : l'obtention de l'indispensable carte verte, les papiers authentiques. Quand une semaine plus tard, nous faisons la queue dans les bureaux hostiles des services d'immigration, nous poireautons deux heures, nous nous disputons, nous quittons la file.

Je resterai avec Ann mais n'aurai jamais mes papiers.

IX

Les Stones chez les riches

Ils ne font pas leur âge – L'eau minérale contre la drogue
et l'alcool – Le public straight se comporte comme au théâtre –
La gauche se fait siffler dans un concert

Paris, octobre 2012.

« Mec, ça t'arrive de regarder ton Facebook ? »

Cela faisait quatre ou cinq fois en trois jours qu'un Robbie Fowler me demandait de l'accepter comme ami. J'avais zappé : ce prénom ne me disait rien. Ce dernier message n'était plus signé Robbie mais Bernard Fowler. Bernard Fowler, ça, je connaissais bien : il s'agissait de mon copain des années 1980 qui chantait sur l'album de Material et qui m'avait donné un coup de main sur deux ou trois morceaux sortis avec Bill Laswell.

Je le rappelle donc selon la ritournelle complice dont nous avions l'habitude : « Beurnarde, it's Beurnarde.

— Beurnarde, répond-il comme autrefois, hey killer ! Je suis dans ta ville. Tu veux venir voir le show ? »

Cela fait des années que nous ne nous sommes pas parlé. La dernière fois, dans les années 1990 à Paris, il m'avait emmené dans la suite de Keith Richard au George V. Je me souviens de tous ces Anglais maigres à cheveux longs, de bougies et d'un crâne humain sur le bureau. Keith avait craqué sur mon manteau, une gabardine de western-spaghetti que j'avais trouvée dans une brocante à Santa Fe.

Bernard Fowler faisait partie de notre bande. Quand Bill Laswell a produit l'album solo de Mick Jagger, il a pris la route des Stones et s'est mis à chanter sur scène avec eux.

Or, depuis trois jours, une fièvre stonienne a saisi Paris. Le 25 octobre 2012, les matinales des radios et des télés ont ouvert leurs journaux sur la file d'attente qui s'est formée depuis quatre heures devant le Virgin Megastore des Champs-Élysées. Les organisateurs ont mis en vente sept cents places à 15 euros pour un concert unique et rarissime des Rolling Stones au Trabendo dans le 19ᵉ arrondissement de Paris, une salle bien réduite pour pareil événement.

Quelques jours plus tôt, les médias avaient annoncé plusieurs concerts à Newark et à Londres avec des billets à 500 euros. Pas terrible pour l'image, les fans et la presse l'avaient fait remarquer. 15 euros pour le Trabendo, cela correspondait à un contre-feu : prouver que le groupe n'excluait pas définitivement son public populaire. Le lendemain du concert parisien, radios et journaux interviewaient les privilégiés qui avaient eu la chance d'y assister. Ceux qui étaient parvenus à y glisser un journaliste s'en vantaient comme d'un exploit. Des rumeurs multiples annonçaient même un autre concert. Tout cela m'amusait mais comme j'avais déjà vu plusieurs fois les Stones en concert, je me sentais étranger à cette transe.

« J'ai deux billets pour toi, me dit Bernard Fowler. Viens les chercher chambre 416 au Bristol. »

Le second concert ne relevait donc pas du mythe. Je lui demande :

« Tu tournes avec les Stones depuis combien de temps ?

— Vingt-sept ans.

— Ce sont des gens fidèles.

— Tu peux dire aussi que je fais très bien mon boulot. »

Le lundi 29 octobre 2012, je me retrouve donc devant le Mogador, le théâtre du 9ᵉ arrondissement. Une dizaine de cars de police encadrent l'opération malgré l'invraisemblance de tout débordement. Deux files s'étirent dans la rue. La première rassemble les salariés d'Édouard Carmignac, patron du fonds d'investissement Carmignac, 50 milliards d'euros d'encours dans dix pays européens, quarante-troisième fortune française, et qui s'est offert les Stones. Rien à voir avec la foule familière des concerts de rock : ce sont là sages employés en cravate, attaché-case à la main, qu'accompagnent femme ou petite amie.

À l'autre bout de la rue, la seconde file regroupe les relations d'Édouard Carmignac lui-même, des dirigeants du CAC 40 et de la finance, qui à l'évidence n'ont pas l'habitude de se faire presser comme dans le métro et vivent fort mal cette promiscuité, fût-elle entre soi. Certains ont-ils un retour d'émotion en songeant à leur jeunesse canaille ? En tout cas, cela ne se perçoit guère. Vu ma mine bien différente de la leur, ils me poussent, sûrs d'un passe-droit qui ici n'existe pas.

À l'intérieur, la salle ne ressemble en rien à celle d'un concert de rock. Nous sommes dans un théâtre et le public se comporte comme au théâtre. Nulle odeur de cannabis, point de canettes, aucun risque de baston et surtout pas de grosses pelles baveuses. Des ouvreuses en uniforme nous guident avec respect à nos places. La mienne, qui me voit fouiller dans ma poche, m'arrête d'un signe : elle n'a pas droit aux pourboires. Tout le monde est assis. On se parle à voix basse. Et de quoi, entre gens de la finance ? De fric bien sûr, en l'occurrence ce soir : combien Carmignac a-t-il payé pour s'offrir ce caprice ? Le chiffre monte de rangée en rangée et certains assurent qu'il a sorti 10 millions d'euros. Carmignac démentira plus tard ce chiffre fou : beaucoup moins, à peine la moitié.

Cela se passe comme dans ces raouts mondains où l'on tient des conversations sans se regarder. Il s'agit de voir, d'être vu et surtout de reconnaître. Comme les autres, j'observe. J'aperçois Mme Dati, Valérie Lemercier... Arthur s'est installé juste derrière moi. Quatre rangs devant, je repère Michel Denisot, un peu plus loin Guillaume Durand. Mais les saltimbanques de la télé sont rares et la presse rock se limite à la rédaction du *Figaro*, Alexis Brezet et Anne Fulda en tête.

Édouard Carmignac en jean serré et délavé se donne le rôle du présentateur. Il crie :

« Les Rolling... Stooones ! le plus grand groupe de rock du monde ! »

Sur scène, peu d'artifices, pas de décor, seuls des amplis, une batterie, un clavier, comme des petits jeunes qui démarreraient.

C'est bien là leur magie. Ils sont minces comme au premier jour et s'ils portent leur âge, ils ne font pas vieux beaux. Les dégarnis et les ventrus de la salle les jalousent. Combien de buveurs d'eau minérale au régime depuis des décennies doivent mesurer l'injustice : ces voyous ont accumulé la drogue, les clopes, le sexe, les nuits folles, les bouteilles de Jack Daniel's et ils s'en sortent comme des Peter Pan !

Ron Wood, Keith Richard, Charlie Watts, appliqués et sérieux, jouent la sobriété et laissent tout l'espace à Mick Jagger. Celui-ci, épatante bête de scène, virtuose du geste, passe du mime japonais au prince des ténèbres, d'une féminité outrageuse à une démarche de cow-boy. Vieux peut-être mais toujours dangereux. Pour un instant, il accepte de partager avec la salle cette fausse jeunesse maléfique. Bernard Fowler déploie sur scène son talent : il chante et l'on croit ne pas l'entendre, il danse et reste invisible.

D'un coup, Mick s'avance vers la foule et lance dans un français parfait que relève son accent british si craquant :

« Il est très généreux, merci, Édouard. Je ne le connais pas mais la Reine m'en a dit grand bien. »

La salle ronronne d'un plaisir tout aristocratique.

Quelques chansons plus tard, Mick s'adresse de nouveau au public : « J'ai lu la lettre d'Édouard… »

Il s'agit d'une adresse d'Édouard Carmignac au gouvernement socialiste français pour dénoncer les impôts excessifs et les charges qui s'amoncellent sur les entreprises.

« J'ai lu la lettre, répète Mick, mais je n'ai pas lu la réponse. »

On rit dans la salle. Mick insiste :

« Peut-être que monsieur Hollande est ici. On ne l'a pas invité ? »

Là, seule insubordination, le public de financiers hue le président français. La gauche se fait siffler à un concert de rock ! Nous sommes si loin des seventies, des festivals interdits et des maos de jadis qui voulaient rentrer gratos et scandaient « la pop au peuple ».

Le fric a tout emporté sauf, ici, le talent.

X

La baronne du jazz

À l'est de Broadway, le Mudd, le lieu le plus cultissime
– Nosferatu veut m'embaucher – Je me vois grand reporter –
L'incontournable baronne de Koenigswarter – Je la débusque
au Vanguard

En 1981 à New York, je croyais que les Rolling Stones allaient
sortir de l'histoire. La meute des punks anglais avait accosté en
Amérique, les Sex Pistols, les Clash, les groupes de Manchester
insultaient les dinosaures des seventies.

Sur la Bowery, en bordure de l'East Village, le CBGB, caverne
de l'épingle à nourrice, de la bière tiède, du pogo et des cra-
chats, fait découvrir les nouveaux sons qui chamboulent le rock.
Les Talking Heads y jouent et Television, les Ramones, Blondie,
Lydia Lunch... J'y rencontre Willie DeVille, un amoureux de
Piaf et de Paris. Je me lie avec cet élégant fantasque, à la fois
pâle et maquillé. Il porte des vestes mauves, roses, rouges, des
chemises à jabot, des bottes pointues à talons, une moustache
et une barbiche à la Louis XIII.

« Je donne un concert à Charlotte, c'est en Caroline du Nord.
Tu viens ? »

À part y écouter Mink DeVille, le groupe de Willie, il n'y a
vraiment rien à faire à Charlotte. Je n'ai pas l'argent pour
l'avion. Une idée : je vais vendre un papier à Bizot, d'autant plus
que Mink DeVille doit bientôt passer à l'Olympia. Bizot est
d'accord : *Actuel* paiera.

Me voici à Charlotte. Je passe mon temps devant les toilettes
où Willie disparaît avec sa douce et son attirail de junk. J'en

arrive à me demander s'il va pouvoir jouer. Mais sur scène, le dandy franco-latino à la voix soul m'impressionne : la classe. À ma grande fierté, mon papier fait la couverture d'*Actuel*. Une fois de plus, je flotte au-dessus du sol. Hunter Thompson, tiens-toi bien, j'arrive !

Tout semble me réussir. J'ai eu l'honneur de poncer le parquet d'Agnès b. qui vient d'ouvrir sa première boutique sur Prince Street et qui du coup file un job à Ann. C'est la vague des créateurs de mode dans Soho, de l'épicier chic Dean de Lucas, des expressos, immense nouveauté pour les Américains aux cafés délavés, des années fric, des yuppies, de Jay McInerney et de Bret Easton Ellis, les écrivains qui sauront raconter la coke, les marques et l'argent facile.

La ville m'a adopté. J'ai un bel appart de sept pièces que je partage avec une femme délicieuse et apaisée et un couple de lesbiennes. Steve Mass, le mythique patron du Mudd Club, repaire des Cinq Cents Fabuleux, me propose un job.

Le Mudd, sur White Street à l'est de Broadway, représente le lieu le plus cultissime, l'avant-garde et la contre-culture en opposition au Studio 54. Il ne peut accueillir plus de trois cents personnes. C'est ici que s'inventa la culture de l'exclusion et des doormen. Au Mudd, il faut sélectionner et composer le public et le public prie pour qu'on le laisse entrer. Beaucoup de candidats, peu d'élus, un sur dix peut-être. Pour accéder au club, le fric et la notoriété ne suffisent pas.

Le Mudd Club n'a rien d'extraordinaire en soi, décoration zéro, pénombre. On n'y va pas pour se montrer puisqu'on y voit à peine. Tout l'intérêt vient de l'imprévu : pas d'annonces, pas d'affiches, on peut aussi bien écouter en live Telephone que David Bowie, Allen Ginsberg que Johnny Thunders, Lydia Lunch ou David Byrne.

Sur les trois cents clubbers présents, seule une quarantaine parvient à monter jusqu'au premier étage, lieu secret des privilégiés où l'on croise Andy Warhol, Diana Ross, le critique d'art René Ricard, Keith Haring, Jean-Michel Basquiat ou Divine.

Le Mudd mélange le son, le sexe, la drogue et au-delà une culture authentique. Comme sur scène, dans l'obscurité de la salle, on peut s'attendre à tout.

Imaginez ma tête lorsque Steve Mass, ce gardien de tous les secrets de l'underground, m'a téléphoné pour demander à me voir.

Je subis alors l'entretien d'embauche le plus cinglé que j'ai jamais vécu.

L'homme, la cinquantaine, n'a pas le sourire facile. Il me reçoit chez lui dans l'East Village, une grande salle, ni loft ni appartement, comme un temple laïc qui échapperait à toute fonction utilitaire. Il est toujours rigolo de voir en plein jour un être de la nuit. En plein jour ? Pas tout à fait : tel un Nosferatu sorti du cercueil, Steve Mass préfère l'ombre et reste à trois ou quatre mètres de moi.

Sur un comptoir de cuisine américaine, il ouvre un gros sac de coke. Ce n'est pas le mont Blanc mais un sérieux volcan auvergnat. Je m'étais jusque-là tenu à l'écart de la cocaïne qui ravageait les naseaux et les cerveaux de tant de mes amis. Mais dans cette situation ? Si je n'accepte pas, je sors de son histoire. Si j'accepte, je cours le risque du n'importe quoi. J'accepte.

Il pose des rails de TGV et sert des bourbons généreux pour accompagner le voyage.

Steve ne gaspille pas ses mots. Sans prévenir, il lâche de temps en temps une question sèche pour me jauger. Il projette d'ouvrir un club et songe à m'en confier la direction. Pour moi, cela représenterait la dernière marche avant les toits de New York. J'ai été libraire, puis plongeur, me voici *back in business* dans l'*establishment* de la nuit. J'ai le tournis.

Il continue à prendre des lignes et à chacune, me regarde. Vais-je poursuivre ? Oui, tant je crains de passer pour un branque. Je grimpe assez haut. En vrai consommateur, lui, il n'en donne pas l'impression et poursuit son questionnaire. La coke fait partie de l'examen.

J'ai le sentiment de le satisfaire et d'avoir emporté le morceau. Au bout d'un certain temps, j'éprouve comme un malaise et me demande si je vais pouvoir me barrer d'ici dans la dignité. J'y parviens. Au moment de nous quitter, nous convenons de nous revoir.

Dans la rue, un trouble étrange me secoue, le son s'est déréglé et désynchronisé, je sprinte dans le vide. La coke me pousse : je voudrais faire quelque chose d'extraordinaire mais quoi? Je déteste la cocaïne. Elle n'appartient pas au genre des drogues généreuses comme le fut l'herbe dans les années 1970. Elle se donne pour un produit de compétition, d'accélération, un produit qui permet aux traders, aux publicitaires, aux malins du show-biz de sortir du lot et d'écraser les moins forts. Elle vous maquille en maître du monde jusqu'à la descente, où elle vous lâche.

Dans mon vertige, je raconte à Ann mon entretien prodigieux avec Steve Mass. À ma déception, ma fanfaronnade ne l'impressionne pas plus que ça.

Je ne peux oublier la phrase de mon copain Marc : « Si je comprends bien, tu es dans la limonade. » Même en dirigeant la boîte la plus smart de New York, le champagne, c'est encore de la limonade. Par bonheur, je peux choisir. Ou la nuit, les rencontres, le cœur de New York et l'invention d'une culture à venir ; ou, profitant de mes relations avec Bizot, le journalisme, mais un journalisme différent de la critique musicale. Je me vois déjà en grand reporter, la veste multi-poches bourrée d'appareils photo et de cassettes, dans l'héroïsme des expéditions au Liban ou en Afrique du Sud. D'un côté New York, de l'autre Paris. Le pognon ou la dèche. Ann accepterait de me suivre en France.

Je tranche pour Paris.

Je n'arriverai pas à Paris sans avoir rencontré un personnage auquel je rêve depuis des mois : Pannonica de Koenigswarter, l'introuvable baronne du jazz. Bizot, fan de Frank Ténot et de Daniel Filipacchi, s'est construit dans le jazz et sa révolte dès l'adolescence. Sa collection de disques mériterait le musée. Mais la baronne, comme la majorité de ceux qui l'ont poursuivie, il n'a jamais pu l'atteindre. Si je lui apporte ce portrait-là, j'ai une chance de l'épater, ce qui n'est pas à la portée de tout le monde.

La baronne du jazz est née Rothschild. Elle se cache dans sa maison, ferme sa porte aux visiteurs et se méfie des journalistes. Sur sa vie, il y a eu trop de ragots, elle ne parle plus. Elle laisse courir de vagues rumeurs.

À New York, elle protège le jazz depuis trois décennies, se mêle aux nuits de dérive des grands artistes noirs, recueille les musiciens maudits quand ils plongent. Cela fait trente ans que la vieille Bentley rouge de Nica de Koenigswarter sillonne les nuits de Manhattan.

La baronne vient d'Europe. Elle appartient à la branche anglaise des Rothschild. Elle a fait ses études à Paris, dans un pensionnat huppé de jeunes filles que dirigeaient trois bonnes sœurs lesbiennes. Elle a participé aux bals des débutantes et fut présentée à Buckingham Palace.

Très vite, ça dérape. Elle a à peine vingt ans quand elle rejoint un petit groupe d'aristocrates excentriques comme il n'en existe qu'en Grande-Bretagne. Elle passe son brevet de pilote d'avion, épouse un diplomate français rencontré sur l'aérodrome du Touquet, le baron Jules de Koenigswarter. Grâce à lui, elle pénètre dans le monde de la grande politique internationale. La Seconde Guerre mondiale éclate. Sans chipoter, la baronne devient un agent du chiffre pour un réseau de renseignements gaulliste en Afrique, puis combattante dans les Forces françaises libres, commentatrice à Radio-Brazzaville, chauffeur au service de la Commission des cimetières militaires.

Ce n'est qu'à la fin des années 1940 que Nica de Koenigswarter va connaître la révélation et devenir la baronne du jazz. Le premier coupable, c'est son frère, Lord Rothschild. Envoyé personnel de Churchill auprès de la Maison Blanche, le jeune lord a découvert le jazz aux États-Unis et rapporté le virus à Londres. Il ne manque pas un concert et sa sœur l'accompagne. Un disque de Duke Ellington, *Black, Beige and Brown*, va jeter un trouble définitif dans l'esprit de la baronne. Le jazz n'y est plus seulement une invitation à la danse et à l'exubérance rythmique mais un chant orgueilleux et bouleversant, une symphonie pour le XXe siècle.

1951, la baronne s'ennuie à Mexico avec son mari alors en poste à l'ambassade de France. Elle s'ennuie tant qu'elle le convainc de s'installer à New York, au Stanhope Hotel, sur la 5ᵉ avenue, dans une suite fastueuse.

Sitôt arrivée, elle demande à son ami le pianiste Teddy Wilson de la conduire à travers le labyrinthe des clubs new-yorkais. À cette époque, il y a à peine une demi-douzaine de boîtes ouvertes la nuit, en général des locaux plutôt sordides, comme les vieux clubs de Kansas City, avec juste la place pour un piano, une batterie et cinq ou six musiciens debout.

Dans ces années-là, New York résonne be-bop. Le plus grand de tous, l'oiseau Charlie Parker, Thelonious Monk, le poète introverti, Miles Davis, un tout jeune garçon qui joue déjà d'une trompette sans sourire, le dos tourné au public du Village Vanguard. Là, au milieu de cette folie noire, la jeune baronne se met à vivre à l'heure des jams de cinq heures du matin. Nuit après nuit, les phares de la Bentley rouge de Nica de Koenigswarter vont transpercer le New York noir à la poursuite d'un plaisir toujours suspendu au bout du blues.

La première fois qu'elle entend le grand Monk jouer « Round About Midnight », elle pleure d'émotion. Une seule ombre trouble la belle euphorie : le mariage de la baronne commence à sonner tel un piano désaccordé.

À force de voir cette jeune femme à leurs concerts, les musiciens finissent par s'habituer à elle. Elle devient l'amie d'une foule de jazzmen qui, tôt ou tard, débarquent dans son hôtel. La luxueuse suite du Stanhope Hotel, où son diplomate de mari se fait de plus en plus rare, se transforme en logement de dépannage pour musiciens naufragés.

Ces voyages répétés dans le monde du jazz lui ont fait découvrir la pauvreté de ces artistes et la difficulté qu'ils rencontrent, quel que soit leur talent, à trouver du travail.

C'est ainsi que Charlie Parker vient se réfugier chez elle. Il a grossi, il est malade, il manque d'argent pour subvenir à ses besoins de drogue, d'alcool, et pour entretenir sa famille. Nous sommes en 1955. À trente-quatre ans, l'oiseau est devenu trop lourd pour que ses ailes le portent plus loin. Une semaine s'écoule. Charlie Parker, assis dans la suite de la baronne, écoute un album de Tommy Dorsey, *Just Friend*, quand le sang lui remonte à la gorge. Il vomit, hurle de douleur, s'écroule aux pieds de Nica. Elle court au téléphone, appelle le médecin qui refuse de se déranger. En 1955 à New York, il est des choses qui ne se font pas, par exemple qu'un nègre vienne mourir dans l'appartement d'une Blanche de la haute.

Charlie l'a quittée mais l'histoire continue. La baronne est l'amie de Coleman Hawkins, elle l'a en adoration et se prend pour son ange gardien.

L'autre grande histoire de Nica, c'est sa relation avec Monk. Elle ne rate jamais l'un de ses concerts, où elle le conduit elle-même au volant de la Bentley. Un jour qu'elle l'emmène à Baltimore, une voiture de police les arrête. La baronne a un peu d'herbe sur elle. Cela coûtera à Monk son permis de travail et Nica devra dépenser une fortune en frais de justice. La plaisanterie va durer deux ans. On veut lui confisquer sa Bentley et l'envoyer en prison. Désormais, Pannonica fait à jamais corps avec le jazz, elle assimile tous les plans black. Sa Bentley, ses fourrures, ses bijoux deviennent célèbres dans Manhattan. On commence à l'appeler la baronne du jazz.

Le temps passe. La baronne quitte enfin son hôtel de luxe et achète une grande maison de l'autre côté de la rivière. Elle se met à vivre dans le secret et ses jazzmen sont de plus en plus vieux.

Le pensionnaire qui bat tous les records de durée chez la baronne, c'est Thelonious Monk, Monk le torturé, l'introverti, l'auteur de « Round About Midnight », le pianiste à silences. Il y a aussi le vieux Barry Harry qui a consacré sa vie à la musique de Monk. Celui-ci n'a plus toute sa raison, ne joue plus de piano et reste de longues heures devant la télé sans dire un mot. Personne ne peut le voir, la baronne veille sur sa tranquillité.

On comprend mon envie d'entrer dans cette maison de l'autre côté de la rivière. On raconte qu'elle y vit entourée de chats. Je lui téléphone. Elle ne veut rien savoir.

Un soir, le vieux Barry Harry donne un concert au Vanguard, le club désuet de la 7ᵉ avenue, seul rescapé de la grande époque.

Je tends mes six dollars à la porte de prison qui bloque l'entrée. Le club est sombre et enfumé ; il n'y a presque personne. Je m'installe au bar où sert un vieil hippie ventru. Je regarde les murs couverts des photos de jazzmen célèbres. Dans le fond du club, assis en face d'un verre, je repère le vieux Max, patron du lieu. Il a vu passer toute l'histoire du jazz. Max était l'ami de la baronne. À présent, on les dit fâchés.

Devant ma curiosité, il me jette :

« La baronne ne te recevra jamais. Elle ne sort plus. Sa vie, il n'y a plus qu'elle qui la connaisse et elle ne la raconte pas. Tu veux prendre une tequila pour te consoler ? Profites-en, c'est le vieux Max Gordon qui régale et ça n'arrive pas souvent. »

À ce moment la porte du club s'ouvre. Une vieille dame entre avec lenteur sans un regard pour le portier. Elle en impose, elle porte une fourrure usée et son rouge à lèvres luit dans l'obscurité. Elle va s'installer à une table contre le mur, fouille son sac, sort une cigarette. Le vieux Max la regarde, bouche ouverte :

« C'est elle ! »

Quand le serveur arrive, elle cligne des yeux comme si elle avait du mal à bien voir. Il demande : « Un brandy, madame la Baronne ? » Elle lui sourit avec reconnaissance.

Vert de timidité, j'ose m'approcher :

« Madame la Baronne, je vous ai téléphoné…

— Le journaliste français ? Je ne vous imaginais pas si jeune. Vous pensez que le jazz fait partie du passé, n'est-ce pas ? Vous allez voir. Asseyez-vous. »

Elle roule les r en français. Elle a beaucoup de poudre sur les joues, ses yeux semblent heureux. Pas question de lui parler de jazz ni de jazzmen. Je cherche un angle d'attaque :

« Vous retournez quelquefois en Europe ?

— Non, jamais. Qui s'occuperait de mes chats ? J'en ai quatre-vingt-dix à la maison. Et puis il y a Thelonious. »

Barry Harry entre sur scène. C'est un petit homme noir en costume gris avec une moustache. Il se tient voûté, l'air d'un gentil grand-père. Il s'installe derrière le piano, il annonce :

« "Pannonica", une composition de Monk. »

La baronne me regarde : « Ah, ce morceau ! » Elle pose un doigt sur sa bouche et se met à écouter. Quand Barry Harry termine, nous sommes seuls à applaudir, la baronne et moi. Elle me glisse :

« Ce morceau, Thelonious l'a écrit pour moi. » Puis, pensive : « Thelonious était un homme qui cherchait la vérité. »

Pendant le reste du concert, elle reste silencieuse et immobile, hypnotisée par la musique. J'écoute le piano mais je ne la suis pas dans son monde, elle est ailleurs. Enfin Barry descend de scène, elle me regarde et, dans un sourire :

« Alors, jeune homme, n'est-ce pas vivant ? »

J'observe autour de moi les tables désertes et je lui réponds « oui » dans un hochement de tête.

Barry Harry vient nous rejoindre. Quand il arrive à notre table, la baronne se lève et il lui baise la main. Puis il s'assied à côté d'elle et lui parle dans le creux de l'oreille.

Barry aide la baronne à enfiler sa fourrure, ils sortent à petits pas. Dehors, la Bentley rouge les attend. Ils s'éloignent dans la nuit.

Quelques jours plus tard, je téléphone à la vieille dame. Elle me répond d'une voix désespérée qu'on vient d'envoyer Thelonious à l'hôpital, que son état est grave et qu'elle a autre chose à faire que de parler du passé.

XI

Les étranges habitudes
de la tribu *Actuel*

Une visite chez le curé – La Liz Taylor de Warhol dans un
hôtel Louis XV – Quand Bizot fait son marché – Impossible
première phrase – Sauvé ! – L'ingénieur Bizot met son nez
partout – Massadian, Massalade, ou Moussalin, le gladiateur
de la bande – Je sens venir la bavure

Il me faudra du temps pour apprécier la grisaille de Paris,
surtout en ce mois de décembre 1981. Je suis dijonnais, je suis
new-yorkais, mais cette ville je ne la connais pas. J'avais sous-
loué un studio rue Blomet. Ce samedi matin, à peine arrivé, je
téléphone à Bizot. Celui-ci part dans un discours passionnant
mais incompréhensible. Je n'en retiens qu'une phrase : « T'as
qu'à venir tôt demain chez moi à Saint-Maur. »
Ignorant les curieux horaires de la tribu *Actuel*, presque
fébrile, je me lève le dimanche avant le soleil et me lance dans
ce qui me semble une expédition dans l'inconnu, le métro puis
le RER. « 5 rue de Paris à Saint-Maur, m'avait dit Bizot, tu
trouveras facile la maison, c'est à côté de l'église. » Je sors du
RER de Joinville. Chance : voici la rue de Paris, une église, un
numéro 5. Je sonne. Un curé m'ouvre. Je m'attendais à tout sauf
à cet honnête ecclésiastique. Il s'agissait bien sûr d'une méprise ;
la rue de Paris de Joinville précède la rue de Paris de Saint-
Maur et le curé en a marre d'ouvrir sa porte plusieurs fois par
semaine à des ribambelles de branchés aux allures problémati-
ques qui comme moi se sont trompés. Encore un kilomètre de
marche à pied, un second numéro 5, un haut mur, un portail de
bois gris qui s'ouvre à la première poussée.

Dès la cour, après deux énormes marronniers, j'entre dans un autre monde, un autre siècle. La bâtisse est un ancien hôtel Louis XV avec son fronton triangulaire et un perron où des statues de bonnes sœurs de tailles décroissantes décorent chaque marche. Je prends un escalier latéral, une porte qui grince, une seconde porte et me voici dans un grand salon au plancher aussi historique que de guingois, une immense cheminée et une estrade de bois clair. À part les angelots du plafond, pas de décoration XVIIIᵉ mais au mur, un Lichtenstein et la Liz Taylor d'Andy Warhol. Au fond, trois portes-fenêtres en ogive donnent sur un parc déplumé par l'hiver. Je remarque un arbre magnifique et torturé, rugueux comme une peau d'éléphant, dont j'apprendrai plus tard qu'il s'agit d'un paulownia sans doute planté deux siècles plus tôt par l'occupant d'alors, le duc de Noailles. Cela examiné, je constate qu'à sept heures du matin, toute la maison dort.

Après deux heures passées sur un canapé beige et taché, je double un Jésus de plâtre souillé d'encre bleue et me décide à monter l'escalier d'honneur. Tout au long, des portraits chinois de Marx, Engels, Lénine, Staline, Mao tapissent les murs. Pour grimper, il faut zigzaguer entre des piles de livres et de journaux posés sur chaque marche. Je frappe à une première porte et j'entends un grognement d'une voix maquillée qu'on pourrait traduire ainsi : « Ouais, pourquoi, qu'est-ce que c'est ? » Sort un Bizot nu sous son peignoir, le cheveu blond raide et dérangé, l'œil encapoté. Il me désigne une petite chambre avec une cloison tapissée de papier doré et me conseille d'y faire une sieste. Il est dix heures du matin.

Je redescends dans le grand salon, que les Actuéliens appelaient la Visconti en hommage au *Guépard*, le film. Je vois passer un costaud avec un sac de sport et une raquette de tennis qui hurle :

« Tu viens ! »

La voix de Bizot répond qu'il ne vient pas. Un petit maigre binoclard et barbichu rentre sans un mot avec une baguette. Je vois des jambes sublimes descendre l'escalier de Bizot puis une belle jeune femme qui accélère le pas et disparaît sans dire bonjour.

Quand arrive Bizot lui-même, c'est pour m'entraîner à l'entresol dans une cuisine de forte taille où il m'offre un café. On a l'impression que la cafetière, sale et cabossée, sort des tranchées de la guerre de 14. Dès ce premier petit déjeuner, il peste contre Karakos parti à New York en laissant tomber sa boîte de disques Celluloïd ainsi que son associé. Puis il m'emmène faire le marché du Vieux Saint-Maur. Je reste effaré devant le nombre de cochonnailles que l'homme peut acheter, saucissons de toutes tailles, terrines, jambons et pâté de tête – son ADN lyonnais puisque sa famille vient de là. Comme un journaliste avide qui préparerait un article encyclopédique, il s'informe sur les olives et se précipite sur des fruits invraisemblables. Il s'intéresse même aux fleurs qu'il n'a aucune intention d'acheter. Chez l'épicier, razzia sur les sirops de menthe ; au tabac, il embarque une cartouche de Dunhill menthe.

Nous déjeunons dans la cuisine où il a débouché un excellent beaujolais tiré des vignes de sa famille. Le plat principal se compose d'un poulet fumé de Prisunic.

« Attends, dit-il, je vais te faire un sandwich. »

À mon étonnement, ce terme pourtant connu et précis consiste pour lui en un mélange de tomates pelées en boîte et de purée instantanée. Entre chaque bouchée de poulet, il se coupe une grosse tranche de saucisson qu'il engloutit d'un coup.

Je lui raconte l'histoire de la baronne du jazz. À mon soulagement, l'idée lui plaît et je comprends ce qui m'arrive : on gagne, à le fréquenter, la crainte perpétuelle de le décevoir. Durant vingt-cinq ans, ce sentiment ne me quittera plus jamais. Il me met aussitôt la pression :

« On est samedi, dit-il, le journal boucle mardi. T'es cap' d'écrire le papier d'ici là ?

— Bien sûr. »

Après mon triomphe avec l'article sur Mink DeVille qui avait fait la couverture, je n'en doute pas.

Le sandwich nettoyé, une autre jeune femme arrive et Bizot disparaît avec elle.

Je m'installe dans le grand salon sur une table blanche à colonnes branlantes qui vient d'Emmaüs comme le reste du mobilier. Sur une grosse machine électrique au bruit de mitrailleuse, j'écris une centaine de premières phrases, « La Bentley rouge roulait doucement dans la nuit de Manhattan... », « Dans la nuit de Manhattan, les phares de la Bentley rouge perçaient le brouillard... », « Où se rendait donc cette Bentley rouge qui s'éloignait dans Manhattan?... » La Bentley s'éloignait peut-être, moi je faisais du surplace. D'une ou cinq lignes, tous mes débuts terminent dans la corbeille. En fin d'après-midi, les premiers doutes me gagnent. J'ai une histoire formidable mais elle ne sort pas. J'ai besoin de parler à quelqu'un pour une idée d'accroche, une idée de plan.

Réapparaît le binoclard barbichu du matin. J'implore son regard, je mendie une phrase. Le binoclard se nomme Jean-Pierre Lentin, l'homme de la musique, l'un des meilleurs critiques de rock en France et qui s'était fait une petite gloire dans *Actuel* depuis dix ans. L'individu se révèle un timide qui ne parle guère mais j'arrive à lui raconter mon histoire et j'ai l'impression qu'il m'écoute. D'un coup, il se lève :

« Ah ouais, dit-il, pas mal », et il m'abandonne.

Je reste face au Lichtenstein et à la Liz Taylor de Warhol. La nuit tombée, j'ai bien du mal à allumer un lampadaire qui figure une immense feuille de ginkgo-biloba dorée, l'arbre aux écus, le plus vieil arbre du monde. La jeune femme que j'avais vue rejoindre Bizot est partie depuis longtemps. Celui-ci passe dans un costume froissé. Il n'a nulle envie de me parler, il détesterait à l'évidence qu'on lui demande où il va. Me voici seul avec mes pages blanches dans la grande maison. Je gratouille une fois de plus des premières phrases. À deux heures du matin, c'est un naufrage.

Le lendemain, hors quelques Actuéliens passants qui me regardent avec sympathie mais m'abandonnent eux aussi, je dérive toujours dans ma solitude. Un dernier individu, plus miséricordieux, s'arrête enfin. Il m'écoute, réfléchit et, joli cadeau, me donne la clé et ma première phrase : « La baronne du jazz est née Rothschild. » Voici le lavabo débouché, la suite du papier s'écrit toute seule. Ce sauveur s'appelait Patrice Van Eersel, l'homme du New Age et autre habitant de Saint-Maur.

Le lundi soir, je rends l'article à Bizot. Nous sommes dans sa bibliothèque, des mètres et des mètres de livres en altitude, en longueur, sur plusieurs rangs, sur les chaises. Des vinyles sans pochette s'empilent près d'une chaîne qui crache aussi bien du Gato Barbieri que du Richard Hell. Bizot monte le son à fond et je me souviens qu'il est sourd d'une oreille. Deux immenses fenêtres, encadrées d'un rouge profond, donnent sur le parc. Quand les livres ne les mangent pas, les autres murs sont blancs.

Bizot trône sur une sorte de cathèdre devant une table d'une taille monstrueuse, constituée en fait de deux vieux bureaux taille double ministre accolés l'un à l'autre. Et là-dessus, son bazar de papiers, journaux, bouquins en tas, cendriers pleins, canettes de menthe, une armée de bibelots ébréchés, des cigares Roméo et Juliette séchés hors de leurs étuis, trois paquets de Dunhill menthe entamés et de somptueux livres d'art dont il a arraché des pages pour illustrer son journal. Deux antiques fauteuils de coiffeur en porcelaine avec leur appuie-tête réglable se font face. Bizot me fait signe de me taire. J'attends et je commence à savoir qu'avec lui, je vais beaucoup attendre.

Il corrige un autre article, à grands traits, et je l'observe avec terreur, barrer rageusement des paragraphes entiers, comme d'un coup de sabre. À chaque coupe, il pousse un cri de satisfaction :

« Schlaff ! »

Un gros téléphone gris à touches multiples, comme il en existe dans toute la maison, sonne à intervalles et Bizot répond, susurre ou vocifère. Il revient à son texte. Et le mien ?

Il s'en empare enfin et c'est dans la plus vive inquiétude que je le vois entamer sa lecture. De temps en temps, il raye un mot ou une phrase, tire un long trait jusqu'à la marge et inscrit ses corrections avec une rapidité extrême. Je me rassure car il ne barre pas trop. Là où je m'affole, c'est lorsqu'il découpe deux feuillets avec des ciseaux à ongles et en remonte les paragraphes dans un autre sens, les collants entre eux par des petits bouts de scotch dont j'imagine qu'ils ne vont pas tenir. Il me tend ce paquet de pages inégales et froissées. Il lâche : « Voilà. » J'apprendrai qu'il ne félicite jamais personne et que ce simple mot vaut à lui seul une honnête approbation.

À moi de retaper ce brouillon. Je reste épaté : il n'a pas changé grand-chose mais le papier s'en trouve bien meilleur. La musique de ma machine à écrire prend un autre rythme. Ce n'est plus le bruit des Lebel tirant quelques coups dispersés dans les bois mais le crépitement de la mitrailleuse au sortir de la tranchée. J'ai la Camel au bec, le verre de bourbon et le regard fiévreux du reporter en bouclage.

Je suis adopté, j'annulerai la sous-location de mon studio de la rue Blomet pour m'installer à Saint-Maur.

Passant du salon dit Visconti, son Lichtenstein et sa Liz Taylor à la bibliothèque, je découvre les toiles zaïroises de Chéri Samba, alors ignoré des Français et qui deviendra l'un des peintres africains les plus connus au monde.

Bizot l'a découvert lors d'une expédition à Kinshasa avec le photographe d'*Actuel* Daniel Lainé. Chez un couple d'expatriés belges collectionneurs d'art, il avait repéré deux peintres congolais, Chéri Samba et Moke. Daniel Lainé préférait Moquet, à l'époque plus coté que son confrère. Bizot, lui, n'a pas hésité : c'était Chéri Samba qui l'intéressait. Celui-ci lui semblait plus moderne, avec une dimension surréaliste, un humour, des légendes qui rappelaient la bédé et racontaient l'Afrique, les Africains et les Blancs comme nous n'étions jusqu'ici pas capables de les voir.

Bizot et Lainé visitent Chéri Samba dans son atelier, avenue Kasavubu, du nom du président qui a laissé assassiner Patrice Lumumba, le héros de l'indépendance. Le peintre zaïrois, séducteur dandy, vit fauché avec sa ravissante femme Philda et une gamine qu'il a nommée Blanche Neige. En guise de présentation, Samba s'écrie :

« Je suis le plus grand peintre africain ! »

C'est tout juste s'il arrive à vendre ses toiles 50 francs.

Bizot connaît l'Afrique depuis ses jeunes années à *L'Express* mais le colossal Zaïre, son désordre et son génie l'éblouissent. La nuit y est un rêve qui ne finit pas à l'aube, de la musique partout, des boîtes où ça frotte et où l'on danse le ventilo, une séduction qui se donne pour un voyage et ne s'arrête pas au couple, une littérature inattendue, une presse vivante et peu conformiste. Là trône Papa Wamba et son orchestre, la gloire nationale qui ne monte jamais sur scène avant trois heures du matin. Bizot, chamboulé, traîne au Vis-à-Vis, le bar où zone Chéri Samba et chante Papa Wamba.

Quand il revient à Paris, on le retrouve aussi marqué qu'il le fut par l'Asie dix ans plus tôt, le punk londonien ou le reggae de la Jamaïque. À toute force, il veut faire connaître le Zaïre et la musique africaine aux Français, Salif Keita, Mory Kanté, Youssou N'Dour, Zao et son tube « Ancien combattant », les Touré Kunda et bien sûr Papa Wamba.

Il invite Chéri Samba à Paris et le case chez Daniel Lainé. Le peintre dandy et le photographe d'*Actuel*, petit blanc moustachu à long nez, vivent ensemble pendant un mois et explorent Paris. Visite chez les putes, « les reines du clitoris », arrestation par les flics, baise avec une Européenne, Chéri Samba peint tout comme un reporter coloriste, agrémentant ses toiles de bulles et de légendes. Bizot achète le paquet qu'il reproduira dans *Actuel*. C'est peu après que Chéri Samba connaîtra la gloire.

Bizot étonnait toujours par son flair et un savoir dont on avait du mal à percevoir les limites. Diplômé de l'École de chimie de Nancy, il avait une culture scientifique et dans les cas difficiles s'exclamait : « Laissez faire l'ingénieur Bizot ! » Il avait étudié l'économie à la fac. Il avait lu ou feuilleté comme personne, faisant découvrir Burroughs à l'un, Chateaubriand, Paul Morand ou Roger Vailland à l'autre. Aucune musique ne lui était étrangère et il en pistait sans relâche les avant-gardes naissantes dans le monde entier. Lui qui ne savait pas comment se fabriquait un journal, il l'avait appris en huit jours. Dès 1970, au numéro un d'*Actuel*, il se montrait fortiche en architecture, passionné d'art et de poésie – il attendra trente ans pour publier ses poèmes. Il avait couru les cinq continents et ne pouvait traverser une région ou une ville sans fourrer son long nez partout. Il traînait la nuit dans les banlieues les plus louches mais jouait au golf avec des pédégés. Il cultivait une mémoire stupéfiante, citant des chiffres inconnus et conservant plus de cent numéros de téléphone dans son cerveau.

Quelques jours plus tard, j'assiste à ma première grande réunion d'Actuéliens. Une vingtaine de personnes se retrouvent dans la bibliothèque de Saint-Maur, signe de gravité car en principe, le comité de rédaction se tient dans les bureaux du journal à Paris. Plus qu'une simple réunion : un conclave.

Je m'attendais à voir des princes de la nuit, des branchés inoxydables ou ratatinés, des jeunes gens modernes comme sur la couverture avec Marquis de Sade. Pas du tout : deux mecs se disputent sur l'Égypte ancienne et la révolution de 1848, un autre nous inonde d'une science d'avant-garde, un autre, ami des dauphins, prêche l'accouchement dans la mer – c'est ainsi qu'on manquera de noyer ma fille Ava dans sa baignoire –, deux autres, plus politiques, s'engueulent sur l'Union soviétique, la Chine post-maoïste, le passé et l'avenir du communisme.

La réunion ne me semble pas très sympathique. La vanne fuse, les sarcasmes, quelques-uns se font allumer. Voilà qui incite un outsider comme moi à la prudence. Personne ne me prête attention et Bizot, qui ne m'a pas présenté, m'ignore. Je cherche à caser une phrase qui ferait repérer mes talents new-yorkais. Je ne la trouve pas.

« Avec des couvs comme ça, on va finir par fermer ! » s'écrie Burnier, le rédacteur en chef, cheveux raides, Gitane maïs et une vraie tête d'intello existentialiste, quoique relooké par Jean Rouzaud, le spécialiste de la mode au journal.

Contrairement à ce que je pensais, *Actuel* ne se porte pas si bien. L'été précédent, le mensuel avait atteint son sommet, 410 000 exemplaires vendus, autant que *L'Observateur* et la moitié de la diffusion de *Paris Match*. Les numéros de vacances atteignaient toujours des chiffres exceptionnels. Deuxième exploit en septembre 1981, *Actuel* a touché les 310 000, une couverture polar, résultat unique pour une rentrée. Mais en octobre de cette année 1981, le journal a perdu cinquante mille lecteurs. Que s'est-il passé ? Le 10 mai, les Français ont élu Mitterrand président de la République. Bizot, qui le fréquente de temps à autre, pense que l'état d'esprit des lecteurs s'en est transformé. Lui qui ne vit que de changements y voit l'occasion de bouleverser cette formule qui marche du tonnerre de Dieu. Ajoutons que le personnage, allez savoir pourquoi, supporte mal le succès.

« Ta formule n'a que deux ans, lui disait-on. C'est trop tôt pour la changer. Au contraire, tu dois la chiader et l'approfondir. Installe-toi. Tu verras après. » Mais chez Bizot, le besoin de nouveauté l'emporte toujours, la plupart du temps à raison, parfois à tort.

La réussite d'*Actuel* se fondait sur la diversité des articles, angles surprises, observation des mœurs – « As-tu rincé la baignoire ? » –, enquêtes en banlieue, dans les nouveaux quartiers chinois, musique en vrac, mode, récits photo, porte-folios, impostures à la Günter Wallraff, le journaliste allemand qui s'était transformé en Turc. Mais Bizot a décidé de tout changer, de faire des numéros à thème. Il y en a eu trois dont le dernier se révèle un sinistre désastre. Il faut se reprendre. Le conclave doit trancher. Alors intervient le grand costaud, le tennisman.

Il ne ressemble pas aux autres. Bâti en sportif, le poil noir, le rire et la colère faciles, il surprend une deuxième fois par son propos. Car ce gladiateur vêtu à la mode des années 1980 se met à parler ventes, sommaires, couvertures, promotion et pub.

Il braille :

« Vous voulez les chiffres, les vrais chiffres ?

— Pas la peine, coupe Bizot. Disons qu'en gros on a perdu quarante mille exemplaires. »

Bizot argumente, l'aisance qu'il met à manier un budget dépasse de loin les compétences des quatre diplômés de Sciences Po que comporte la rédaction.

Le gladiateur, chef de la fab et des ventes, se nomme Jacques Massadian, dit – car les Actuéliens pratiquent volontiers le surnom farceur – Massalade ou Moussalin. Sa capacité à faire face à Bizot prouve qu'il est un pair.

Jacques Massadian habite lui aussi Saint-Maur mais de l'autre côté de la cour dans les anciennes écuries restaurées, avec une baignoire king size qu'il fait visiter à de nombreuses jeunes femmes. Il possède une Golf GTI rouge, la voiture des frimeurs au début des années 1980, qui fait sourire Bizot.

Massadian fournit aussi un acteur idéal pour les romans-photos d'*Actuel*. On l'a vu en flic à moustaches, menaçant à faire peur, ou en faux marchand de fringues. On l'a vu dans la série parodique « Moussalin et le boudin de mort » où, sur fond de jungle, Jacques en Tarzan exécutait d'un coup de dents le boudin géant qui l'attaquait tel un python enragé. Le jour où, dans une soirée costumée, il s'est déguisé en combattant des arènes, on croyait se heurter à Victor Mature, impressionnant acteur du CinémaScope naissant dans le péplum *Les Gladiateurs*.

À *Actuel*, les longues nuits de bouclage, il court derrière les articles et les maquettes à la traîne, criant chaque mois que ce coup-ci tout est foutu et que pour la première fois nous ne tiendrons pas les délais. L'individu se montre vite colère, on l'a même vu balancer une télé à l'autre bout du bureau. Cela dit, en vingt-cinq ans, *Actuel* n'a jamais raté une date de sortie.

C'est parce que mes articles arrivaient souvent en dernier que nous nous sommes bien connus puis appréciés. Son côté voyou tranchait sur le comportement intello de la rédaction. Lui comme moi, nous ne venions ni de la bourgeoisie ni de la fac, nous avions connu la fauche et les embrouilles : ça crée un lien.

Toujours comme moi, Massadian avait complètement changé de vie. D'une famille arménienne victime du génocide de 1915-1916, deux millions de morts, il adorait le baclava, ce nougat oriental si addictif, et détestait les Turcs. Après bien des pérégrinations, une jeunesse turbulente, la guerre d'Algérie, la bande du Drugstore, bagarreur, vénéré par sa femme, une belle prof d'anglais, il s'est retrouvé directeur commercial dans une grosse imprimerie. Il habitait une confortable villa de banlieue et touchait de bons pourcentages sur les marchés qu'il apportait à l'entreprise.

Actuel entra dans sa vie par accident.

À l'automne 1972, l'imprimeur de Strasbourg qui tirait le mensuel, faux aristocrate et vrai cul pincé, fut horrifié par un dessin de Gotlib où un Tarzan de fantaisie jouait avec sa bite. Dans une imprévisible poussée de pudibonderie, il rompit le contrat et décida de cesser la fabrication d'*Actuel* dès le numéro suivant. Voilà le journal à la rue et menacé de ne pas sortir. Bizot et Burnier durent trouver un autre imprimeur et négocier dans l'urgence avec son directeur commercial, Jacques Massadian.

La première rencontre se tient lors d'un déjeuner dans un petit restaurant du nord de Paris. Massadian, en bon cadre d'entreprise, porte un costume bordeaux et une cravate noire tressée qui tranchent avec le négligé volontaire de ses deux interlocuteurs. Discussion protocolaire, on parle contrat et stock de papier. Massadian verse à boire : « Encore un p'tit coup de rosé, m'sieur Bizot ? » – « Un p'tit coup de rosé, m'sieur Burnier ? » – « C'est pas de refus, monsieur Massadian. » De ce jour, les destins d'*Actuel* et de Massadian n'allaient plus se séparer et l'amitié s'imposa comme une évidence.

Cette fraternité franchit une étape décisive cinq ans plus tard. Un jour, dans la bibliothèque de Saint-Maur, apparut le nouveau Massadian. Comme le dirait Sacha Guitry, « ce n'était plus le même homme ». Finis les costumes bordeaux, Jacques avait frisé ses cheveux imitation afro et portait une chemise indienne sur un pantalon clair. Cela non plus n'a pas duré : c'était l'époque où chacun abandonnait ses cheveux longs. Qu'importent ces variations capillaires, Jacques Massadian avait quitté sans retour le commerce pour l'aventure d'*Actuel*.

Il pratiquait la passion des femmes et la religion de l'amitié.

Le New-Yorkais que j'étais encore avait à découvrir la nuit parisienne et Jacques Massadian se révéla le mentor idéal. Par mes aventures américaines, je lui apportais une culture et le sortais des chiffres de diffusion et des achats de papier. En retour, il m'entraînait de bars en boîtes. Il coursait tout ce qui bougeait dans Paris, les filles comme les branchés. Pour lui, la semaine n'existait pas : chaque jour était un week-end. Nous ne nous quittions guère, passant de soirées étirées jusqu'à l'aube aux visites nocturnes dans les imprimeries où nous buvions le pastis en réglant les couleurs. Pour couvrir tant le fracas des machines que le son des musiques, il avait pris l'habitude de crier, même dans la vie courante. On l'entendait rugir de loin.

Avec moi, il jouait contre lui-même : plus il m'emmenait dans des boîtes, plus mes articles prenaient du retard et plus il restait coincé au journal à les attendre.

Chaque soir, nous rentrions à fond la caisse dans la Golf GTI rouge qu'il conduisait à toute berzingue et dans la plus grande imprudence. Notons que la GTI faisait alors partie des voitures les plus volées et que quelques malfrats s'étaient attaqués à la sienne, brisant la glace arrière sans pouvoir l'embarquer. Massadian ne s'était pas encore occupé de la réparation.

Cela nous valut, vers la place de la République, une scène à la Starsky et Hutch.

Nous sommes au milieu de la nuit, un début de semaine. Il n'y a pas grand-chose à découvrir à Paris. Le milieu branché commence à fatiguer. Les boîtes de la grande période, Palace et Bains Douches, entament un déclin. Paris n'est ni New York ni Londres : on n'y trouve pas de petits clubs qui garantissent une musique innovante à toute heure. Ce soir-là, Jacques veut me traîner à Barbès. Dans le style qui le caractérise, il traverse pied au plancher la place de la République.

Golf GTI, vitre cassée, Arabe plus Arménien, c'est bien assez pour qu'une voiture de police nous fasse signe de nous ranger sur le côté.

Jacques joue celui qui n'a rien vu et continue. Les flics nous prennent en chasse, sirène hurlante et gyrophare. Bientôt, ce n'est plus une voiture mais deux puis trois qui nous poursuivent. Terrorisé, je crie :

« Jacques arrête, arrête, ils vont nous canarder !

— T'inquiète, j'ai l'habitude. »

Pas tant que ça puisqu'une des voitures nous double et dans un crissement de pneus nous coupe la route. Comme dans les films qu'ils imitent volontiers, les flics jaillissent par les quatre portières à la fois et nous mettent en joue.

« Du calme, crie Jacques, ça va pas ?

— Vous sortez de la voiture, braillent les flics. Tout de suite !

— Vos mains bien visibles ! »

Je sens venir la bavure.

Massadian, lui, a l'air d'apprécier : il n'obtempère pas et cherche la confrontation. Nous finissons par sortir mais il se refuse à poser les mains sur le toit de la Golf. Au contraire, ces mains-là, il les agite dans une plaidoirie furieuse, déterminé à prendre la tête des flics jusqu'au bout.

L'incident bloque le boulevard, les automobilistes klaxonnent.

Il faudra un certain temps à la police pour vérifier que nous n'avons pas, malgré notre allure, volé la Golf. Massadian fulmine, argumente, plaide, fait la leçon et les menace de représailles. Impossible d'arrêter ce réquisitoire. Cela prendra presque une heure pour qu'il accepte de lâcher les flics, qui nous lâchent à leur tour sans nous verbaliser.

112

Rappelons que cette histoire se passe en 1982, soit au début du premier septennat de François Mitterrand. Par crainte d'épuration ou de sanctions, la police de l'époque avait peur de la gauche et redoutait la bavure. Aujourd'hui, nous aurions terminé au ballon avec les menottes.

Cette rage, cette agressivité, était-ce le vrai visage de Jacques Massadian ? Comme si, toujours arménien, il se vengeait contre toute adversité du massacre de son peuple.

Il m'exaspérait et en même temps je l'admirais. C'était Lino Ventura s'habillant chez Jean Paul Gaultier, un costaud piqué par la branchitude, un crâneur modeste, un voyou honnête, un tendre brutal, un justicier qui parfois choisissait mal ses causes. Cet ami des zazous et des bad boys s'efforçait de lire en autodidacte des ouvrages de philosophie très compliqués.

XII

En orbite sur la planète Saint-Maur

L'arrivée des Zaïrois – *Actuel* s'empare du Rex – Pour la
première fois à Paris, des Blacks au milieu des branchés blancs
– Scènes de la vie à Saint-Maur – Le caisson d'isolation
sensorielle – Les amours de Lentin ou un Sanson moderne –
« Moi, je te touche la bite »

Bizot a un journal à la mode, *Actuel*, une radio libre, Nova,
qui à l'époque défend la cold wave, un label de disques, Celluloïd, commun avec Jean Karakos et l'ancien maoïste Gilbert
Castro. Que lui manque-t-il ?

Une boîte.

Je vois que mes histoires de Fabuleux, le tourbillon des clubs
de Manhattan le font rêver. Il en a marre que cela ne se passe
jamais en France. Il trouve là son combat. La ville regorge de
musiciens africains, de chanteurs algériens, de virtuoses sud-
américains, réfugiés, exilés, sans ressources et qui ne trouvent
nulle part où manifester leurs talents. Il veut que Paris devienne
la capitale de la world music, qu'*Actuel* a baptisée « sono mondiale ». Pour commencer, et cela s'impose comme une évidence,
Bizot veut lancer cette époustouflante musique zaïroise qu'il
vient de découvrir.

Où trouver une salle qui accueillerait les groupes et le public ?
En tout cas, l'homme capable de mener l'opération existe : il se
nomme Jacques Massadian.

À *Actuel*, les journalistes ont l'ego repu, pas Massadian,
relégué dans la diffusion, l'imprimerie et les achats de papier.

L'individu se sent frustré, à tel point qu'en draguant il lui arrive parfois de se faire passer pour le boss. Ajoutons qu'il cultive un vieux rêve : ouvrir une boîte, en être l'organisateur et le chef. D'un coup, tout cela devient possible.

Habile, Massadian négocie trois nuits par semaine pour des soirées *Actuel* au Rex, enseigne prestigieuse. Il s'agit d'un des plus grands cinémas de Paris, sur les boulevards, une audacieuse architecture 1930 qui parodie la bande dessinée futuriste. La fameuse décoration intérieure a épaté des générations avec ce plafond scintillant qui reproduit le ciel et ses étoiles, et qui tourne comme le vrai mais en plus vite. Or, sous le cinéma, il existe une boîte de taille respectable que le propriétaire n'est jamais parvenu à remplir. Le caïd Massadian n'hésite pas et lui déclare :

« Accroche-toi, j'ai ta solution. »

Bizot, vieux renard de la tendance, comprend qu'il ne peut faire exploser la musique africaine qu'en la couvrant d'apparences à la mode, celles de Manhattan. Me voici en mission pour apporter au Rex le cachet américain qui lui manque. Je fais le tour des groupes new-yorkais du moment, ESG, les filles de Bush Tetras, Liquid Liquid et quelques autres. Je mobilise aussi Walter, l'un des deejays vedettes de la Danceteria, et l'Irlandais Peter Smith, doorman prestigieux de la nuit.

C'est encore l'hiver. Il y a toujours de la vie sur les grands boulevards de Paris. À un carrefour du Rex, un marchand de crêpes qui a connu de belles heures grâce au Palace et un kiosque à journaux restent ouverts toute la nuit et on peut y trouver *Libé* dès une heure du matin.

Ce soir-là, la longue file d'attente ne s'étire pas devant le Palace mais devant le Rex. Bizot, Massadian et moi restons surpris par l'ampleur de cette foule qui dépasse de loin nos prévisions. À l'époque, Internet n'existe pas ni les portables, il n'y a que trois chaînes de télévision qui se moquent de la musique zaïroise et pourtant, l'ensemble des branchés a saisi le plan et se retrouve là. L'atmosphère se révèle vite fébrile : les clubbers pigent que tout le monde ne pourra pas entrer.

Problème : Peter Smith, mon prestigieux doorman new-yorkais, ne connaît bien sûr personne et ne parle pas un mot de français. Comment pourrait-il organiser l'ambiance et façonner son public alors que toute sociologie du branché parisien lui échappe ? Il a des yeux bleu acier, le regard dur, la mâchoire carrée, un long manteau en cuir noir du genre Gestapo ou Komintern, et son ignorance même renforce son autorité. Nul n'ose discuter ses décisions, même les plus arbitraires. À la fin, de hasard en méconnaissance et d'expérience en instinct, il parvient à composer l'ambiance dont nous rêvions.

Passées la barrière du regard bleu acier et les portes, on tombe sur un escalier rouge qui vous précipite sous le cinéma dans les profondeurs de la nuit. Nous voici au royaume des ténèbres et des recoins. En soi, l'endroit serait aussi ringard que le Macumba à la sortie de Saint-Julien-en-Genevois, et c'était jusque-là sa fonction avant l'arrivée de Massadian. L'obscurité le sauve. Une lumière tournante déchire le jeu d'ombres et de clartés, révélant ici un sein, là une étreinte, là encore un bas résille.

Bizot a gagné : pour la première fois dans la nuit parisienne, on voit des Blacks au milieu des branchés blancs. C'est la fin des jeunes gens modernes et l'apparition des tribus, celles de la Movida espagnole, du rasta de Champigny, du pirate imité de Londres, de quelques rockabillies en souffrance et des sapeurs tout récents de Montreuil. Bizot jubile : cette fois le Rex se place en avance sur New York et Londres. La world music, la sono mondiale, cesse d'apparaître comme un concept abstrait : nous la voyons sur la piste en train de danser.

Blacks, blondes, Parisiennes, les filles sont canon, les mecs croisent tous les looks, le Rex dégage une puissante énergie sexuelle et une liberté qui va de soi. Ce sont les derniers mois avant l'arrivée du sida.

Dans les semaines qui suivent, défileront sur scène Jon Hassel, un trompettiste que Bizot a rencontré par l'intermédiaire de Brian Eno, Rip Rig and Panic, le groupe de Neneh Cherry, bien sûr Papa Wemba, la star zaïroise, les rockers portugais Heróis do Mar, Touré Kunda, les Rita Mitsouko et tant d'autres.

Le Rex me fait mener une vie curieuse. J'avais quitté les États-Unis et la limonade pour me transformer en grand reporter. Tels les deux Dupont(d) qui en ont marre de pomper dans *Le Trésor de Rackham le Rouge* et qui, espérant y échapper, se retrouvent à faire le même geste en concassant l'avoine, comme à New York je passe mes nuits dans une boîte et rentre de plus en plus souvent à Saint-Maur après le lever du soleil.

Cela ne plaît guère à Ann qui m'a rejoint. Elle travaille comme vendeuse chez Agnès b. où elle s'ennuie et manifeste un sentiment mitigé devant les Français qu'elle trouve trop compliqués. Une Américaine de vingt ans et qui parle mal notre langue, comment s'intégrerait-elle à la tribu si particulière des Actuéliens ? Même pour une déjantée de Manhattan, Saint-Maur figure une autre planète. Ann apprécie pourtant l'équipe, son amitié et ses folies.

À Saint-Maur, au-delà d'une vie collective qu'anime Bizot avec un enthousiasme entraînant, chacun conserve son appartement, son genre et ses manières. Si le chef ne convoque pas ses troupes pour une réunion dans le jardin, un dîner improvisé dans la Visconti ou une nuit de bouclage, les Saint-Mauriens s'invitent les uns les autres dans une sarabande perpétuelle.

Au milieu de la nuit sous le paulownia, on peut se faire retenir par un blond filiforme qui dessine au sabre de shintaïdo des arabesques de samouraï. C'est Léon Mercadet, qui a jadis enlevé une Japonaise mineure et qu'à ce titre on a menacé d'Interpol, il écrit alors un livre sur les résistants de la Brigade Alsace-Lorraine et son colonel Malraux et se farcit la tête des dernières découvertes de la science et de la mécanique quantique. À la fois visionnaire, historien, romantique, mystique, il vous assiège de mots sur l'ethnologie des Dogons, les gangs de Rio, le boson de Higgs ou la statuaire des mégatemples shivaïtes de l'Inde du Sud.

Le matin, on peut tomber sur Patrice Van Eersel, son maigre torse nu, fendant du bois à la hache. Entre deux bûches, il vous explique comment les mourants se voient sortir de leur corps tandis que des voix d'ancêtres les incitent à rejoindre une lumière paradisiaque. Il vient d'ailleurs de sortir un best-seller sur le sujet, *La Source noire*. Il a mangé des insectes avec d'étranges gourous et s'est rendu très malade. Il a plongé dans la Marne un 31 décembre à minuit pour arracher au courant une jeune fille qui se suicidait.

Il a écrit en France et dans *Actuel* les premiers articles sur Fela, l'inventeur de l'*Afrobeat* qu'il avait rencontré quatre ans plus tôt au Nigeria dans sa boîte de Lagos. « Les copains de Fela m'ont fait fumer une herbe terrible. Je me suis vu comme un renard et eux étaient des panthères qui allaient me dévorer ! » Patrice s'affirme comme un fanatique des dauphins avec lesquels il part nager et débattre dans toutes les mers du monde quand il ne va pas dans les eaux glacées du Nord pour chanter avec les orques. Beau résumé du côté soft des années 1980, bien que Van Eersel en ait aussi frôlé l'aspect brutal, publiant le premier article sur Bernard Tapie avant de s'enfuir devant les propositions du chevalier d'industrie.

Avec son immense sourire, Patrice se donne pour l'homme de l'enthousiasme. Il est toujours d'accord pour courir sur les sentiers de traverse, y compris ceux qu'Heidegger nomme *holzwege*, ceux qui ne mènent nulle part. Un jour, il découvre le *tank*, le caisson d'isolation sensorielle. Il s'agit d'une grande boîte hermétique et bleue à moitié remplie d'eau salée. On s'y enferme et l'on y flotte, privé de toute sensation, ni son, ni lumière, ni odeur, et délivré de la pesanteur terrestre.

Patrice publie dans *Actuel* un article aussi brillant que dithyrambique. Là, nous passons du journalisme à l'aliénation des années 1980 : la soif de bizness. Les sectateurs du caisson se multiplient aussitôt tels des amibes, des boutiques s'ouvrent, le commerce s'emballe. Les promoteurs de la boîte miraculeuse, ne sachant comment remercier l'enthousiaste Patrice, lui offrent l'un de leurs engins.

Où mettre ce *tank* qui, en matière de poids, porte bien son nom ? C'est l'occasion de ravager la chapelle privée de Saint-Maur, dont l'antique tapisserie fleurdelisée et le chemin de croix ont depuis deux siècles échappé à tous les outrages. Bizot laisse faire.

Les premiers temps, nous allons tous y faire trempette pour retrouver notre âme dans ce silence éternel et mouillé. Cela ne dure guère. D'abord, il faut chasser la moindre vapeur de claustrophobie, ensuite et surtout, âme ou pas, on s'y ennuie avec une vive intensité. Les candidats à la flottaison deviennent de plus en plus rares, l'eau croupit tandis que dans les villes de France les boutiques de *tank* ferment les unes après les autres.

Dans la pièce jouxtant la chapelle, à savoir la morgue[1], d'autres machines rouillent aussi. Massadian a installé là une salle de gym Club Med, convainquant Bizot d'acheter une dizaine de machines de musculation. Peu après, il y logera et repeindra la pièce tout en noir, meubles compris, avec des larmes d'argent aussi lugubres que celles des pompes funèbres d'autrefois.

Les musiciens africains passent et repassent à Saint-Maur, certains y vivent, beaucoup y répètent avec de craquantes choristes. Bizot tout à son engagement leur ouvre sa maison.

L'appartement du rédacteur en chef, Michel-Antoine Burnier, détonne : des rideaux de velours sombre, du papier peint à fleurs poupres, des meubles anciens en mauvais état, un buste de jeune fille 1900 coiffée d'un casque anglais. Dans une cuisine bleu de France et dorée, sous une sculpture de Minerve, on admire des posters rares de Crumb et de Gotlib ainsi qu'un portrait burlesque de Lacan dessiné par Angelo Di Marco, l'illustrateur réputé de *Détective*. Sur son bureau, un petit robot mécanique piétine devant une statuette de Voltaire. L'ensemble concentre le bric-à-brac de la crypte des frères Loiseau dans *Le Secret de la Licorne*. Depuis les années 1970 et la fondation du premier *Actuel*, Burnier s'épuise à canaliser le désordre de Bizot et raisonner ses délires.

Il est le gardien des « gerbes historiques », soit le best of des articles les plus nuls dont le journal a hérité, les impubliables comme ceux qu'il avait fallu réécrire quatre fois, ceux qui ressemblent à une mauvaise version latine. En pédagogue moqueur, Bizot les brandit de temps en temps et en fait lecture à voix haute, surtout quand l'auteur est ensuite parvenu à une certaine notoriété. Burnier a écrit des romans historiques et des parodies littéraires avec Patrick Rambaud, qui passe tous les jours à Saint-Maur mais, trop individualiste, n'y couche jamais.

Dernière curiosité : Burnier à quarante ans se prépare à épouser une très jolie fille de dix-huit. Nous sommes à la fois

1. Autrefois, l'hôtel Louis XV avait servi d'hospice départemental pour vieillards : c'est dans cette pièce glacée du rez-de-chaussée que les familles venaient s'incliner devant les cercueils.

admiratifs devant l'exploit et dubitatifs devant la pérennité de cette union. Nous avons raison : le mariage ne tiendra pas deux ans.

Autre habitant de Saint-Maur, Jean-Pierre Lentin, l'homme de la musique et des drogues sur lesquelles il écrit avec une peine immense, une torture, froissant comme moi des dizaines de premières pages avortées, en rage contre lui-même. Mais à l'arrivée, la prose manifeste un naturel si admirable qu'elle semble pissée dans l'allégresse.

Lentin ne parlait jamais, sauf quand il parlait trop.

Il avait commis lui aussi son acte héroïque. À l'hiver 1974, Bizot tournait à Ceylan son film *La Route*, avec entre autres Mercadet et Lentin dans leurs propres rôles. Rentrant en Europe, la bande arrive devant la frontière thaïlandaise.

« Halte là, crient de rébarbatifs douaniers, les chevelus ne passent pas ! »

Bizot, dont les cheveux pendent dans le cou, renonce aussitôt. Mais une jeune fille frisée, elle, traverse la frontière.

C'est Dany, une photographe qui accompagne *Actuel* depuis ses débuts. Lentin aime Dany, Dany ne semble pas convaincue par l'avenir de cette passion. Lentin porte une abondante chevelure noire, presque jusqu'aux reins. Va-t-il perdre Dany ?

Il déniche une paire de ciseaux. Tel un moderne Samson, il se coupe lui-même les tifs avec angoisse.

« Est-ce assez, monsieur le douanier ? »

C'est assez. Lentin passe, il peut suivre Dany. Celle-ci sera-t-elle sensible à l'énormité du sacrifice capillaire ? En tout cas, Dany et Lentin se marieront quelque temps plus tard.

À Saint-Maur, les bons matins, on peut voir une plaisante jeune femme aux grands yeux pousser le vieux portail pour s'installer en râlant dans un canapé du grand salon. C'est Claudine Maugendre, personnage cardinal d'*Actuel* qui pourtant ne vit pas ici, quelle que soit son intimité avec la bande. Elle arrive toujours à l'heure, Bizot et les autres toujours en retard, ce qui lui permet de s'insurger contre nos horaires.

Dans les années 1968, elle a connu le jeune Bizot à *L'Express* où elle travaillait aussi. Celui-ci l'a entraînée à *Actuel* pour lequel elle a sacrifié sans regret le bon salaire, les entrées et les notes

121

de frais que procure un grand hebdomadaire. Claudine a tenu pendant quatre ans la maquette folle de la première formule, les barbouillis de couleur, la bédé délirante, s'amusant avec les garamonds, les asters, les mistrals et les black coopers d'une composition qui se faisait encore au plomb. Avec Burnier et Bizot, elle passait des nuits à l'imprimerie d'Aubervilliers, contrôlant les montages et réglant les couleurs aux effets spéciaux, aussi à l'aise devant un Picon-bière à six heures du matin dans un hangar avec des ouvriers que devant un bourgogne rare dans le cocktail smart d'une agence de photo. Elle jouait à la maman ou à la grande sœur des dessinateurs quand défilaient Gotlib, Reiser, Mandryka, Bretécher et leurs récents épigones. C'est elle qui a découvert Jean Rouzaud, dessinateur parodiste à moustache taillée, le seul Actuélien qui ait pour de bon tâté du punk et qui désormais poursuit avec ironie les avant-gardes de la mode.

Dans la deuxième formule d'*Actuel*, Claudine s'installe comme directrice de la photo, là aussi maman des jeunes photo-reporters que le journal envoie à l'autre bout du monde et qui pour beaucoup deviendront célèbres. À *Actuel*, l'image compte autant que le texte.

Claudine rit et fait rire, toujours d'accord pour boire un coup ou tourner un repas. Elle a de jolies voitures, une Volkswagen blanche décapotable, une Triumph vert bouteille. Elle est féministe mais d'un féminisme chic, celui des grandes journalistes de *L'Express*, de l'*Obs* et de *Marie Claire*. Elle travaille dur en pro et dans la bonne humeur.

À intervalle régulier, elle se fâche avec Bizot, sur une photo, une maquette, un bouleversement de dernière minute, un lapin...

« J'en ai assez ! crie-t-elle. On m'a encore proposé un boulot trois fois mieux payé la semaine dernière. Je te garantis, cette fois je démissionne ! »

Le lendemain, on la trouve penchée sur la table lumineuse en train de trier des diapositives.

« Alors, tu démissionnes ?

— Ah ce salaud de Bizot ! Il m'a invitée à déjeuner, il est même arrivé à l'heure, et il m'a fait un numéro ! Tu sais, quand il veut te séduire. Ça te fait pas craquer ? Moi si. Il est insupportable mais, que Dieu me tripote, il n'y a rien à faire, on l'aime ! »

Si un mec, arrivant au service photo, s'approche par-derrière et mine de rien, commence à lui palper les épaules, Claudine s'exclame :

« Attention, quand on me commence, on me finit ! »

L'avertissement suffit en général pour décourager le sournois. Mais si l'audacieux pousse jusqu'à lui caresser un sein, elle s'écrie :

« Moi, je te touche la bite ! »

Et elle le fait.

À tout coup, les mecs s'enfuient : en public, ils ont horreur de ça.

Saint-Maur a une gardienne. C'est une femme rondelette et fraîche à la permanente changeante et qui porte parfois des bigoudis. Portugaise exilée avec son mari et sa fille, elle habite là depuis plus longtemps que les Actuéliens : les services de la mairie l'avait casée dans un pavillon de l'hôtel Louis XV alors quasi en ruine et depuis réparé.

Au moment de l'achat, elle avait même vu arriver les parents de Bizot et ne pouvait s'imaginer qu'ils seraient suivis par une tribu pareille. Elle s'y fit et se montra heureuse de régenter, à la fois soumise et autoritaire, cette bande de célibataires aux amies de passage. Elle interdisait l'accès à son impeccable potager, sauf bien sûr au maître des lieux et à quelques privilégiés qu'elle choisissait. Sa vieille mère, robe noire et fichu noir, nous désapprouvait de toute la sévérité de son regard. Sa fille, jolie adolescente, rêvait à la liberté des Actuéliens.

XIII

Quand Bizot donne des fêtes

Défonces – Un mur inca à Saint-Maur – Couples en péril
– Qui a bu la bouteille historique de Bukowski? – Arrivée des
flics – Panique dans les souterrains – Déménagement – Au
cœur du Paris révolutionnaire – Les magasins chics chassent
les artisans – La pisse et le goudron

Il existe plusieurs sortes de fêtes à l'hôtel des Tilleuls, nom
véritable de la maison Bizot : les fêtes particulières et les fêtes
universelles.

Les premières rassemblent les Actuéliens de l'intérieur et de
l'extérieur, tribu large, et leurs amis. Elles ont toujours un thème
déterminé par Bizot. Il peut s'agir de montrer une vidéo excep-
tionnelle, de faire écouter une musique insensée, de rencontrer
un personnage extraordinaire, de tenir un comité de rédaction
fictif, de débattre d'un projet bientôt oublié ou de goûter une
verte confiture de hashisch digne de celle décrite par Théophile
Gautier dans *Le Club des hachichins*. C'est ainsi qu'on a pu voir
un honorable rédacteur se transformer en lampadaire et tenter
de s'éteindre et s'allumer à la force de la volonté. On a vu Mercadet tenir, sous un poncho rapporté de Cuzco, un rôle de vieil
Indien immobile pendant toute une nuit.

Une autre fois, l'un des Actuéliens sort dans la rue. Bonheur
historique, il y découvre un mur inca, un vrai comme dans
Tintin, avec ses énormes blocs trapézoïdaux ajustés au millimètre. Il appelle un autre :

« Un mur inca!

— T'as raison, incroyable », répond le copain.

Tous deux vont chercher Bizot :

« Tu savais qu'un mur inca bordait le jardin ?

— Non ? »

Bizot se rend à l'évidence : il s'agit bien d'un mur inca. Par malheur, le lendemain, il avait disparu.

Ces fêtes-là sont collectives : on ne se quitte pas, on se raconte, on rit beaucoup, on s'esclaffe, on s'écoute.

La fête universelle, à l'inverse, se donne pour une démonstration plus fractionnée et plus individualiste. Elle repose d'abord sur une bonne centaine d'invitations. Celles-ci produisent le double d'invités, des dizaines de gonzes et de gonzesses sur lesquels Bizot n'avait pas compté et qu'il ne connaît pas. Cette masse se divise aussitôt. Saint-Maur est la maison des grandes pièces mais aussi des recoins, des couloirs, des alcôves, d'une vingtaine de chambres, de larges salles de bains, d'escaliers dérobés, d'une pelouse, de fourrés, d'une jungle secrète. On peut trouver un écrivain qui pérore dans la cuisine et d'autant plus brillant si son auditoire se féminise. L'appartement de Massadian se transforme en dancefloor. À l'étage, un mec tombe sur sa petite amie à qui un musicien africain explique de près comment vivre au rythme de la Roue magique : cela se termine en psychodrame.

Saint-Maur est une maison qui met les couples en péril, ceux des Actuéliens en premier. Plus d'une fois, j'ai trouvé des invités en ébats illégitimes dans mon propre lit. Il y a beaucoup de filles, vivantes, libres, ambitieuses et prêtes à l'aventure. Les garçons, de toutes sortes, rôdent. On distingue l'artiste et l'écrivain, mais aussi le publicitaire ravi de goûter à notre monde, un bon paquet de glandeurs et un grand patron de médecine, des ingénieurs et des rencontres de reportage, un peintre aborigène, un vieux beatnik, un punk russe, le même mélange que celui du journal, en tout cas des gens qui ne se seraient jamais rencontrés sans Bizot.

On flirte, on fume, on boit dans des proportions extraordinaires, on casse et on pique un peu.

C'est ainsi que disparut un objet sacré, ou du moins son contenu. En 1978, à l'instigation de Bizot, Mercadet avait traduit des chroniques de Bukowski, le gros dégueulasse, l'Américain qui traînait dans tous les bars, se prenait de boisson, cherchait la bagarre et racontait si bien. Voilà que Pivot invite l'écrivain imprésentable à *Apostrophe*, l'émission à nulle autre pareille qui peut lancer un livre dans l'orbite des best-sellers.

Bukowski arrive bourré chez Pivot, traîne un sac de bouteilles, les boit scientifiquement l'une après l'autre, dit n'importe quoi, s'engueule avec les invités, menace de se battre : il faut le sortir. L'incident fera un aimable tapage dans la presse du lendemain.

Quittant l'émission, Mme Bukowski, une toute petite dame, Bizot et Mercadet emmènent notre ivrogne de talent zoner rue de Lappe puis jusqu'à son hôtel dans Saint-Germain-des-Prés. Bukowski sort une dernière bouteille de blanc, il y plante son indispensable tire-bouchon mais de travers. L'effort se révèle trop grand, Bukowski capitule devant le liège et s'effondre dans un sommeil sonore sur le capot d'une voiture.

« Nous allons vous aider à le monter jusqu'à sa chambre, propose Bizot à Mme Bukowski.

— Merci, répond celle-ci, j'ai l'habitude. »

Mme Bukowski doit peser quarante kilos, Bukowski cent vingt. Les deux Actuéliens considèrent ce spectacle rare d'une minuscule mère Noël qui s'engagerait dans l'escalier avec une hotte quatre fois grosse comme elle.

Bizot conserve avec soin la bouteille récalcitrante avec son tire-bouchon planté de travers. Il la place à Saint-Maur au centre d'une des bibliothèques et montre avec satisfaction l'objet historique à ses visiteurs. Celui-ci reste des années dans sa niche.

Un lendemain de fête universelle, je croise un Bizot hors de lui.

« Ah, les nuls ! brame-t-il, les pauvres laids !

— Que se passe-t-il ?

— Un imbécile a bu la bouteille de Bukowski ! »

Je vois en effet la bouteille vide amputée de son tire-bouchon. Un iconoclaste soûlographe avait détruit l'œuvre d'art la plus brute que l'on puisse concevoir pour la transformer en flacon ordinaire.

Première constante de chaque fête : à tout moment, Bizot peut disparaître. Parfois avec une fille mais plus souvent parce qu'il s'agace de ce public qu'il a contribué lui-même à rassembler ou parce qu'on lui a trop dit merci, ce dont il a horreur.

Pendant ce temps-là, Massadian fait exploser des feux d'artifice dignes de la Grosse Bertha qui, dans un fracas de bombardement, illuminent jusqu'au pont de Joinville. La musique s'entend à des kilomètres, les glapissements aussi, sans parler des voitures qui tournent pour chercher l'adresse et se garer. On l'a deviné : le débarquement des flics devient inévitable. Deuxième constante.

Pas net, Bizot a pour coutume de contraindre une célébrité, un Patrick Timsit ou un François de Closets, à négocier avec la police. Inquiet pour son image, l'intercesseur désigné n'opère qu'avec réticence. Massadian s'énerve et tente de convaincre le deejay de baisser le son. Comme toute trêve sérieuse, celle-ci ne tient pas longtemps et il n'est pas rare de voir les flics revenir plusieurs fois, jusqu'à extinction des fêtards.

Enfin, toute fête de qualité se doit de terminer dans les souterrains – là au moins les voisins ne nous entendent pas. Car il existe des souterrains médiévaux à Saint-Maur. Ils partent sous l'hôtel où un escalier anxiogène descend bas dans la roche. On suit des couloirs taillés, on prend des traverses qui se terminent en cul-de-sac, on retrouve la bonne voie en frôlant des stalactites, là nous sommes sous la pierre taraudée par les eaux, il faut se pencher, presque ramper puis, au bout de plusieurs centaines de mètres, on aboutit dans une grande salle brute aux blocs empilés dans un équilibre précaire. Au fond, un départ où l'on peut encore se glisser à plat ventre mais au risque d'un effondrement. C'est bien sûr Bizot le premier qui explora cette issue périlleuse : elle se termine hélas contre les piliers de béton d'un immeuble moderne des bords de Marne.

Nous imaginons que le souterrain, jadis, devait passer sous la rivière et permettre de fuir en cas d'attaque des barbares. Depuis le VIe siècle, Saint-Maur fut en effet un haut lieu de résistance aux grandes invasions, protégé par une boucle de la Marne qui le rend difficile à attaquer. Des moines s'y étaient installés dès la chute de l'Empire romain, des Mérovingiens aussi. Ajoutons qu'un colossal château des princes de Condé, détruit par un incendie peu avant la Révolution, s'élevait à quelques centaines de mètres et que les souterrains pouvaient faire partie de son système de défense.

Lors des fêtes particulières, les souterrains permettent de loufoques cérémonies entre Actuéliens. Chacun y descend à la suite de Bizot. Dans la grande salle, celui-ci agite, baisse, lève le luminaire qu'il est seul à posséder. Cela fait des ombres et des clartés effrayantes. Soudain Bizot éteint la lumière et dans le noir absolu s'écrie d'une voix caverneuse :

« Nosferatu !

— Nosferatu ! Nosferatu jamais ! » répondent en chœur les cénobites.

Nous n'avons pas quitté l'adolescence.

Lors des fêtes universelles, même périple avec une suite bien plus nombreuse. Là aussi, Bizot s'impose comme le seul maître de la lumière. Déjà, la foule glousse d'une certaine anxiété. Au plus profond de la terre, il éteint la lampe ou la bougie. Cris d'effroi et un avantage : il est bien rare que la fille la plus proche ne prenne pas la main du garçon qui la guette.

Après le Zaïre et le Rex, ce printemps 1982 connaît une troisième révolution : *Actuel* déménage.

Avec ses ventes mirobolantes, le journal avait gagné beaucoup d'argent en 1980-1981. Qu'en faire ? Un très ancien trotskiste luxembourgeois, l'un des dirigeants de la puissante CLT, la Compagnie luxembourgeoise de télévision, maison mère de RTL, avait conseillé :

« Achetez-vous des bureaux. »

Ainsi fut fait.

Bizot, qui aimait déjà traîner à la Bastille, découvre un immeuble caché dans la rue du Faubourg-Saint-Antoine. Il s'agit d'une construction 1930 en béton, ouverte par de grands vitrages, en retrait et invisible de la rue. Elle comporte pour cette raison sept étages plus une terrasse, hauteur interdite pour le reste du quartier. Dans cet ancien atelier de meubles, la construction intérieure ne comporte que du bois, escaliers compris. C'est donner place nette à l'architecte Bizot.

Avec deux architectes professionnels, les frères Rubin, il organise l'espace autour d'un large puits de lumière que bordent, étage par étage des balcons post-modernes imités des cinémas des années 1950. Pour le reste, des bureaux de toutes tailles, dans tous les sens, des salles de maquette, des lieux de réunion et un grand canapé à chaque niveau, qui se révélera trop petit pour la masse des visiteurs en attente.

Les murs restent blancs autour de portes rouges inspirées elles aussi des années 1950. La taille de l'ensemble, les sols bleus constellés d'étoiles rouges et or, la répartition des lumières en jettent. De la terrasse, on domine tout Paris en panoramique. Du bureau de Bizot comme du voisin, l'œil va de Notre-Dame au Sacré-Cœur avec entre-deux, toute proche, la colonne de la Bastille et son génie doré. Sur le monument copié de l'antique, les couchers de soleil déclenchent des spectacles sanglants en scope et Warnercolor.

Quelques facétieux, pariant sur sa jeunesse, font croire à Elisabeth D. que le génie de bronze qui s'élance d'un pied au sommet de la colonne change de jambe chaque jour à midi. Elle guettera en vain cette surprenante gymnastique.

Comme tous les déménagements, celui-ci est un traumatisme. En presque trois ans passés dans l'appartement double de la rue Réaumur, l'équipe a accumulé des tonnes de livres, de diapositives classées, de disques, d'archives à une époque où celles-ci n'avaient d'autre support que le papier. Il y a des sacs et des cartons mal étiquetés partout. Burnier sauvegarde à tout prix « les gerbes historiques ». Encore faut-il répartir les nouveaux bureaux. C'est Bizot qui décide, il a des solutions toutes prêtes mais accepte d'en discuter. Pour qui a tiré un mauvais lot, un recours en grâce garde ses chances.

Quant au bureau de Bizot, une longue pièce à la façade vitrée, il donne sur la Bastille et la ville au-delà d'un bâtiment Louis XIV en mauvais état. Tout autour, les toits de Paris aux tuiles rouges et jacobines en zinc, biscornus, surprenants avec leurs multiples cheminées qui se serrent par paquets. Nous sommes encore au XIXᵉ siècle, quand le faubourg Saint-Antoine figurait le cœur des révolutions.

C'est ici qu'en juin 1848, Mgr Affre, archevêque de Paris, fut percé d'une balle alors qu'il voulait mettre fin aux combats qui opposaient la troupe aux ouvriers insurgés. Il avait agonisé dans l'auberge à l'angle de la place, qui en 1982 se nommait encore « La Tour d'argent », que nous fréquentions et qui n'avait rien à voir avec l'illustre restaurant que borde la Seine.

Ici, en 1851, le député Baudin s'était fait tuer lors du coup d'État de Louis-Napoléon Bonaparte en criant :

« Vous allez voir, citoyens, comment l'on meurt pour 25 francs par jour ! »

C'était le gain d'un député de l'époque, environ 120 euros, moins de 3 500 euros par mois. Les ouvriers républicains lui reprochaient de n'avoir jamais eu faim.

Au début des années 1980, la population des artisans du meuble, issue d'une tradition multi-centenaire, commence à fléchir devant la modernité. Comme celui qui a précédé *Actuel*, les ateliers de menuiserie du faubourg ferment les uns après les autres et les boutiques les suivent. Désormais des robots tourneront de faux pieds Louis XVI en banlieue. Arrivent en vagues successives les magasins chics de déco et de canapés, les bistrots et les restaurants, enfin les branchés qu'attirent *Actuel* et Radio Nova. Dans ce quartier populaire, l'immobilier n'est pas cher et va bientôt le devenir. Le vieux trotskiste de la CLT avait bien vu.

L'Opéra Bastille, gros pâté qui bouchera la moitié du paysage, n'existe pas encore.

Bizot bizote aussitôt son bureau afin qu'il ressemble à sa bibliothèque. Les grands placards, toujours ouverts, débordent d'articles, de doc, de chemises, de livres, d'objets indéfinissables... Il y conserve dans des bocaux des poils des barbes de Jean-Pierre Lentin et de Patrick Rambaud, obtenus de haute lutte le jour où il parvint à convaincre les deux têtus de se déparer d'une partie de leur pilosité. Les disques s'amoncellent, la grande table espagnole piquetée d'étoiles se couvre de tous les papiers, cendriers et bibelots possibles, plus les obligatoires bouteilles de menthe. Bizot reçoit, téléphone, baratine, écrit, corrige. Mais la pièce possède une porte arrière qui lui permet de fuir sans que nul ne s'en aperçoive.

C'est dans ces bureaux somptueux mais dégradés à la longue que les Actuéliens passeront journées et nuits blanches, recueilleront leurs reporters heureux ou épuisés, projetteront et choisiront leurs photos et leurs couvertures dans la dispute et, succès ou échecs, fabriqueront leur journal.

Il va de soi que les bureaux accueillent eux aussi nombre de fêtes, souvent plus publicitaires que littéraires, mais également pour le lancement d'un numéro spécial, un engagement politique ou moral, une musique ou un anniversaire. Cela ressemble aux réjouissances de Saint-Maur, en plus convenable, sans les chambres et les souterrains. Et encore… À ce propos, comment me retenir de raconter l'extravagante aventure qui frappa un Actuélien le soir de l'une de ces fiestas?

Il traînait dans cette fête une belle fille familière d'*Actuel*, une femme de mode, grande brune au type et au nom italiens, les traits durs et le rouge à lèvres sanglant. Nous la nommerons Marinette Tripoteno. Elle se montrait volontiers méprisante et revendicative. Ce soir-là, elle met la main sur l'un des premiers Actuéliens. Marinette Tripoteno est femme de pouvoir, elle va donc vers les hommes de pouvoir. Je ne nommerai pas l'individu et l'on va vite comprendre pourquoi.

Marinette l'entraîne sur la terrasse et sans prolégomènes, le bascule sur une bâche. Hélas, notre homme porte un fringant costume clair et la bâche s'avère une toile goudronnée encore fraîche. Marinette Tripoteno lève sa jupe, le dénude, s'empale sur lui et se démène à un rythme d'enfer. Son affaire faite, elle se dresse en arrière et, dans la posture d'un Tarzan féminin qui aurait transpercé le tigre, pisse à longs jets sur sa proie. Puis elle s'en va.

Voilà le malheureux trempé, jaune devant, noir derrière. La pisse et le goudron. Il prend l'escalier, atteint l'ascenseur avec prudence, laisse sortir les invités, se précipite : enfin seul! Il gagne son bureau, se couvre de journaux, reprend l'ascenseur en moins exposé mais moins discret, file à sa voiture.

Il n'a réglé que la moitié du problème. Sa copine, qui n'est pas venue à la fête, loge chez lui. Il entre avec une prudence de dessin animé. Elle dort. Il fonce à la cuisine, dépouille le costume dénonciateur, le bourre au fond de la poubelle, l'enfouit sous une vieille salade. Hop, un peignoir dans la salle de bains : l'honneur est sauf, ses rapports avec sa copine préservés. Il imagine l'explication impossible à laquelle il a échappé et il en rit tout seul.

Quand il vous arrive ce genre de mésaventure, au-delà de la honte, vous trouvez l'histoire trop drôle pour ne pas la raconter, au moins à quelques intimes. Mais un secret cesse d'en être un dès qu'il se trouve plus de trois personnes à le partager.

XIV

Bizot et Jamel, vies parallèles

Une créativité brouillonne – Le plein emploi de soi-même –
Un article bien coupé est déjà à moitié rédigé – Les soucis
de Jamel – Jamel rencontre Mitterrand – Jamel à l'Élysée –
La voracité morfale des invités

En 2006, un an avant sa mort, Jean-François Bizot réunit
quelques anciens d'*Actuel* dans sa grande bibliothèque. Il était
déjà très malade. Il commença une histoire : « T'as rien compris,
je vais te dire... » Il s'arrêta, regarda ses amis d'un œil chris-
tique. Puis, comme en une cène inconsciente, il dit d'une voix
changée :
« Moi qui ai apporté dans vos vies une créativité brouillonne... »
Il se tut. Il s'était défini en deux mots.
Tel un prophète qui cherche des disciples, il nous avait tous
entraînés, les uns après les autres, nous arrachant sous des pré-
textes variés à nos activités, parfois à nos désirs ou à nos
amours. D'ailleurs aucun couple, y compris le sien, ne résistera
à *Actuel*. Il pêcha ceux-là pour leur style, ceux-ci pour la passion
du rock, un appétit de science ou de rêves, une envie d'aventure.
Bizot voulait qu'à son exemple chacun trouve, selon le mot de
Sartre, « le plein emploi de soi-même ». Lui, il ne s'arrêtait
jamais. Il détestait l'inactivité et, de ses vacances, mot qu'il
ignorait, il rapportait toujours trois ou quatre reportages, des
centaines de photos, des musiques nouvelles et des idées de
concert. Il devait bien écrire quarante ou cinquante feuillets par

mois, articles qui dépassaient souvent la taille impartie. On citait le cas d'un article sur la Jamaïque, soixante-dix feuillets qu'il fallut amputer de trente :

« Allons, allons, ne vous inquiétez pas, rigola Patrick Rambaud, faites confiance au docteur Burnier, ça va très bien se passer. Nous sauverons ce petit, enfin, ce gros patient. »

L'article perdit sans drame ses trente feuillets de trop : en la matière, Bizot faisait confiance et n'avait pas de vanité d'auteur.

Intégrer *Actuel*, c'était entrer dans une autre vie, accepter une allégeance, des mœurs, des rites, des horaires tard décalés dans la nuit. On devine que les Actuéliens, groupe soudé jusqu'à nos jours, n'auraient eu aucune chance de se connaître entre eux sans l'intervention première de Bizot, chaque amitié en amenant une autre.

La plus étonnante création de Bizot, c'était cette équipe dépareillée avec talent.

À ceux-là d'abord, il insufflait sa créativité brouillonne, leur apprenant la presse, l'attaque d'un article, les relances, la chute, tout ce que lui avait enseigné Françoise Giroud à *L'Express*. Qui ne l'a pas entendu dire :

« Ton papier, il commence au troisième paragraphe ou au troisième feuillet, tout le paquet avant, c'est de la bouillie pour les chats, schlaff ! On le vire… »

Il a formé deux générations de journalistes, que l'on a retrouvés ensuite dans tous les médias.

Et puis le Bizot mécène. Souvent avec discrétion, il a bouclé le budget d'un disque pour un groupe ou un jeune chanteur, subventionné une petite boîte de prod, pris une participation dans un film du genre *Black Mic-Mac* – Bizot prononçait « miche-mache ». Il a laissé filer une fortune, la sienne, dans Radio Nova, qui fut longue à trouver des recettes publicitaires stables.

Il pistait les talents, de la banlieue au salon bourgeois, et voulait donner à chacun sa chance : à l'un de lever la tête hors de sa cité, à l'autre de sortir de ses conventions. Pour cela, Radio Nova, ouverte à tous, présentait un admirable terrain d'expérimentations et de lancements.

136

Il y a un an, en 2012, je suis passé au Jamel Comedy Club.

Je n'oublierai jamais la première phrase que Jamel ait entendue de Bizot. C'était en 1995, des essais du jeune comédien dans un spectacle où rôdait le directeur d'*Actuel*, son amie Mariel Primois et Jacques Massadian. À la sortie, Bizot attrape Jamel :

« Toi, t'es mauvais mais tu vas pas le rester longtemps. »

Dans les semaines qui suivent, Jamel se révèle à Radio Nova dans une chronique de cinéma. Un an plus tard, le voilà sur Paris Première, toujours dans une production Nova.

Dix-sept ans plus tard, en 2012, au Comedy Club. Il est dix heures du soir. Je grimpe un escalier étroit, pentu, tournant, escarpé et sans lumière. Je me retrouve dans le bureau du boss, Jamel Debbouze, l'un des acteurs les mieux payés de France et quatrième personnage préféré des Français. J'examine un énorme loft avec un bar, un lourd sac pour boxeur suspendu au plafond, un portrait à l'huile de Jamel en monsieur Loyal dans une veste bleue à brandedourgs, un coin salon à la marocaine qui ouvre sur de vrais bureaux équipés des tout derniers Mac.

Cet homme a des soucis : c'est un entrepreneur. Il fait travailler une centaine de personnes, des auteurs, des comédiens, des danseurs, des techniciens, des comptables et un staff de secrétaires. Il godille au milieu des apprentis vedettes et de leurs problèmes d'ego, des questions d'intendance, de trésorerie, d'écriture. Il produit des programmes pour la télé, des films, des tournées, des soirées. Il négocie d'impressionnants contrats avec des diffuseurs, il milite dans des associations en y perdant de l'argent.

Je pense à un Bizot accablé par la gestion qui, au temps de son agitation maximale, en était arrivé à regrouper plus de douze sociétés autour d'*Actuel* et de Nova et qui ne savait plus où signer.

Pour nourrir cela comme Bizot, Jamel désormais riche passe sa vie à débusquer des talents secrets, à leur donner une chance, à vanner les auteurs pour qu'ils s'améliorent, bref, à leur permettre d'accéder « au plein emploi d'eux-mêmes ».

Tout oppose le grand blond au petit frisé et pourtant je les retrouve dans le même rôle.

Ils ont trente ans de distance, l'héritier d'une grande fortune industrielle et un fils de la banlieue, un ingénieur intello et un autodidacte, un vert salade et un bronzé, un tarin de forte taille contre un nez minuscule, Bizot vrai timide sous sa grande gueule, Jamel grande gueule sous une timidité d'apparence. Mais aucun des deux n'a songé à profiter en solitaire de sa fortune. Chefs de bande, ils répandent leur argent pour faire lever « dans les vies une créativité brouillonne » et s'investissent du coup dans mille rencontres et équipées, quelques catastrophes et une permanente prise de tête, terrible rançon.

Ce soir-là, dans un mimétisme troublant, Jamel grogne comme Bizot quand la réalité lui résistait :

« Mais oui mec, on fait le boulot du gouvernement et il ne nous aide même pas. Le Comedy Club me coûte au moins 100 000 par an sur mon propre fric. Les mecs qui passent ici font de la radio, de la télé, des films alors qu'ils sortent de nulle part. Oui, mec, je suis le seul théâtre à ne pas être subventionné sur le Boulevard ! »

Agacé, il fait les cent pas et pique sans cesse dans des saladiers de pistaches, de carambars et de fraises Tagada. Malika, qui s'occupe des soirées du lundi avec Rémy Kolpa Kopoul, propose d'ouvrir une école de danse. Deux comédiens avachis s'interrogent.

Jamel répond « Oui, bonne idée, pourquoi pas » comme Bizot disait « faut voir ». Il repart :

« Je ne les comprends pas, les socialistes. Les quartiers, les quartiers, ils regardent ça comme si on était des Martiens. Quand je pense qu'ils veulent ouvrir trois salles d'art et d'essai en plein Barbès ! Tu vois les gens de Barbès se ruer pour découvrir *Voyage en Anatolie* ? »

Un sourire l'éclaire. Il se rassoit avant de se relever.

Les ministres et les dirigeants politiques n'impressionnent pas Jamel. Aux césars, il avait mis en boîte la ministre de la Culture de Jospin et sa robe de bourgeoise; il a interviewé Fabius sur Radio Nova et en direct dans le grand journal de Canal et presque obligé Ségolène Royal à déclarer à l'avance sa candidature lors de l'élection présidentielle de 2007. Mais son premier souvenir, c'est Mitterrand et ce soir, il a envie de me le raconter.

Il me mime la scène.

Cela se passe à l'Institut du monde arabe. Jamel a seize ans. Il est arrivé à se glisser dans un spectacle avec une improvisation de dix-sept minutes. Arrivé en cour de cérémonie, François Mitterrand, alors président réélu de la République, écoute avec son sourire retenu.

À la sortie, par hasard, Mitterrand s'arrête devant les parents de Jamel.

« Tu te rends compte mon daron et ma reum face au président de la République ! J'te jure ! T'as pas deux occases comme ça dans la vie. »

Jamel sort un tract d'invitation pour une prochaine soirée d'impro, le tend à Mitterrand. Mitterrand prend le flyer, le plie avec soin et le range dans son loden.

Il ne viendra pas à la soirée mais renvoie la politesse : le Président invite Jamel à son tour, cette fois à la garden-party que l'Élysée tient tous les 14 Juillet. Son cabinet propose même qu'une voiture vienne le chercher jusqu'à Trappes, ce que notre ami accepte aussitôt.

« T'imagines la bagnole, un grand truc noir avec des drapeaux, la bagnole de la République à Trappes ! Je veux que tout le monde puisse voir, de la vraie frime. C'est pour ça que je donne rendez-vous devant le Grec aux sandwiches : là, personne ne pourra manquer la caisse… »

On s'en doute, tous les potes du quartier se pressent à l'avance chez le Grec. Jamel s'est habillé, empruntant la seule veste possible, celle trop grande de son père. Voici qu'un chahut éclate, on se bouscule, un type s'accroche à la veste de Jamel et lui déchire une poche.

Tout semble perdu. Non : avec des épingles à nourrice, une fille termine juste de bricoler le tissu qui pendouille quand arrive la voiture de l'Élysée.

Jamel visite Paris comme un prince. Dans la cour de l'Élysée, on lui ouvre la portière, il prend le tapis rouge, traverse le palais, descend dans le parc. Il est subjugué par les ors de la République, les chapeaux des femmes…

« Mais ce qui me tue, tu vas pas le croire, rigole-t-il, c'est la voracité morfale des invités devant les buffets. »

Il regarde passer Mitterrand, deux fois. Celui-ci le voit mais ne bouge pas. La troisième fois, le président de la République s'avance et lui parle devant tout le monde, dans le désordre des courtisans et des quémandeurs qui attendent leur tour. Jamel est si troublé qu'il ne comprend ni même entend ce que lui dit le chef de l'État.

Mitterrand s'en va. Son mouvement déclenche un remous de foule. Jamel tangue dans la cohue. Un bourge se rattrape à sa veste : il déchire la seconde poche.

Trappes 1, Élysée 1.

Rien dans les mains, rien dans les poches : c'est un drôle de baptême en politique.

XV

Amitié à Los Angeles, embrouille à New York

J'abandonne *Actuel* – Outing : j'adore le foot – À Los Angeles, mon copain Alex vit dans un western-spaghetti – L'homme le plus cool du monde – La Coupe du monde à l'aube sur une télé mexicaine – Le match de la honte – Massadian relooké – Comment draguer si l'on ne parle pas la langue ?

Pourquoi me suis-je lassé de la vie d'*Actuel* en cet été 1982 ? J'ai déjà signalé qu'avec le Rex, mes horaires et mes nuits reproduisent mes rythmes de New York. Nous avons même conçu la plus longue nuit de l'histoire des boîtes, celle dont le crépuscule commence un jeudi et qui ne se termine qu'aux aurores du dimanche suivant.

Je ne suis pas venu à Paris pour cela mais pour devenir un grand reporter. De ce côté, mes affaires marchent mal. Non seulement, après les bonheurs du début, le Rex mange mon temps, mais Bizot me refuse deux ou trois sujets d'articles auxquels je tiens. Il faut marcher à son pas, souffrir de ses désintérêts. Je souhaite davantage d'autonomie sur mon propre travail. En outre, je suis mal payé, à la semaine !

À Saint-Maur dans l'appartement de Massadian, les anciennes écuries au flanc de l'hôtel, Ann peint à fresques le mur du fond. Elle y trace de fantasques bains romains post-modernes dont les nudités font le plaisir de Jacques Massadian. Ann est ravie de cette satisfaction. Mais je sens que, transplantée en France, elle ne sait pas bien quoi y faire. Il faudra qu'un jour je la ramène aux États-Unis.

Ann et moi, nous passons cet été-là nos vacances en Égypte et c'est au Caire, sur une place de poussière, sous le soleil oriental de juin, devant les étals de légumes qui ont échappé aux pesticides et aux calibrages, deux ou trois épaves de voitures désossées, que je fais mon plus gros coming out.

Au milieu d'un attroupement de vieux et de mômes édentés – que des hommes en djellaba –, je fixe un petit téléviseur noir et blanc branché sur la batterie d'un camion. Un match de foot sautille sur l'écran, la célèbre Coupe du monde de 1982. Je regarde debout au milieu des autres qui considèrent avec curiosité cet Occidental mêlé à eux.

Jusque-là, chez les gauchos, les intellos, les branchés, le foot, c'était la honte. Il détournait les masses du juste combat, *panem et circenses*. Les amoureux du foot se sentaient persécutés. Au fond de cafés perdus, je me cachais de mes amis maos, sur le sujet peu prolétariens, pour arracher quelques images de l'épopée des Verts.

La Coupe du monde de 1982 a renversé l'oppression anti-foot des intellos et Marguerite Duras se retrouve dans *Libération* à dialoguer avec Michel Platini.

Moi, dans cette foule du Caire, j'abandonne toute pudeur et toute crainte. Je crie comme les autres, emporté par le commentaire égyptien dont je ne saisis pas un mot mais dont je comprends tout.

C'est la pauvre Algérie qui affronte la rugueuse Mannschaft, le cimeterre arabe contre les panzers allemands. D'un côté l'Allemagne de l'Ouest, championne du monde en 1954 et 1974 qui vient de remporter le championnat d'Europe ; de l'autre, la jeune Algérie qui, pour la première fois de son histoire, est parvenue à se qualifier pour la Coupe du monde. La veille encore, personne n'aurait parié un dinar sur les Fennecs. En 1982, condition physique, technique, tactique, un monde sépare le football africain des puissantes équipes européennes et sud-américaines.

Les jours avant le match, les Allemands, grands favoris de la compétition, ont manifesté une insupportable arrogance. À Gijon en Espagne, tel le lièvre de la fable et plutôt que de s'entraîner, ils ont paradé sur la plage en famille.

La première mi-temps nous paraît interminable, debout, tassés, poussés, tortillant le col pour voir une action entre deux turbans. Pas le moindre but mais on perçoit que le doute ronge l'orgueil allemand. À l'inverse, les Algériens commencent à croire en leur chance : devant leur vivacité, les Germains paraissent lourds et lents.

Pendant la mi-temps survient la catastrophe : la télé tombe en panne. La foule s'échauffe, nous sommes au bord de l'émeute et moi-même je sors de mon équanimité native. Les mécanos improvisés n'arrivent à rien et se querellent. Surgit le sauveur, un autre camion avec une batterie chargée.

La seconde mi-temps a déjà débuté. Soulagement, le score est resté vierge. Un espoir lève la foule cairote, la place s'électrise, la surprise devient crédible. Les magiciens Madjer et Belloumi vont poignarder les Allemands. Ils marquent deux buts. Pour le premier, les Algériens réussissent onze passes sans que leurs adversaires ne touchent la balle.

Une victoire historique, jamais une équipe africaine ne l'a emporté jusqu'ici sur des Européens. Dans les cris de la solidarité arabe, je ne suis pas le dernier à hurler ma joie.

Étape suivante : pour que l'Algérie se qualifie, tout dépend d'un prochain match Allemagne-Autriche. Si l'Autriche bat l'Allemagne, l'Algérie passe ; s'il y a match nul, l'Algérie passe ; si l'Allemagne gagne par trois buts d'écart, l'Algérie passe ; si l'Allemagne ne gagne que par deux ou un but d'écart, alors, l'Algérie est éliminée.

Les deux pays germaniques vont-ils s'entendre entre eux pour virer les Fennecs ?

Vais-je même pouvoir regarder ce match déterminant ? Nos vacances finies, Ann va retrouver sa mère à San Francisco, je pars faire un tour à Los Angeles. Nul n'ignore que les Américains se fichent du foot. Je ne suis pas certain de trouver une télé pour assouvir ma passion débordante d'avoir été trop longtemps contenue.

Dans la chaleur de Los Angeles, un pavé de John Le Carré à la main, je viens retrouver mon copain Alex. Je débarque derrière les stars de la NBA, j'ai voyagé avec l'équipe des Lakers, Magic

Johnson et Kareem Abdul-Jabbar. Malgré mon mètre quatre-vingt-trois, j'ai l'air d'un nain.

Alex me pêche à la sortie de l'avion.

À vingt ans, Alex Jordanov vit dans un western-spaghetti. Avec lui comme dans les films, on trouve toujours plusieurs vérités. Il a une belle gueule, l'âme et le regard slaves, un goût prononcé pour le spleen et la mélancolie. Il a très tôt perdu ses cheveux mais qu'importe, c'est Joe la casquette ou Jack le chapeau.

Pour moi, il représente l'archétype de la coolerie. Il parle peu, la voix basse, pas de mots inutiles. Il glisse plutôt qu'il ne marche et, veillant à l'harmonie de ses mouvements, ne fait jamais un geste de trop. Mais il sommeille aussi en lui une bête violente qu'il convient de ne pas réveiller. Il s'est retrouvé plusieurs fois en taule après des bagarres de bar ou de rue. Il a des rêves et des haines. Il déteste les communistes et adore Bruce Springsteen, les poivrons et le yaourt.

Sa mère est morte l'année de ses dix ans dans un accident de voiture à Sofia, son père, un chimiste bulgare, a été défiguré par une explosion dans son laboratoire.

Alex vit dans la religion du *name dropping* et des mondanités branchées de Los Angeles. Il côtoie Sharon Stone, Bruce Willis… Anthony Kiedis, le chanteur de Red Hot Chili Peppers, dort plusieurs fois par semaine sur son canapé déglingué. Comment trouve-t-il l'argent, car il en craque? Je n'ai jamais compris. Il roule en Cadillac noire, ce qui en jette, à cela près qu'il faut souvent pousser la voiture pour qu'elle démarre.

Il passe son temps à trouver ou à proposer des plans. Pendant des années, il fera le tour du monde avec des billets gratuits qu'il distribuera avec générosité à ses amis. Plus fort que Chirac. D'où viennent les billets? Là aussi mystère.

Sa copine Miriam a du chien, moulée et moulante, des courbes sublimes. Jupes, chemisiers, pantalons, chez elle tout fait sexe. Française et piquante, elle provoque une irrépressible tentation chez les Américains. Pour Alex, elle sert d'appât lors des parties à Beverly Hills. Telle marche la tactique : Miriam évolue seule dans un bar, les mecs se précipitent, l'invitent. C'est alors que surgit Alex :

« Merci de nous avoir conviés. »

Il sort les clés de la Cadillac :

« C'est moi qui conduit. »

Pour suivre l'intolérable suspense de la Coupe du monde et de l'Algérie sous la menace germanique, dans tout Los Angeles, je ne pouvais mieux tomber que sur Alex Jordanov. Celui-ci est un fondu de foot et joue chaque dimanche avec Rod Stewart. Notons qu'un match sur deux, il se fait expulser pour son mauvais caractère.

Du jour de mon arrivée, nous regardons tous les matches sur une chaîne mexicaine que le futé Alex a dénichée. Cela pose cependant un grave problème : avec le décalage horaire, ici, le jeu commence à cinq heures du matin. Deux matches, cela nous mène à onze heures en attendant l'aube suivante.

Alex nage dans sa coolitude et moi, je n'ai rien à faire sinon attendre Massadian qui veut passer ses vacances en Californie et cultive une nouvelle lubie, organiser un grand concert de rap à Paris avec les New-Yorkais.

Par solidarité avec moi, Alex se transforme en supporter de l'Algérie. Notre premier match, c'est le tant attendu Autriche-Allemagne dont le résultat tranchera le sort des Fennecs algériens. Je rappelle qu'à l'issue de cette confrontation, les calculs donneront l'Algérie qualifiée dans tous les cas, sauf si l'Allemagne l'emportait par un ou deux buts d'écart.

Ce jour-là, je manque de briser la télé d'Alex.

Dans les dix premières minutes, les Allemands marquent un but, la suite du match n'est plus qu'une ennuyeuse série de passes à dix. Les deux puissances du Nord ont signé un pacte secret germano-germanique pour éjecter une impertinente équipe du Sud, Le score ne bouge pas, l'Algérie se retrouve éliminée.

Ce match portera dans l'histoire du football le nom infamant de « match de la honte ».

Un autre match va entrer dans l'histoire de la Coupe du monde, celui qui oppose l'Allemagne à la France en demi-finale à Séville, le match épique, celui de l'injustice, des retournements inouïs, des éclairs de génie, de la fatalité et d'un dénouement maudit. Cette rencontre va transformer les rapports des Français au football et par la même occasion, mes liens avec Alex.

Les Français pensaient que les Bleus allaient amuser un instant les solides Allemands qui, comme à l'ordinaire, finiraient par les baffer. Les voilà surpris par des images dont on parle encore aujourd'hui, l'agression de Schumacher sur Battiston qu'on verra sortir en civière, la course hallucinée d'un Giresse ivre de joie après son but, Maxime Bossis, arrière adulé, ratant son penalty, dernière chance française de vaincre les Allemands. Ce soir-là, le talent est français, la France devient un Brésil, elle découvre son carré magique, quatre joueurs virtuoses, Platini, Gengini, Tigana et Giresse. Jusque-là familière de l'échec, elle se retrouve dans les équipes de tête. Certes, la France a perdu devant l'Allemagne, mais avec quel art ! Notre République a l'encourageante habitude de transformer le panache de ses défaites en semi-victoires.

Ce match, Alex et moi, nous le regardons les volets clos, accrochés à la voix du commentateur mexicain qui hurle des « goooooal ! ». Nous le vivons dans la tension, le chaos, la fièvre, oubliant toute heure et tout lieu sauf ce stade exalté de Séville.

Le match se termine. Nous sortons sur l'escalier extérieur fumer une Camel et boire une bière. C'est le décalage horaire le plus brutal que l'on puisse concevoir : en une seconde, nous sortons de la nuit espagnole pour nous retrouver à dix heures du matin sur des marches chaudes devant un lézard qui fuit, un postier qui passe, des juifs à papillotes, des pelouses, des palmiers. Nous comprenons surtout que Los Angeles, comme les États-Unis en leur entier, ignorent jusqu'à l'existence de l'héroïque combat qui nous a bouleversés. Nous nous sentons si seuls, orphelins, transplantés : de là date mon amitié infrangible avec Alex.

Deux jours plus tard, Massadian débarque.

Il s'agit du nouveau Massadian relooké, chemise hawaïenne, pantalon blanc, Ray-Ban. Il arrive sans sa femme mais avec ses enfants, sa fille adolescente et son fils encore petit. Il reste baba devant l'Amérique dont les charmes dépassent ses rêves, mieux qu'au cinéma avec les bagnoles, la musique, les gonzesses. Surtout, quand il s'agit d'épater quelqu'un, Alex ne se montre pas le moins doué. Il shoote notre Massadian à la Westcoast, le pousse dans les clubs et les after les plus excentriques et les plus inattendus, les bars les plus louches, les salles latinos, les boîtes parodiques des années 1940 ou 1950.

À Los Angeles, les rôles s'inversent. Massadian m'a guidé dans Paris et décrassé de mon ignorance. Là-bas, il se donnait pour un caïd. Ici, il demeure incapable de s'y retrouver seul, frappé en outre d'un handicap absolu : il ne parle pas anglais.

Je me sens supérieur et, sottement, j'en profite comme d'une vengeance absurde, aussi injuste qu'inavouable. Devant notre arrogance de notables de la branchitude, Massadian résiste. Il veut récupérer la main. Du coup, il fait son petit Bizot : il nous vanne. C'est par la culture qu'il lance sa contre-offensive. Il nous demande :

« Alors, le rap, ça existe ici ? Vous connaissez Flash, Afrika Bambaataa ? »

Dans les boîtes où nous le baladons, il faut constater qu'on y entend davantage U2 que du rap.

« À Paris, il y a ce nouveau mec, Sydney, qui passe du rap toutes les nuits sur Radio 7 », insiste bien Massadian, satisfait de tenir son morceau de branchitude à lui.

Nous sommes trois coqs de faïence.

Alex pense que Los Angeles reste l'endroit le plus cool de la planète.

Massadian, même bluffé, maintient que l'intelligence n'a pas quitté Paris et qu'*Actuel* en apporte la preuve.

Moi, je crois que New York représente la Ville absolue.

Nous nous chambrons avec des arguments qu'échauffe le bourbon. Massadian défie Alex au volley, au basket, au tennis sur le ton « Arrive mec, je vais te foutre un 6-0, 6-0 vite fait ».

Depuis des années, Massadian voue un culte au corps – n'oublions pas sa prestance de gladiateur. Et qu'est-ce que la Californie ? Le pays du corps, des salles de sport, des terrains de basket, des fous du jogging et de la salade de fruits, le pays des pectoraux et des seins impeccables.

Alex et Massadian deviennent amis, complices comme Bulgare et Arménien dans une haine inextinguible des Turcs. Mais au tennis, un Massadian pivoine, suant, cognant perd par 6-0. Il en casse sa raquette. Je me dispense de toute remarque ou blague : un seul mot, je risque un pain direct. Je sais que Massadian ne plaisante pas avec le sport et qu'il ne le trouve amusant que lorsqu'il gagne. En fait, ce n'est pas un mauvais joueur mais un très, très mauvais perdant, capable de la pire des mauvaises fois. Je l'ai vu en venir aux mains ou se fâcher avec un proche pour une courte défaite à la pétanque.

Dans ces circonstances, je ne connais qu'une issue pacifique : l'anesthésiant le plus pratiqué dans nos civilisations, la bouteille, le bistrot. C'est donc dans un bar que nous changeons de sujet pour refaire le monde et que Massadian nous expose son grand projet :

« Alors, tu vas me filer un coup de main pour mon concert de rap à Paris ? »

Je n'en suis pas, comme on sait, à ma première fanfaronnade. Je réponds :

« Tranquille, bien sûr, je vais t'arranger les rancards et je viendrai avec toi. »

Dans la réalité, je n'ai pas le moindre contact : il va falloir que je me bouge pour ne pas passer pour un farceur. Mais, sans le savoir et c'est inespéré, Massadian lui-même vient à mon secours :

« Fab Five Freddy t'a appelé ?

— Ben non, dis-je pour faire bonne figure alors que je ne suis au courant de rien, mais ça ne devrait pas tarder.

— Bizot lui a filé ton téléphone, m'explique Massadian. Freddy avait une expo à Milan, il a retrouvé là-bas ses potes les Talking Heads et les B52. David Byrne l'a invité à leur concert à Paris et l'a entraîné dans une after d'*Actuel*. »

Freddy, l'un des premiers artistes graffeurs, se veut à juste titre l'ambassadeur du hip-hop et l'on sait que le flair de Bizot manque rarement l'effluve de la nouveauté. *Actuel* a aussitôt lancé Elisabeth D. sur un article. Massadian est repassé derrière : d'où l'idée du concert de rap à Paris.

Nous rêvons ensemble devant nos tequilas, nous regardons les belles Californiennes. Massadian, frustré, peut mater mais pas toucher : comment draguer si on ne parle pas la langue ? Je sens que cela le travaille et l'horripile. Ses pulsions inassouvies de petit-maître lui gâtent le caractère.

XVI

New York en capitale africaine

Une rage sourde fabriquée en studio – Rap contre rap – Afrika
Bambaataa incarne le hip-hop – Massadian se fait avoir –
Il vante *Actuel* avec excès – Bambaataa ne rappelle pas – Si,
mais pour dire non – Massadian enrage – Nous manquons
de nous battre – Fâchés pour quatre ans !

Cet été 1982, je retrouve New York déguisée en capitale africaine. La chaleur frappe au-delà du supportable. La sueur colle
les chemises et les robes, on n'a plus besoin de se sécher en
sortant de la douche. Dans l'East Village, la climatisation
demeure rare, les gens vivent dehors, couchent sur les escaliers
extérieurs ou sur les toits. Les gosses s'aspergent en riant aux
bornes d'incendie. Les mecs traînent torse nu ou en marcel, les
filles en short renoncent à la coquetterie. Loin des normes,
chacun agit avant tout en fonction de la chaleur.

Je découvre les nouveautés de l'année à New York. Les
gamins, les jeunes, les Portoricains, les Noirs se baladent avec
un ghetto-blaster sur l'épaule, ces énormes postes de radio futu-
ristes à la puissance dévastatrice. À chaque pizzeria, bar ou
laverie, les mêmes pilotent sans retenue un jeu vidéo fixé sur
une borne, Pac Man, qui résume la période : on doit bouffer des
espèces d'enzymes ou se faire bouffer. Je prends cela pour le
comble de la modernité et comme tous, j'y vois un signe annonciateur de l'avenir. Pas de chance, les deux objets disparaîtront
tel le caisson de Patrice Van Eersel.

Bien davantage qu'en hiver, New York l'été est la ville de tous
les bruits. Elle crisse, grogne, explose, glapit, couine, geint. Les

camions de pompiers y font plus de fracas qu'ailleurs, les sirènes de police hurlent dix fois plus fort que les européennes, les camions des éboueurs secouent les vitres, les voitures cognent sur les bouches d'égout comme sur des tam-tams.

La nuit, les fenêtres restent ouvertes. De la rue, on entend les télés, les engueulades, les couples qui baisent en anglais, en espagnol, en chinois mais pour moi, un bruit ou plutôt deux l'emportent sur tous les autres.

Nous sommes l'été où le rap a conquis la ville. La Grande Pomme, cernée par le hip-hop, s'est rendue sans condition : pour la première fois, la musique de la Ville du haut, Uptown, a rejoint celle de la Ville du bas, Downtown.

Comme souvent dans les grands bouleversements, cela commence par une guerre. De rue en rue, de fenêtre en fenêtre, deux tubes de rap et donc deux radios, Kiss FM et WBLS, s'affrontent. D'un côté le « Message » du Grand Master Flash, de l'autre « Planet Rock » d'Afrika Bambaataa, qui sample le morceau électro « Trans-Europe-Express » de Kraftwerk. Les deux radios matraquent par alternance les deux hits qui se heurtent et s'entrechoquent à chaque carrefour.

« *Rats in the front room* – des rats dans l'entrée
Roaches in the back – des cafards dans la cour
Junkies in the alley with a baseball bat – des junkies dans l'allée avec des battes de base-ball. »

Tel est le « Message », premier morceau de rap qui ne célèbre pas la fête, les ego trips, les batailles de deejay, qui n'utilise pas les gimmicks du dancefloor du genre « Every body says yeah » ou « Throw your hand in the air ». Avec sa violence, il explose comme un morceau de rage sociale, il renvoie aux années 1970, à « Mean Machine » des Last Poets ou aux protest songs d'un Gil Scott-Heron. Trente ans plus tard, le « Message » reste au sommet de cette musique avec la patine d'un classique absolu.

Il n'est pourtant pas né d'un Bob Dylan du Bronx ou d'un Springsteen des ghettos. Non, paradoxe absolu, ce sont des requins de studio qui l'inventèrent dans l'amour du dollar.

Le deejay et les trois quarts du groupe Grand Master Flash n'ont pas participé à l'enregistrement. La production a fabriqué la chanson comme un produit de maison de disques, presque comme un morceau de boy band. Cependant écoutez-les :

« *You'll grow in the ghetto, living second rate* – tu grandis dans le ghetto, une vie en deuxième classe

And your eyes will sing a song of deep hate – et tes yeux chantent une chanson pleine de haine... »

Entrez, entrez, mes bons, le rap vous guide dans la réalité du ghetto. Le « Message » rappelle le *Mean Street* de Scorsese débarquant au milieu des films de gangsters d'Hollywood : le réalisme cru de paroles qui ne sonnent pas bidon.

Tout vint de l'obstination de Sylvia Robinson, patronne peu commode de Sugar Hill, la maison de disques du New Jersey. Comme d'autres producteurs appâtés par les premières grandes rap-parties du Bronx, elle a vite compris qu'on pouvait gagner beaucoup d'argent avec la musique des pauvres. Mais comment faire avec un son qui emprunte d'autres sons, les remixe, les transforme et les mélange ? Qui payer et surtout essayer de ne pas payer ?

Souvenons-nous, Sugar Hill, la boîte de Mme Robinson, avait déjà eu quelques problèmes en la matière. C'étaient eux qui avaient emprunté le morceau « Good Times » de Nile Rodgers et son groupe Chic pour le tube « Rapper's Delight ». Après avoir proféré quelques menaces, ils avaient fini par lâcher d'énormes droits d'auteur.

Cette fois, Mme Robinson ne court pas de risques : made in Sugar Hill, tout est fait maison.

Afrika Bambaataa à l'inverse fuit le rap bizness pour incarner une culture, le hip-hop. Il refuse de se lier avec une seule maison de disques ou un seul groupe, multiplie les expériences et s'ouvre à toutes les musiques – on dirait Internet avant l'heure. Les labels le craignent. Bambaataa zigzague entre plusieurs vies, deejay, producteur, surtout fondateur et roi de la Zulu Nation qui trouve ses sujets dans tous les ghettos de l'État de New York. Il s'est adjoint deux producteurs blancs, Arthur Baker et John Robbie, alchimistes du son qui parviennent à réaliser ce qu'il sort de son imagination.

Son tube « Planet Rock » n'a pas le caractère classique du « Message », qui lui ramasse les fondamentaux de la musique noire, le rythme, une ligne de basse funky et une rage à raconter la misère des quartiers. « Planet Rock » symbolise au contraire une radicale modernité : la rue new-yorkaise n'avait jamais entendu ça. Bambaataa a mixé la techno de Kraftwerk à des beats hip-hop. Audace du musicien qui innove mais c'est aussi un livre d'histoire où l'on retrouve James Brown, George Clinton et son Parliament Funkadelik, Sun Ra. Les nappes de synthé résonnent comme le manifeste d'une nouvelle musique qui s'invente et quand la voix de Bambaataa trafiquée au vocoder répète « *party people, party people, can y'all get funky* », tous les dancefloors de la ville s'embrasent.

À Los Angeles, dans nos affrontements d'egos branchés, j'avais promis à Jacques Massadian un rendez-vous avec le roi Afrika Bambaataa. Je ne passerai pas pour un ringard : j'ai le rancard, et pour la semaine suivante chez Tommy Boy, l'un de ses labels.

Débarque Massadian en bermuda. À peine est-il chez moi depuis dix minutes qu'il veut ressortir et se frotter à la ville. Frotter, voilà bien le mot. Massadian réapparaît une heure et demie plus tard, éructant :

« Je me suis fait avoir !

— Quoi, quoi ?

— On m'a piqué 300 dollars [1]. »

J'ai du mal à imaginer ce Massadian baraqué et bagarreur braqué par de maigres junks mais je fais le blasé :

« Eh oui, *this is New York city, man.* »

Massadian s'avance dans une histoire fumeuse de prostituées qui faisaient le trottoir sur Delancey Street. Elles auraient bousculé notre gladiateur en criant des phrases incompréhensibles pour lui et arraché son portefeuille. Je feins de le croire mais je devine la réalité de l'affaire. À Los Angeles, condamné à une trop longue chasteté par sa méconnaissance de l'anglais et donc son incapacité à parler aux demoiselles, Massadian ne se contenait plus. Sitôt arrivé à New York, il s'est rué sur les premières horizontales disponibles et là s'est fait tirer son argent en douce. Pour le calmer, je lui annonce qu'il a son rendez-vous avec Bambaataa.

---

1. Environ 1000 euros en 2013.

Nous nous retrouvons Uptown dans un bureau sans caractère. Quand Bambaataa arrive, la pièce en devient plus petite. Le roi zulu pèse cent cinquante kilos, mesure un mètre quatre-vingt-dix, colosse à la douceur inquiétante. Il parle peu, évite les longues phrases : il n'a rien d'un baratineur de rue ou d'un Huggie-les-bons-tuyaux.

Il manifeste une majesté qu'on doit dire royale, toujours entouré de quatre ou cinq personnes silencieuses, bien loin du type à qui l'on tape sur l'épaule. Il écoute avec bonhomie comme il doit écouter ses sujets et garde la distance qui convient à son rôle. De temps à autre, il approuve l'interlocuteur d'un grognement ou d'un plissement d'yeux.

C'est un Black qui ne fait rien pour ressembler aux Blancs.

Massadian ne peut trop s'avancer dans son anglais de débutant. C'est à moi de traiter l'affaire. Traduire les grognements de Bambaataa, ça ne semble pas très compliqué, les arguments de Massadian se révèlent plus difficiles à développer. J'y vais carrément :

« *Actuel* à Paris, c'est comme ici *Times*, *Newsweek* et *Rolling Stone* à la fois. Si ce journal organise un concert avec vous, vous apparaîtrez comme le nouveau James Brown en France. »

L'ai-je accroché ? Je saisis qu'il ne déplairait pas à son entourage de faire un tour à Paris. Enfin le roi zoulou lui-même, à l'inverse de ses sujets du ghetto, connaît le monde, l'Afrique, l'Amérique du Sud et n'ignore pas l'existence de l'Europe. Je guette un grognement d'approbation chez un Bambaataa impénétrable. Massadian, qui ne me trouve pas assez battant, me glisse avec un coup de coude : « Demande-lui combien il veut ? »

Le Sphinx finit par bouger un œil :

« Oui, funker les Français, ce serait peut-être une bonne idée. »

Mais le roi traîne un programme chargé et Massadian voudrait organiser le concert parisien dans deux mois, en septembre.

« On est jeudi, tranche Bambaataa, je vous téléphone d'ici le début de la semaine prochaine pour vous dire si ça va ou pas. »

Je sens que Massadian reste choqué par le flou de la réponse. Pour lui, c'est Bambaataa qui devrait s'honorer qu'un journal aussi extraordinaire qu'*Actuel* veuille bien s'intéresser à lui. À travers son faible vocabulaire anglais, il a compris que je n'avais pas agité semblable argument avec toute la force nécessaire.

Dans le taxi de retour, je vois un Massadian tendu, pressé. Je devine qu'au contraire Bambaataa ne va pas nous répondre aussi vite que ça. J'essaye de préparer mon copain à cette attente. Avec Massadian, c'est une erreur : il comprend l'inverse et imagine que je suis en train de le lâcher.

Dans les jours qui suivent, Massadian ne cesse de me harceler :

« Alors, il a appelé ? »

Bambaataa n'a pas appelé. L'ambiance se dégrade, Massadian me reproche ma mollesse :

« Rappelle-le ! Pourquoi tu le rappelles pas ! Faut que tu le rappelles ! »

Je connais cette stratégie : Bizot me l'a déjà servie dix fois. Si l'on se retrouve branché sur un personnage d'importance, il vous pousse à le poursuivre et à le presser jusqu'à en tirer le maximum. Par malheur, ce harcèlement produit souvent un effet contraire : on passe pour un emmerdeur, un fâcheux, un indiscret, un quémandeur, un discourtois et très vite, on ne vous prend plus au téléphone. C'est là où Massadian par son excitation cherchait à m'entraîner et où je ne voulais pas aller.

Quoi que je fasse, je cours au désastre. Nous passons nos journées dans des conversations oiseuses ou irritées devant un téléphone qui se refuse à sonner. Le lundi, ce début de semaine tant attendu, toujours rien. C'est en train de devenir ma faute :

« Tu vois, je te l'avais dit », insiste Massadian qui ne retient plus sa mauvaise humeur.

Le mardi matin, enfin, le téléphone sonne. Soulagé, je commets l'erreur de contrer Massadian :

« Tu vois, il appelle ! »

J'aurais dû me taire : Bambaataa, trop pris, nous informe qu'il ne viendra pas à Paris en septembre.

Comment est-ce possible ? Massadian ne comprend pas, ce refus le met hors de lui. Je tente de lui expliquer que Bambaataa ne peut abandonner la promo d'un disque qui marche du feu de Dieu à New York et n'est pas encore distribué en France.

Je prends la défense de Bambaataa, ce lâcheur! Massadian, éperonné, me crache dessus. Je bondis pour lui mettre un coup de boule. Je le rate. Nous nous agrippons, assez ridicules.

Rappelons que cela se passe le matin dans la chaleur luisante de l'été et que nous sommes en caleçons. Nous ne nous reparlerons plus avant quatre ans.

XVII

Un rap de diamant brut

Le hip-hop a tout balayé – Les soirées de grâce au Negril –
Blue, la doorwoman la plus dure – Madonna entre deux
B-boys – Le jackpot se rapproche – Futura ne sait pas d'où il
vient – Les pompiers ferment le Negril

Je me souviens de l'escalier sombre, des miroirs sur le mur et
des grands carreaux noirs et blancs qui donnaient un air de
toile cirée à la piste de danse. On jouait du reggae au Negril, un
club de la 2ᵉ avenue. Je n'y ai jamais vu grand monde, deux,
trois rastas, un petit couple dans un coin, c'était le maximum.
J'y passais de temps en temps avec Ann en rentrant chez nous.
Chaque fois, je me demandais comment les patrons faisaient
tourner leur boîte.

Puis le hip-hop a débarqué.

Un tsunami – on ne connaissait pas ces mots à l'époque, ni
tsunami ni hip-hop –, le hip-hop donc a tout balayé, la ville, les
looks, les murs, la langue, le son et bien sûr le Negril. Celui-ci
s'est transformé en boîte à la mode, enfumée, bondée, qui
mélangeait créatures fabuleuses et mixes incandescents. Mais
l'ancien club de reggae, victime de son succès, se révéla vite
trop exigu. Les pompiers exigèrent sa fermeture. Les B-boys,
ces pionniers du hip-hop à bonnet et casquette, déménagèrent
au Roxy, une patinoire géante de la 18ᵉ rue qui pouvait contenir
cent fois plus de monde.

Dans l'entre-deux, le bonheur éphémère des transitions :
durant quelques semaines, ces dizaines de soirées hip-hop au

Negril furent maquillées de grâce, un rap de diamant brut, une bulle qui bondissait en rimes, scratches et figures de breakdance. Je vivais l'instant unique où Manhattan l'infatigable se laissait étourdir par une énergie joyeuse, la sève de ses ghettos. Le Negril zappait d'une époque à l'autre, grandeur nature, et la meute des marchands ne s'était pas encore ruée sur ces trésors secrets venus du bitume.

C'est au Negril, en regardant Crazy Legs, dribbleur d'espace, toupie humaine qui vous tourne la tête avec son breakdance, que m'est revenue l'idée d'une tournée hip-hop non seulement en France mais en Europe, le New York City Rap Tour, et cette fois sans me soumettre aux impatiences malvenues de Massadian.

Au Negril, la maîtresse des soirées s'appelait Blue, Blue la mystérieuse, une Anglaise de vingt-deux ans. Casquette de cuir, les yeux bleus, elle manageait le Rock Steady Crew, célèbre groupe de danseurs de Crazy Legs.

Jeune fille, lors de ses études de danse à Londres, elle avait vécu au-dessus de la boutique emblématique des punks, celle de la designer Vivienne Westwood et de Malcolm McLaren, le manager situationniste des New York Dolls et des Sex Pistols, Blue s'était alors fait connaître comme doorwoman dans l'un des clubs les plus fermés, les plus sélects du Swinging London, manifestant une impressionnante dureté, allant jusqu'à virer des rockstars et un prince de Dubaï. Elle est très blanche de peau et d'apparence glacée comme seules savent y parvenir les Anglaises. Pour tout Londres, elle devient Lady Blue, la Dame bleue que l'Amérique nommera Cool Lady Blue. Et pourquoi Blue ? Simplement parce qu'elle a teint ses cheveux en bleu.

En arrivant à New York, elle a découvert le hip-hop un soir de concert où McLaren lançait un groupe de rock romantique, Bow Wow Wow. Là en première partie, Blue fut éblouie, foudroyée par une troupe de danseurs, le Rock Steady Crew et sa vedette, Crazy Legs, un sujet de la Zulu Nation de Bambaataa. Blue n'en doute pas : pareille danse, c'est sa vie. La voici manager de la troupe, organisatrice de leurs soirées, singulièrement au Negril.

La première nuit où j'ai parlé à Blue de ma tournée à Paris, Madonna se déhanchait sur des mixes à couper le souffle et

DST, maître prestidigitateur de platines, nous kidnappait d'un groove rieur. Madonna en sandwich entre deux B-boys, c'était ça le Negril. Au début, Blue s'est montrée prudente : elle ne croyait pas trop à cette expédition en Europe. Elle m'a d'abord servi cette méfiance teintée du léger sentiment de supériorité qu'arborent en général les Anglais quand ils voient les mangeurs de grenouilles s'intéresser au bizness. Mais dans le même temps, le succès du Negril déclenche une agitation. Le hip-hop attire, d'autres managers, producteurs, galeristes, réalisateurs, journalistes, critiques flairent le filon. On m'informe même que les filles du président Bongo veulent inviter Bambaataa au Gabon. Tout s'accélère, Blue en bizness-woman avisée comprend qu'elle doit agir. Elle se montre plus aimable. Ma proposition, qu'elle prenait de haut, l'intéresse soudain. L'insaisissable Lady Blue m'agace : c'est qu'elle me séduit. Elle le sait.

Là-dessus, un coup de fil nous excite : Hollywood qui prépare *Flashdance*, un grand film sur la danse, songerait à inclure des scènes hip-hop, le metteur en scène envisage de faire tourner le Rock Steady Crew. « Il y a eu le clip de Blondie, la tournée de Futura avec les Clash, *Wild Style*, le film indépendant, et maintenant c'est Hollywood qui appelle ! »

« *Bugging* ! » rugissent à l'envie les B-boys. *Bugging* appartient à l'une de ces expressions nouvelles qu'on peut traduire par cinglé, dingue. Trente ans plus tard, le mot a conquis le monde. Dans un bureau, en France, en Allemagne, il est fréquent d'entendre « il y a un bug ! » Le hip-hop manie l'anglais à sa façon, il joue avec le vocabulaire, feinte avec ses acrobaties linguistiques. Il crée des mots comme *juice*, *wacko*. Les Américains, ça leur en bouche un coin. Perplexes, ils ne comprennent rien à ce langage que leurs enfants, à travers le continent, apprivoiseront en quelques mois.

En attendant, les B-boys sont convaincus que le jackpot se rapproche : le monde a rendez-vous avec le hip-hop et eux avec la fortune. Ils en sont persuadés.

Ces certitudes, ces rêves de réussite ne facilitent pas la tâche de Blue la manager. Elle a de plus en plus de mal à négocier les cachets. Galeries de Hong-Kong, boîtes de nuits de Tokyo et agents de pacotille se manifestent dans la précipitation et l'anarchie. Les B-boys sentent le monde à portée de main et Blue craint les méfaits du fric. Le hip-hop grandit, se métamorphose. Blue perçoit vite que la joyeuse innocence des débuts s'est déjà évaporée. Ni cynique ni angélique, elle veut accompagner le mouvement, et en bonne rockeuse anglaise profiter de la vertigineuse croissance qui s'annonce. Elle a besoin d'un projet, le New York City Rap Tour tombe à pic. Coup de chance : le temps a joué le froggie que je suis à ses yeux.

Dans cette galaxie, Futura détonne. Il ne vient pas du Bronx, il n'est ni noir, ni blanc, ni métis, il a une belle gueule de mélange qu'on aurait bien du mal à dessiner, une voix à plusieurs tons impossible à rendre. Il parle en mixant les phrases carrées de l'armée et les mots bondissants de la rue. Maniaque du look, il collectionne des centaines de paires de chaussures de sport. Il ne porte jamais les mêmes. Chaque jour, il choisit avec soin celles qu'il va enfiler. Tout est réfléchi dans son allure. Pour lui, l'élégance se pense comme une création. Ses grafs dans le métro l'ont fait connaître. Il a déjà un statut, et même un nom.

Ce nom, Futura l'a adopté parce qu'il a un problème avec le passé. Il ne sait pas très bien qui il est ni d'où il vient. Il a grandi, élevé par un homme blanc et une mère de couleur qui, un beau matin, lui a expliqué que son père n'était pas son père et que le vrai père, elle ne sait pas s'il vit, où il est, ce qu'il est devenu.

Nous sommes dans les années 1970, Futura se tourne alors vers l'avenir et les graffitis. Au début des années 1980, on appellera les artistes graffitis des *writers*, des écrivains qui taguent, peignent leur nom sur les murs et les métros, une façon d'affirmer son identité. Lenny, le môme de Spanish-Harlem, se choisit Futura 2000, un nom qui claque (le 2000 disparaîtra au tournant du siècle), et il fonce dans le métro.

À l'époque, ils ne sont que quelques dizaines, peut-être une centaine à s'agiter dans les sous-sols de la ville. Les tags de Futura vont vite se faire repérer, il passe sa vie dans le métro de New York, ouvert vingt-quatre heures sur vingt-quatre. Le danger l'excite, il kiffe cette existence de brigand, le côté illégal, il mène sa vie à la marge, donc plus vite, plus fort, bref dans l'intensité.

Un jour où Futura et son copain graffeur sont à l'ouvrage, bombes aérosol en main, un feu sauvage éclate dans un wagon. Futura s'en sort avec des blessures légères, son meilleur ami a moins de chance. Brûlé très gravement, il restera marqué à vie.

Ce triste épisode déclenche de sales rumeurs. Futura s'engage dans la Navy. Pourquoi un changement de vie aussi radical ? Veut-il fuir ? Aujourd'hui encore, ses réponses restent floues. Pendant quatre ans, il fera le tour du monde. « Une initiation à la mondialisation avant l'heure », dit-il.

À son retour, tous les wagons des rames du métro new-yorkais sont tagués. Le graffiti est devenu un art de masse, les graffeurs se sont multipliés et se comptent par milliers. Futura se relance à corps perdu dans la scène, devient l'ami de Dondy, Zephir, des peintres en vue, fréquente Fab Five Freddy, Lee Quinones. Ceux-là sont sortis de la rue pour plonger dans le marché de l'art. Période d'effervescence, le hip-hop se voit sur le point d'exploser, la compétition se fait rude chez les rappeurs, les danseurs, les decjays, les graffeurs. Les nouveaux héros du hip-hop vivent dans la hantise de rater le train du succès. Futura 2000 dégote un petit rôle dans *Wild Style*, le film de Charlie Ahearn. Il y voit une étape déterminante dans sa quête de reconnaissance. En pleine ascension, le manager des Clash le contacte.

« Ils voudraient que tu peignes une banderole, vingt mètres de long, plus d'un mètre de large. »

« Je me suis dit que ça allait être un putain de boulot, raconte l'artiste, mais j'étais bien décidé à ne pas laisser passer l'occasion ! À l'époque, dans le rock, les Clash, c'est bien ce qui se faisait de plus gros. »

Il travaille comme un fou sur un terrain de basket de l'East Village. Quand le groupe débarque, les musiciens tombent en admiration devant la toile de Futura. Les Clash demandent à rencontrer l'artiste. Le courant passe, ils deviennent potes, Futura leur montre ses coins secrets, le New York des graffeurs, les endroits mal famés, les crack house, les squats et les immeubles insalubres que le groupe utilisera pour un clip vidéo.

Pendant quinze jours, les Anglais enflamment le Bond, une série de concerts époustouflants. Ils profitent de leur triomphe

161

pour offrir en première partie une chance unique aux groupes de rap du moment : Funky Four Plus One, Treacherous Three et Fearless Four. Voici notre marin-peintre-rappeur au centre de la tornade Clash-hip-hop qui secoue la ville pendant trois semaines. Le groupe lui propose de les accompagner dans leur tournée européenne.

C'est ainsi qu'il se retrouvera sur la scène du théâtre parisien Mogador à rapper, lui, le peintre, accompagné par Joe Strummer et Mick Jones en plein concert des Clash. « J'avais écrit un petit rap autobiographique. Je l'ai fait écouter à Don Letts. Il en a parlé à Mick Jones qui a proposé de composer la musique. Je ne brûlais pas d'envie de prendre le micro sur scène. J'étais là pour peindre pendant leur show mais Mick a insisté : "Si tu crois en ton texte, tu dois le défendre !" Je me suis jeté à l'eau. »

Le retour à New York lui vaut quelques quolibets. Futura, téméraire du look, ramène gomina et perfecto des bords de la Tamise. Ses copains les B-boy ont du mal à le reconnaître. Il ne s'entête pas et abandonne le style punk-rock. De retour dans le hip-hop, il retrouve une place de choix.

« Nous n'étions pas si nombreux à être capables de parler aux journalistes, raconte Freddy. Nous avons créé des ambassadeurs, des passerelles pour nous faire accepter dans les galeries, le monde des Blancs. Souvenons-nous qu'à l'époque, les gens du Bronx faisaient encore peur mais nous avions une stratégie : Warhol nous avait annoncés, le pop art nous accoucherait, on était comme eux ! Nous nous inspirions de la pub, de la culture populaire. Il suffisait de montrer qu'on avait un cerveau, que nous pensions. » La tchatche de Futura faisait merveille.

Dans ma bagarre pour embarquer Blue en Europe, Futura est le premier à me soutenir. Il se fait l'avocat du New York City Rap Tour et devient mon meilleur allié. La tournée des Clash et ses voyages avec la Navy lui ont ouvert l'esprit, il défend une théorie : la conquête de Manhattan passe par l'Europe !

La première fois que nous nous sommes parlé, c'était au Negril. Futura commençait à s'intéresser au Tour de France. Dix ans plus tard, il a grimpé les cols dans les Alpes, suivi plusieurs étapes dans les voitures de gros sponsors, reçu en cadeau un vélo de Greg LeMond, conçu des maillots de cyclistes et lancé la mode des coursiers en vélo à New York.

Doté d'une énergie peu commune, Futura est pris d'obsessions, lubies qu'il vit sans relâche. Il les explore à fond, habité d'un entêtement puissant. Une fois qu'il en a épuisé les secrets, les ressources, les sommets, il s'en détourne sans regret et passe à autre chose.

En cet fin d'été 1982, il s'était installé un atelier à Brooklyn et cherchait où vivre à Manhattan. J'avais une chambre dans mon appart de la 2ᵉ avenue, il y a emménagé. Mon propriétaire se nommait Wilson Chan et portait un revolver dans un étui autour du mollet. Dans le hall, nous devions nous faufiler le dos collé au mur pour éviter les crocs de son berger allemand que retenait une laisse à la rampe de l'escalier. On se vengeait en faisant trembler les vitres de notre appart, la sono à plein volume. Wilson accourait, glapissant, je lui faisais signe que je le comprenais mal à cause des aboiements de son maudit cador et ça le mettait en rage : de la tension, de l'ambiance, New York en deux mots. Nous poursuivions à la maison les interminables conversations démarrées au Negril, nous inventions l'avenir, nageant dans le bonheur de voir célébrités et artistes, Clemente, Schnabel, des musiciens, Anton Fear, David Byrne, des cinéastes, des écrivains venir faire la queue devant notre bar minuscule. Les soirées de Blue provoquaient l'hystérie, tout New York rêvait de s'y montrer. Chaque jour amenait son cortège de bonnes nouvelles, expos, pubs, concerts, sponsors, les propositions affluaient et toute la nation hip-hop se rêvait en haut de l'affiche.

En plein milieu de cette brûlante effervescence, le ciel nous est tombé sur la tête, une tuile d'un beau calibre. Les pompiers de New York ordonnèrent la fermeture du Negril, le petit club de reggae ne répondait pas aux normes de sécurité. L'élan hip-hop brisé net, la belle bande du Negril se retrouva à la rue.

Nous prîmes cela pour un désastre. Paradoxe, ce fut une bénédiction.

XVIII

Le hip-hop chasse le rock

La Fnac sponsorise, Europe 1 produit les cinq vinyles –
Le Roxy tourne les têtes – Revoici Karakos – Le hip-hop
a la vitalité du rock d'autrefois – Bill Laswell ne prend pas
les rappeurs très au sérieux

J'en profite pour filer à Paris.

Une fois encore, je me suis vanté. Après mon engueulade avec
Massadian, plus d'*Actuel* derrière moi ; je n'ai pas le début d'un
financement. En d'autres termes, je suis dans le pétrin. Elisabeth D. va m'en sortir. Elle a pris elle aussi ses distances avec
Actuel, qu'elle quittera en janvier 1983.

Elle me présente deux de ses amis qui se révéleront des interlocuteurs idéaux : Alain Maneval et Francis Bueb. Ce dernier vit
à Saint-Germain-des-Prés, un intellectuel, un barjo, un tout
mince, la voix douce, capable de déplacer l'Himalaya. Il a rejoint
la Fnac quand celle-ci s'est lancée dans les disques et les livres.
Il y incarne une avant-garde et sélectionne les événements
culturels que soutient cette chaîne de magasins en plein essor,
encore marquée par ses origines trotskistes. Par ailleurs, c'est le
beau-frère de l'ami Van Eersel.

Pour donner une idée de la trempe du bonhomme, il fondera
quinze ans plus tard le centre culturel André-Malraux à Sara-
jevo sous les bombes, en pleine guerre de Yougoslavie. Après
m'avoir écouté, il n'hésite pas une seconde, le hip-hop devient
sa cause, il s'engage, trouve de l'argent et me propose de spon-
soriser les concerts de Lyon, Strasbourg, Mulhouse, Belfort,
villes où la Fnac est en train de s'implanter.

Alain Maneval aime les défis et les projets fondés sur le hip-hop l'excitent au plus haut point. Tous les week-ends, il anime l'antenne d'Europe 1 pendant plus de seize heures. À la télévision, son émission branchée « Mégahertz », qui fait découvrir les groupes de rock et les nouvelles tendances, est un succès. Le projet New York City Rap Tour l'enthousiasme : « Je viendrai sur scène pour les présenter. » Il me propose d'envoyer à New York le responsable de l'événementiel d'Europe 1 et me fait rencontrer le patron de la rédac, Philippe Gildas : « Nous ne sommes pas promoteurs ni organisateurs de tournée, objecte ce quinquagénaire cordial. Il faut trouver une façon de nous impliquer. Allez voir la maison de disques AZ, ils appartiennent à notre groupe. Avec eux, nous trouverons peut-être un moyen... »

Je repars à New York, gonflé à bloc. J'étais venu à Paris pour organiser une tournée, me voici producteur de disques. Le PDG d'AZ m'a proposé de financer cinq maxi singles qui sortiront avant la tournée.

À New York, la situation a évolué. Blue, Fab Five Freddy et DST ont déniché un lieu parfait, le Roxy, une patinoire sur la 18e rue, dix fois plus spacieuse que le Negril. Ce dancefloor s'avère capable de porter des milliers de B-boys, une marée, un océan hip-hop. Mais Steve, le patron du Roxy, a un sale caractère. Dès le début, les relations sont difficiles. Steve se montre âpre au gain, consommateur de coke, cupide. Il refuse que l'entrée du Roxy reste à cinq dollars, le tarif du Negril. Blue ne cède pas. Plus cher, c'est interdire aux Zulus du Bronx de participer à la fête.

Dès le premier vendredi, la file d'attente fait le tour du pâté de maisons. L'apparition des anoraks, des baskets, des bonnets, des casquettes, laisse Manhattan pantois. Les B-boys apparaissent comme des extraterrestres, leurs accoutrements bigarrés, ces gestes amples, ces démarches chaloupées, d'où sortent-ils ? New York, qui a connu les beatniks, Woodstock, le disco, n'en revient pas. La ville n'a jamais vu pareille posture.

La première soirée de Blue au Roxy démarre dans la bonne humeur. C'est le deejay DST qui mène l'affaire. Il mixe sur une estrade, autour de lui à 360 degrés, la danse, des milliers de danseurs, de danseuses. Chacun veut affirmer son existence par une figure, un geste, un déhanchement. *Be*, être ! Des années plus tard, un gros équipementier sportif reprendra la formule comme slogan de pub. L'énergie que dégage ce dancefloor a la force des vagues de surfeurs. À les regarder, on reste saisi par la puissance de cette marée. Des grappes d'humanités entremêlées se frôlent, s'emboîtent, violentes et fluides à la fois, des milliers de corps, inventeurs d'histoires. Au milieu de ces beats de funk, de ces crissements de scratch, on se meut dans un film de cinéma muet. Ce soir, le hip-hop incarne la force des œuvres d'art. À l'égal d'un livre, d'une toile, le Roxy tourne les têtes. Les participants savent déjà qu'ils diront plus tard : j'y étais !

« Incroyable », me répète Karakos : il comprend que le hip-hop projette la même vitalité que le rock des années 1960, l'époque où il montait ses premiers festivals à Amougies et Biot. Il veut en être.

Les B-boys mettent le pied dans la porte d'un monde qui les ignorait. Ils refusent de rester à l'entrée et cherchent une place à leurs talents. Le hip-hop, comme le rock autrefois, invente plus qu'une musique : une génération lutte pour son expression, sa liberté. Dans le hip-hop se mélangent postures et attitude, des gestes, des looks, des images et bien sûr du son. Parmi les pionniers à façonner le son hip-hop, John Robbie, Arthur Baker et Bill Laswell ! Le bassiste de Material s'est transformé depuis quelques mois en producteur. Nous le choisissons pour réaliser les disques du New York City Rap Tour.

J'ai décidé de laisser Karakos dealer avec la maison de disques AZ. Le lendemain de la soirée inaugurale du Roxy, nous fonçons à Brooklyn au studio de Laswell. Le premier des cinq maxis, nous l'avons déjà. Futura a obtenu l'accord des Clash, nous devons récupérer les bandes de l'enregistrement du groupe avec le peintre *The Escapades of Futura*.

Reste à signer quatre artistes. Je suggère une idée à Laswell et Karakos : « Enregistrons un rap en français. Nous pouvons cartonner en France et ça aidera pour la tournée. » Karakos se montre archi-convaincu, Laswell plus réservé : il ne prend pas les rappeurs très au sérieux. Pour lui, ce mouvement relève davantage de la mode que de la musique. Il me lâche un « pourquoi pas » mi-amusé, mi-résigné.

Devant sa moue sceptique, j'insiste : « Fab Five Freddy, c'est l'artiste idéal. Il peint comme Futura, je l'ai vu rapper dans des fêtes, il s'en tire plutôt bien.

— Bah, c'est avec ce genre d'arguments qu'on a dû lancer la carrière de Miles Davis ou Aretha Franklin », se moque Bill Laswell horripilé par l'hystérie que génère le hip-hop. « Avec tout ça, on est loin de la musique ! »

XIX

Le hip-hop n'est pas né en studio mais dans la rue

Les rappeurs n'ont pas peur d'inventer – Bill Laswell change d'avis et se rallie – Comment Bambaataa décourage les cambrioleurs – Je me transforme en producteur de vinyles et promoteur de tournées – La petite Kalach de DST – Une découverte majeure : l'art du scratch – La fille que je découvre ce matin chez moi ne s'appelle pas encore Madonna

Je comprends les réticences de Bill Laswell. Depuis le *no future* des punks à Londres en 1977, avant-gardes et revivals se sont succédé, gothiques, romantiques, pirates, new wave, no wave, rockabilly ou électro. Ces gesticulations ont agité le show-biz mais on ne peut pas dire qu'elles aient marqué la musique. Qui se souvient de Bow Wow Wow, Adam and the Ants, Billy Idol ou autre Duran Duran ?

Le hip-hop n'est pas né dans le cerveau de managers de rock, de publicitaires ou de petits génies du marketing, il a poussé dans la rue. Ces rappeurs, ces graffeurs, ces deejays n'apparaissent pas comme des virtuoses, des musiciens confirmés : ils avancent poussés par leur histoire et hors des techniques qui ont tourné au classicisme. Ils n'ont pas peur d'inventer. Ce que nous ne sommes plus capables de voir et de percevoir les émerveille encore et toujours. Pour la première fois depuis longtemps, leur regard est neuf.

Comme peu de gens savent le faire, Bill est assez intelligent pour changer d'avis.

Du fin fond de Brooklyn, il va prendre le virage et s'intéresser aux rappeurs, aux deejays : ça y est, il a compris le hip-hop. Je

169

me souviens du périple qui menait à son studio, Little Italy, Chinatown, la vue du Brooklyn Bridge, les restaus syriens, pakistanais du quartier musulman, le coin des Caraïbes et tout au bout, le studio : un tour du monde pour quarante dollars de taxi. Au bout de cette traversée new-yorkaise, au bord d'un terrain vague, on tombait sur une petite maison qui ne payait pas de mine, l'usine à sons de Material, le porte-avions d'où Bill Laswell voulait bombarder les marchands de pop music.

En attendant le Grand Soir de sa révolution musicale, Bill exaspéré se demandait s'il n'allait pas devoir déménager d'urgence : il avait beau emporter et rapporter son matériel dans des va-et-vient épuisants, le studio n'en finissait pas d'être cambriolé. Un coup d'œil sur le voisinage aussi pauvre que menaçant suffisait pour l'expliquer. Quelques mois plus tard, le hip-hop allait apporter une solution. Bill parla de ses problèmes à Bambaataa. Le roi zoulou promit d'intervenir.

« Une après-midi en semaine, il a débarqué sans prévenir », raconte Bill que cette histoire amusait encore vingt ans plus tard. « Il m'a dit de prendre mon manteau et nous avons marché. Il avançait lentement et je voyais bien qu'il faisait tout pour qu'on nous remarque ensemble. Le message est vite passé : aux yeux du voisinage, mon studio a changé de statut pour devenir l'endroit où Bambaataa venait enregistrer. Notre balade a duré au moins deux heures et je n'ai plus jamais eu de problèmes. »

Avec Fab Five Freddy, les négociations achoppent. Freddy se montre gourmand et nous avons des difficultés à trouver un accord financier. L'idée de rapper en français ne lui plaît qu'à moitié. Il me faut plusieurs jours pour le convaincre. Karakos lui verse cinq mille dollars d'avance et Ann se dévoue pour lui apprendre phonétiquement un rap en français que j'ai écrit sur le coin d'une table, un matin au Roxy, boosté par les mix entendus dans la nuit. Freddy d'abord, Futura qui a convaincu Dondy, un autre graffeur : mon projet de NY City Rap Tour commence à tenir la route. Reste que malgré des promesses, je n'ai toujours pas l'accord définitif de Blue et Bambaataa.

DST et ses rappeurs, eux, ont bondi sur l'occasion. Ils rêvaient de faire des concerts en France, d'enregistrer un disque. En secret, ils espéraient bien que Bambaataa refuserait de participer à l'aventure. Les absents ont toujours tort et avec le Roxy, le nom de DST, sans égaler ceux de Bambaataa ou Grand Master Flash, voit par étapes sa cote grimper. Entre deejays, une rivalité de plus en plus ouverte remplace la bonhomie des débuts.

Moi aussi, je change. DST va accélérer ma mue. Pour réussir cette tournée, le journaliste que je commençais à devenir doit se transformer en producteur de vinyles, promoteur de tournées, manager de groupes. DST, toujours un peu jaloux de ses copains, trouve Blue trop proche, trop copine avec Bambaataa. Il parie sur moi, il voit là une occasion de rétablir l'équilibre. Enfin, c'est si chic, un manager frenchy !

DST ne boit pas une goutte d'alcool, ne touche pas à la drogue. Pourtant un effluve de danger se dégage du personnage. En un millième de seconde, il passe d'une blague de sale gosse à la violence d'un bad boy. Pendant la tournée à Strasbourg, j'ai cru qu'il allait arracher la tête d'un fan avec qui il s'était embrouillé. J'ai dû l'arrêter de force. On mourait jeune dans sa barre d'immeubles. Lui, derrière son look toujours impeccable, même s'il ose des couleurs déconcertantes, traîne une vieille parano. Un soir, il m'ouvrit sa petite valise : elle contenait une Kalachnikov nickel, sans un grain de poussière, rangée avec la même maniaquerie que ses platines.

De notre amitié, je garde des souvenirs d'enterrement de *brothers* morts en pleine jeunesse. Un après-midi, il est venu me chercher et je me revois serrer la main d'une famille en deuil que je ne connaissais pas. Je devais, moi le producteur, participer à l'achat du cercueil.

Nous avons passé des heures à le choisir. Nous nous sommes à la fin fixés sur un bleu ciel matelassé avec des étoiles. Il en jetait, ce cercueil, il n'aurait pas détonné dans un clip de Snoop. Toute la soirée, dans la maison funéraire, DST et ses potes se sont pris en photo comme si la mort était un jeu.

Tel Futura mais dans un autre genre, DST portait beau, l'élégance audacieuse, il avait un petit cheveu sur la langue et du mal à dire les X.

DST, son nom venait de Delancey Street. Il ignorait encore qu'il s'apprêtait à marquer la musique en incarnant le tube

« Rock it » d'Herbie Hancock, vendu à sept millions d'exemplaires à travers le monde. Bill Laswell m'a raconté comment il avait choisi DST : « J'avais téléphoné à Bambaataa pour qu'il m'indique le meilleur scratcheur. Sans hésiter, il me propose Wizz Kid que je contacte sur-le-champ. Celui-ci répond que c'est impossible : il part en Californie. » En plan B, Bambaataa suggère un certain Dee Jay Chewing Gum.

« Je me voyais mal, rigole Bill, expliquer aux cadors du jazz que pour ce disque ils joueraient avec un certain Dee Jay Chewing Gum ! »

Du coup Bill appelle DST que je lui avais présenté. Dans un premier temps DST fait sa mauvaise tête : « Du Bronx pour aller à ton studio, ça va me coûter une fortune en taxi et avec mes platines, je ne peux pas prendre le métro, man !

— T'occupe, je te le paye, ton taxi », lui répond Bill. Il n'en revient pas qu'un môme du Bronx à qui on propose d'enregistrer avec le grand Herbie Hancock mégote pour une histoire de taxi.

Ayant obtenu le financement des frais de transport, DST se retrouve au studio de Bill deux heures plus tard. Bill règle la course : 350 dollars. Pour sa prestation, DST ne touchera que 300 dollars, et pourtant sa performance de ce jour-là va rester dans l'histoire comme une grande première.

Des platines utilisées à part entière comme des instruments de musique, personne ne l'a jamais fait.

C'est la consécration du scratch.

« Il a tout enregistré en deux heures », se souvient Bill.

Tony William, le grand batteur de jazz, répétait en boucle, le souffle coupé : « Il a un timing parfait, il a un timing parfait. »

Quelques jours plus tard, les New-Yorkais font écouter les bandes à Herbie, absent pendant les premières sessions. Si ces nouveaux sons lui plaisent, le pianiste a du mal à comprendre comment on parvient à les fabriquer. Le bassiste de Material doit s'y reprendre à plusieurs fois pour expliquer l'art du scratch, le recul ou l'avancée du diamant sur le vinyle : « Le toucher et surtout le sens du rythme, voilà ce qui compte, explique Bill au pianiste de « Watermelon Man », c'est pareil que le piano pour toi ou la batterie pour Tony. »

Bill insiste, c'est du toucher que dépend la rondeur, l'ampleur du son, exactement comme on parle du toucher d'un instrumentiste. Le scratch demande adresse, précision, vivacité, surtout créativité. Il faut choisir dans le vinyle, au milieu d'un morceau, le son qui va produire un scratch original, trouver le mot qu'on va distordre, déchirer, répéter. On s'en doute, dès le début, les deejays rivalisent, se copient, s'espionnent. On repère vite différents styles, différentes techniques. Comme pour beaucoup d'inventions, c'est par accident que Grand Wizard Theodore, par crainte d'une soufflante de sa mère, arrêta son vinyle à la main. En avant, en arrière, il venait d'inventer le scratch.

Aujourd'hui, après trente ans d'invention, nous en sommes à la troisième génération de scratcheurs, le geste s'est transmis, il en est presque devenu banal. Dans les petites fêtes bobos du IXe arrondissement, il n'est pas rare de voir un jeune cadre, deejay d'occasion, se mettre aux platines et scratcher. De Grand Wizard Theodore à George W. Bush qui, devant les caméras du monde entier, s'exclamait en 2006, « *Yo Blair!* », le hip-hop a bien conquis la planète.

Nul besoin d'être historien d'art pour repérer l'origine du logo des Jeux olympiques de Londres en 2012, du sigle et du style de la deuxième génération de TGV ou de la décoration d'une firme mondiale comme Starbucks, et comprendre que les tags des graffeurs des années 1970 ont essaimé jusqu'à aujourd'hui. Les danseurs eux, font le bonheur des pubs de bière, ils vendent aussi du matériel hi-fi haut de gamme. N'en déplaise aux défenseurs de l'Occident et de la grande culture blanche, le hip-hop chrétien ou juif prospère et on ne compte plus les deejays et les rappeurs de Tel-Aviv. Les héritiers d'Alain Finkielkraut, philosophe conservateur, s'habillent déjà hip-hop et choquent moins le bourgeois que lui et ses copains avec leurs cheveux longs des années 1960 lorsqu'ils prétendaient inventer un nouvel ordre amoureux, bien avant que notre philosophe ne commence à vivre dans la peur de la modernité.

Qui a inventé le hip-hop? On connaît autant de versions que de livres sur le sujet et l'on peut citer les Last Poets, le blues, les toasters de Jamaïque, les taulards qui scandaient tous les soirs leurs histoires, les DJ Kool Herc, Flash ou Bambaataa, qui furent les premiers à employer des MC, ces bonimenteurs qui vantaient leurs qualités et ont fini par leur voler la lumière. Une part de vérité existe dans chacune de ces réponses.

En fait, pour remonter plus loin encore, le hip-hop naquit en 1953 du No Go, l'autoroute qui sépare cette excroissance, le Bronx, du reste de la ville de New York. Le No Go divise le monde entre *have* et *have not*, entre Américains Wasp et les autres, minorités, communautés, couleurs...

À Paris, le périphérique est arrivé plus tard, à la fin des années 1960. Il a produit les mêmes effets. Le hip-hop, ce n'est que le point de vue de l'autre côté. L'autre côté du périph, l'autre côté de l'océan, le point de vue des nouveaux, des émigrés, des émergents, des barbares comme diraient certains de nos penseurs terrorisés par ce nouveau monde qui veut s'asseoir à leur table. Comme le rock des débuts, celui des blousons noirs et de l'équipée sauvage qui permit à une classe combinée à une génération de se révolter, le hip-hop a donné une voix et un nom à ceux qui n'avaient rien d'autre. Aujourd'hui, Booba chante le fric et l'ultra-libéralisme, les rappeurs-ouvriers de PSA Aulnay la lutte des classes, le spectre hip-hop couvre un large territoire. Du directeur de *Libération* qui s'affiche à la télé en sweat-shirt à capuche de B-boy à Jay Z que reçoit la reine d'Angleterre, les hip-hopers sont entrés dans la place.

L'une des premières à comprendre ce qu'il allait advenir de cette culture, je l'ai rencontrée cet été 1982 dans ma cuisine, un matin au réveil. Visiblement, elle avait passé la nuit-là.

« Beurnarrrd, m'interpella dans mon dos la voix ensommeillée de Futura, je te présente Marie Louise Ciccone. »

Elle ne s'appelait pas encore Madonna.

XX

Un enregistrement difficile

Madonna en veut – Elle s'impose par arrogance – Son disque
Everybody do something devient un tube – Elle répand le
hip-hop dans le très grand public. – « L'Europe est-elle prête
pour le hip-hop? » – « On va faire un triomphe. » – Fab Five
Freddy se prend les pieds dans son rap en français – Ann
sauve la situation

Nous sommes au début de septembre 1982. Je parle à
Madonna pour la première fois.

Je vois d'abord une jeune blonde potelée que Futura vient de
chiper à Jean-Michel Basquiat. Sous une allure de bohémienne
new-yorkaise, des voiles, des foulards de couleur, deux crucifix
en boucles d'oreilles, elle semble toute petite mais animée d'un
culot d'enfer.

« Madonna va chanter au Roxy ce soir, m'annonce Futura
avec fierté. Blue a accepté de la booker. Marie Louise, enfin...
Madonna sort un disque, tu sais...

— Ouais, ajoute-t-elle, il faut que tu files du fric à Futura
pour qu'on puisse prendre un tacot. »

Elle dit cela d'un ton impérieux : pas question de négocier ou
de refuser.

Au Roxy, sautillant derrière ses platines, ce soir-là c'est DST
qui officie et il arbore une mine peu commode. Pourtant, la
petite blonde, dont j'ai fait la connaissance ce matin dans ma
cuisine, en veut. Elle branche tout le monde, danse tout le temps,
excite les mecs, agace les nanas avec l'énergie outrancière de

celle qui se cherche une place. Elle flatte DST, elle voudrait qu'il passe son premier single mais le deejay la snobe.

Par bonheur, Maripol le convainc de jouer la chanson « Everybody ». Maripol, styliste branchée de l'East Village qui a hébergé Basquiat pendant des mois, est une bonne renifleuse de tendances. Ce soir-là, elle ne se trompe pas.

Les voilà amies. Quand DST arrête la musique, un grognement de mécontentement parcourt le dancefloor. Madonna, en scène avec ses quatre danseurs, répète dans le micro « Checking, checking ». Les danseurs, plus de gel que de cheveux et de cuir que de peau, ne semblent pas tant convenir aux Zoulous du Bronx. Ils paraissent trop homo, pas assez *tough*. La salle renaude. « D'où sort cette pouf ? » Madonna n'a même pas de musiciens mais une cassette. Le son n'est pas terrible. Devant cette tension, elle ne se démonte pas. Son arrogance en impose.

Dans les trois semaines qui viennent, « Everybody » devient le tube des discos et des radios new-yorkaises. Madonna n'y est pas pour rien. Elle a fait le siège de tous les deejays. Elle se dépense sans retenue puisque ça lui plaît.

Madonna aurait pu, aurait même dû devenir l'une de ces étoiles filantes de la dance music, star éphémère du show-biz telle une Sheila E, une Vanity qui disparaissent après un ou deux succès. Elle a tenu au top plus de vingt-cinq ans.

C'est elle au début qui a répandu le hip-hop dans le très grand public. Elle a incarné la version commerciale d'un mouvement qui lui a donné la crédibilité de la rue. Sa carrière a su rebondir sur les modes, recycler les danses, les looks comme un deejay qui ferait durer un morceau, le mixerait en remontant l'histoire de Ken Lamark à Jay Z, de Chic à James Brown.

Madonna ne lâche jamais une affaire. Trente ans plus tard chez Balthazar, un restau français très classe de New York, une Blue qu'on eût dit échappée à son âge m'a raconté qu'à l'époque Madonna lui téléphonait chaque semaine avec une seule et même demande :

« Je veux jouer ce soir ! »

Cette nuit de septembre 1982 au Roxy, au moment où je vais partir, Bambaataa, assis près de son chauffeur à l'avant de son énorme Chevrolet, me hèle :

« Yo, Beurrnarde, faut qu'on se parle. Je passe à ton bureau la semaine prochaine... »

Eh oui, car pour la première fois de ma vie, j'ai un bureau, enfin, pas tout à fait... Bambaataa l'a surnommé la « *funkroom* ». C'est une immense pièce sur la 37ᵉ rue, un quatrième étage où l'on accède par un monte-charge. L'endroit est aussi déglingue qu'alluré : pour tout dire, il rappelle le Bizot, son jardin et le Louis XV en moins. On peut y croiser quelques rats et souris, et il ne s'agit pas d'une métaphore. J'y reçois assis dans un fauteuil de dentiste rouillé qui rappelle les sièges de coiffeur de la bibliothèque de Saint-Maur. Je manipule une chaîne hi-fi de bon niveau pour écouter les maquettes que l'on m'apporte. J'y travaille pour Karakos et son label Celluloïd.

Il y a moins d'un an, c'était moi qui sollicitais une audience au roi zoulou, aujourd'hui c'est lui qui réclame un rendez-vous et vient me visiter. C'est la vie.

Le matin où il débarque à la *funkroom*, Bambaataa transporte son petit stock de *White Castels*, les mini-hamburgers qu'il engloutit en deux bouchées.

« L'Europe est-elle prête pour le hip-hop ? » me demande-t-il avec une pointe d'inquiétude.

Je n'allais pas lui faire part de la mienne et j'ai répondu :

« On va faire un triomphe ! »

C'était bien sûr plus compliqué. Mais ces cinq mots ont suffi pour le rassurer.

Bambaataa, figure tutélaire au flegme bonhomme, avait déjà deux tubes à son actif, « Planet Rock » et « Looking for the Perfect Beat », « l'ultime morceau de rap » avait écrit le *Village Voice*. Grâce au nom de Bambaataa, notre tournée fera un crochet par Londres et Los Angeles.

En quittant la *funkroom*, Bambaataa m'offre le sourire d'un vieux lion, il gronde :

« *Peace* ! »

Le New York City Rap Tour peut commencer.

Restent quelques détails d'envergure. Futura doit travailler à une toile que j'utiliserai façon puzzle pour illustrer la pochette des cinq maxis que nous avons décidé de diffuser en même temps que la tournée. L'idée emballe Karakos qui voit là l'occa-

sion de faire un bon investissement, tant financier que marketing. Il imagine que cette œuvre poussera les disquaires à mieux
nous placer dans leurs vitrines et leurs bacs. En outre, il achète
la toile d'avance avec une réduction sensible.

La sortie de nos disques se présente bien. Encore faudrait-il
les enregistrer.

Le contrat avec les Clash sur le morceau rap de Futura conclu,
nous devons encore quatre disques à AZ, le label associé à
Europe 1 avec qui nous avons signé. Bernard Fowler me propose une chanson qu'il a composée et produite avec un copain
sous un nom de groupe imaginaire, les Smurfs, traduction litté-
rale en anglais du mot Schtroumpf. Cette chanson sera vite
oubliée mais elle engendrera un contresens burlesque qui, lui,
va durer quelques années. Ainsi, la France va penser que le
hip-hop se dit en vérité smurf et va danser le break-dance sous
cette appellation inconnue du reste de la planète.

Qu'importe, voilà déjà le deuxième disque.

Pour le troisième, nous avons décidé de mobiliser Phase Two.
Cet artiste pionnier, boudeur à l'humeur changeante, taguait
déjà dans le métro en 1972. Lors des battles, à chaque fois qu'il
se saisissait du micro, il rappait avant de se mettre à chanter.
Aigri, taraudé par le sentiment de ne pas être reconnu à la valeur
de son rang, Phase Two rêve de devenir le Marvin Gaye du
hip-hop.

Quatrième disque : DST et son groupe. Eux, ils ont signé un
contrat d'artiste avec Celluloïd. Karakos y croit à fond.

C'est pour le cinquième disque que le défi semble le plus
grand, celui de Fab Five Freddy.

Je me souviens de la nuit où nous avons enregistré « Change
the Beat » de notre ami Freddy. Je lui avais demandé de venir
un dimanche soir.

J'arrive au studio. Bill Laswell et Michael Beinhorn s'affairent
autour d'une *Drum Machine*, une DMX, l'une des toutes premières apparues sur le marché des boîtes à rythmes. La DMX
sera au hip-hop ce que la guitare électrique fut au rock : avec
pareil engin, c'est rythmes funky à volonté pour tous les rappeurs, et au prix d'une seule session d'un batteur moyen
– amortissement garanti. Mais ce soir-là, Bill, Michael et leur

ingénieur se prennent les pieds dans le mode d'emploi. Problèmes de sables mouvants : on ne peut sortir une jambe qu'en enfonçant l'autre, ils ne résolvent un problème qu'en en levant un nouveau. Cela met Bill hors de lui. J'appréhende la rencontre avec Freddy.

À force de persévérance, Bill et Michael viennent à bout de leurs problèmes : les voilà maîtres de la machine.

Comme par magie, un premier *beat* sort de cette boîte sans âme.

Le rythme chaloupé m'attrape, je me dandine même s'il paraît encore lent à mon goût : « Ça va moins vite que l'électro funk de Bambaataa, m'explique Bill. Tu verras pour Freddy et des paroles en français, ça installera un bon groove. »

Un grand Black assis dans un coin se déplie pour retricoter le rythme avec ses percus. « Philip Wilson », dit Bill qui fait les présentations. Le percussionniste porte des lunettes, des cheveux blancs noués en catogan. J'ai vu son nom sur bien des disques que je vendais dans ma librairie de Dijon. Philip Wilson n'en revient pas qu'un Français le reconnaisse. On se tape dans la main, je vois qu'il est ému.

Au tour de Bill de jouer, sa basse griffe d'une lourde caresse ce qui commence à ressembler à un morceau. Leur aisance me sidère. À les voir, on a l'impression que n'importe qui peut enregistrer un disque. Nous écoutons les bandes, je me sens surexcité, certain que Freddy fera un succès en France. Ma fraîcheur fait sourire Bill qui rigole . « Il tarde à arriver, ton génie du rap... »

Comme s'il avait entendu, Freddy sonne à la porte. Ann, qui l'aide pour le français, l'accompagne.

Planqué derrière des lunettes noires, chapeau et imper, Freddy tire la tronche. À son salut distant, Bill répond par un hochement de tête sans desserrer les lèvres. Mais à l'écoute de ce que nous avons déjà mis en boîte, l'ambiance se réchauffe. Freddy se montre moins rogue et redevient un gosse devant la vitrine d'un pâtissier.

Nous avons un engagement net, Freddy et moi. Depuis deux semaines, il doit travailler chaque jour avec Ann afin d'être capable de rapper une trentaine de vers en français, langue qu'il ignore jusque dans ses moindres sons. Cela revient à être capable de lire phonétiquement un texte écrit en gros sur un pupitre. J'insiste : lire, même pas savoir par cœur, même pas besoin de comprendre.

La chanson porte le titre anglais « Change the Beat ».

On le devine, Fab Five Freddy n'a pas travaillé. Il la ramène trop pour un type sûr de lui et l'angoisse me gagne aussitôt. En outre, Bill Laswell ne me semble pas disposé à lui faciliter la tâche, et par conséquent la mienne, à moi qui joue gros dans cette chanson.

Que pense Bill ?

D'un côté le vieux jazzman Philip Wilson, soixante ans, anonyme dans son génie, une vie au service de ses percussions, que je paye cent dollars pour une performance impeccable bouclée en une demi-heure ; de l'autre Freddy, sympathique gandin mais aussi cossard que capricieux, qui n'a pas été foutu d'apprendre à ânonner quelques mots de français en quinze jours et qui a déjà touché dix mille dollars.

Sous son feutre mou, Bill joue au Sphinx qui attend avec intérêt la réponse du fils de Laïos.

Dans la culture des studios survient toujours l'instant de vérité : il se découvre dès que l'on porte le son sur la bande ou sur le digital. Certains comme le guitariste Jeff Beck, le percussionniste Daniel Ponce, le saxophoniste Wayne Shorter, les chanteurs Bob Marley, Whitney Houston, Prince, Alicia Keys et Norah Jones, la fille de Ravi Shankar, créent le merveilleux du premier coup, d'un son ou d'une phrase, aussi justes que le grand acteur plaçant sa réplique. Ceux-là épatent et tous les respectent.

Et puis il y a les autres, l'immense majorité : ceux-là coursent les dernières inventions qui permettent de tricher avec le son et la mémoire. Ce ne sont pas forcément des mauvais. Ils tiennent leurs rôles. Mais il faut tripoter la voix, couper, refaire, rajouter, reconstruire dix fois pour obtenir un produit convenable. Il y a pire : les artistes qu'on enregistre syllabe par syllabe, les rois du ciseau, les princes du sécateur, une note pour papa, une note pour maman, une note pour les petits Chinois... Ceux-là, techniciens et musiciens les observent avec ironie ou compassion. On a même inventé une machine qui vous fait chanter juste quand vous chantez faux !

Philip Wilson appartient à la catégorie de tête, parfait du premier coup. Bill Laswell craint fort que Freddy n'ait rallié la seconde.

Tandis que l'ingénieur du son vérifie les branchements et prépare le micro, Freddy tire Ann à l'écart. Je le devine pétrifié d'une trouille qu'il cache derrière son arrogance. Affalé sur un canapé derrière la console, je me sens d'autant plus inquiet que je saisis à quel point Bill s'est déjà fait une opinion. Au fond, ce rap en français, l'idée vient de moi et j'ai beaucoup argumenté pour convaincre Bill qu'il s'agissait d'un joli coup. Lui, il doute depuis le début. Voyant monter l'épreuve, je ne le trouve pas très sympa. Freddy enregistre en studio pour la première fois de sa vie, il semblerait correct de donner un coup de main au débutant plutôt que de l'enfoncer en le terrorisant.

Freddy n'ôte ni son chapeau, ni son imper, ni ses lunettes noires quand il marche enfin vers la cabine. Dans ce monde hostile, instable, il lui faut un pilier : ce sera Ann, dont on comprend qu'il la veuille au plus près de lui. Ça y est, le voici devant le micro. On envoie la musique de « Change the Beat ».

Groovy, dans le rythme, le premier vers passe bien :

« C'est moi Fab Five Freddy, détective privé... »

Le gadin arrive dès le second :

« Toutes les filles que je suis, elle me cou'ap'ès... »

Ah, le « r », ce satané « r » français !

Bill, toujours silencieux, me lance l'un de ses sourires ondulés de bédé comme pour dire : « On n'est pas sorti de l'auberge. »

Martin, l'ingénieur, recale la bande. Je sors un « ça sonne bien » idiot pour encourager Freddy. Celui-ci se redresse devant le micro comme pour signifier sa concentration. Ann, une dernière fois, lui répète l'intro en articulant avec exagération.

« C'est mooâ Fab Five Freddy détective privé

« Toutes les femmes que je suiiis, elles me courrrent aprrès

« Je suiiis cool dans la rruue, – pas roue, rruu –

« Tout le monde me connaît

« Je peins surrr tous les muuurrrs de New York cité... »

La musique repart, Freddy se relance et zigzague avec grâce entre les « r » et les « u » gaulois. Bill lui-même en est surpris. Je me remets à y croire.

« Le téléphone coupé, continue Freddy, le loyer en retard... »

Bing, il n'arrive pas à sortir le mot « retard ».

Je me rassure : nous avons jusque-là fait une avancée honorable. Mais Freddy s'agace sur ce maudit « retard », humilié tant par nos silences que par nos critiques qu'il devine et que nous n'osons formuler. J'ai beau répéter « c'était bien », cela n'arrange rien. Freddy arrête et sort dix minutes pour bosser avec Ann.

L'ingénieur et Bill profitent de son absence pour mettre de l'écho sur la bande, ce qui donne aussitôt une profondeur à la voix et à la musique. Je réexplique à Bill que Freddy enregistre pour la première fois en studio, qu'il est peintre et n'a aucune prétention musicale.

On entend les rires de Freddy et d'Ann dans l'escalier. Ils arrivent. Freddy semble calmé et l'espoir me revient. Quant à Bill, il me paraît plus indulgent. Il conseille à Freddy :

« Cette fois, même si tu rates un mot, va jusqu'au bout, on pourra corriger. »

Pour la troisième fois, la musique repart. Freddy se balance dans le rythme et mouline avec ses mains : « C'est moi Fab Five Freddy... » On le sent dans le tempo et il déroule la chanson jusqu'au bout. Bill se tourne vers moi :

« *The French will understand ?* »

Je ne réponds pas mais je pense : « Je crois bien que non. » Nous ne sommes toujours pas sortis de cette auberge du diable.

« Maintenant que tu l'as en bouche, dit Bill à Freddy, on refait tout de suite une nouvelle prise. »

Freddy, qui croyait déjà son affaire réglée, retrouve son arrogance :

« Écoutez, les mecs, il est presque minuit, j'ai travaillé toute la journée, je suis claqué, il va falloir que j'y aille. »

Bill le prend mal :

« Qu'est-ce que tu veux en plus, que je t'appelle un taxi ?

— Non, non, ça va, je vais refaire. »

Ann se dévoue une fois de plus pour lui relire les paroles et Freddy enfourche derechef sa musique hachée par les « u » et les « r ». C'est mieux mais ce n'est pas ça. Je sens que Bill commence à s'en désintéresser et qu'il juge cette daube irrécupérable.

« J'ai une idée, dis-je à Freddy pour le contraindre à une autre prise. Tu refais le texte en français et derrière tu fais une impro en anglais.

— OK », répond-il sans comprendre la ruse.

Il repart avec entrain :

« *The hip, the hop, the hip-hop word is a fantasy...* »

Les mots en anglais rebondissent bien mieux sur le beat et Freddy retrouve sa pêche de gamin. La version française s'en ressent, elle aussi : je la crois meilleure même si pour des Froggies tout cela restera un sabir.

Il est bientôt une heure du matin. Nous fignolons, un mot par ci, une phrase par là. Mais ce coup-ci Freddy en a marre pour de vrai : le voici de plus en plus mauvais, donc bougon. Nous lui appelons un taxi et restons travailler sur l'insatisfaisante ébauche.

Débarque Roger Thrilling, le manager de Bill, ami de Richie Sakamoto et James Blood Ulmer, un érudit musical qui parle couramment français. Nous lui faisons écouter la chanson de Freddy :

« Même en mixant la voix très en avant, il abîme trop de mots et ça crée une impression de confusion. »

Roger conclut : « Ça ne marchera pas. »

Que puis-je répondre ? Comment sauver une histoire aussi mal engagée ? J'attends, résigné, le coup de grâce de Bill Laswell qui, visage fermé, lance :

« Et la fille ?

— Quelle fille ?

— Celle qui a fait bosser Freddy. »

Bill ignore qu'Ann est ma femme.

« Elle a un joli timbre, remarque Bill. On devrait essayer avec elle. »

Aussitôt dit, je pose la question à Ann qui, comme on pouvait le prévoir, rechigne puis finit par accepter.

Elle s'y reprend deux ou trois fois pour rapper le texte dans son entier. Basculant de la première à la troisième personne – « c'est lui Fab Five Freddy... » – elle est parfaite.

Dithyrambique, Roger répète : « *She's great, she's great.* » En réécoutant, Bill montre un petit sourire. « Ann sonne sexy, ajoute Roger, et là, on comprend ce qu'elle dit. » Quel soulagement ! Je nous voyais scotchés à vie dans cette maudite auberge. Reste à trouver un nom pour Ann.

« B-Side, dit l'un.

— Pourquoi pas ? dit l'autre, après tout c'est vrai, elle fait la face B du disque de Fab Five Freddy. »

Ouf ? Non, pas encore. Nouveau souci : « La chanson n'a pas de fin et se termine en queue de poisson », souligne Bill le cruel.

Il ne me lâchera pas. Pourtant, cette déficience va ouvrir une destinée singulière à notre morceau « Change the Beat ». Autant le reconnaître, je suis responsable de cet énième loupé. J'ai écrit ces paroles sans songer à la structure précise d'une chanson. Comme pour tant de ratés, la technologie va nous sauver.

« Vous n'avez qu'à finir avec une phrase au vocoder », propose Martin, l'ingénieur de Bill. Le vocoder permet de jouer de la voix comme d'un synthé. Au vocoder, on peut fabriquer des voix de robots, d'extraterrestres ou d'oiseaux maléfiques. Depuis quelques semaines, l'outil fait un tabac dans l'univers hip-hop, on entend des « *hip-hop don't stop* » version guerre des étoiles à chaque coin de rue de New York.

« *This stuff is really fresh* », dis-je par hasard. Bill saute sur la phrase :

« C'est ça. » Voilà comment ces cinq mots vont conclure ce laborieux enregistrement. *Fresh*, encore un mot hip-hop en train de se tailler une bonne place dans le vocabulaire des New-Yorkais. Ce *fresh*, arrivé là inopinément, va transformer « Change the Beat » en disque culte.

Le responsable de ce succès n'est autre que DST qui le premier, sur le disque *Rock it*, a eu l'idée de scratcher ce fameux *fresh* de « Change the Beat ».

De Djakarta à Abidjan, de Los Angeles à Francfort, dans les street-party, dans les clubs, pendant des dizaines d'années, chaque deejay hip-hop l'a imité. Ils possèdent tous une paire vinyle de « Change the Beat », le classique absolu du scratch.

En rentrant de Brooklyn au petit matin, j'étais à mille lieues d'imaginer l'étrange trajectoire de cette chanson. En fait, j'étais inquiet. Comment Freddy allait-il réagir à cette face B qui lui échappait et ne ressemblait en rien à l'habituel mix instrumental ? J'avais tort : Freddy se révéla un brave type et prit

B-Side à la bonne. Il accepta tout à fait que sa copine chante avec lui sur le disque.

Ça roule, nous avons les cinq disques, l'accord de Bambaataa, Blue ne s'est pas engagée mais je sens qu'elle va le faire et par Maneval et Bueb, j'ai les moyens de ma tournée européenne.

Qui fera partie du voyage ? Combien de temps durera l'expédition ? Là, nous entrons dans la phase des négos.

Nous parlons d'argent et cela se corse. Un jour, je veux même annuler et tout laisser tomber. Je me souviens d'une réunion chez moi, des heures de palabres... Y participent DST, ses rappeurs, Futura, Rammellzee, Bambaataa, Phase Two et enfin Fab Five Freddy, le plus dur en affaires. Il y a aussi Jean-Michel Basquiat qui, sans intervenir, veut nous suivre à ses frais sur deux ou trois dates. Jean-Michel est déjà une star. Il a produit un single culte pour Rammellzee, un rappeur et un peintre ovni dont il prend les intérêts très à cœur.

Freddy et moi, nous traînons un petit contentieux financier. Il me réclame une rallonge sur « Change the Beat ». Je lui trouve du toupet. Du coup, il décide de se montrer intransigeant sur les cachets de la tournée. J'excelle dans le mauvais rôle, celui du producteur cupide : nous nous déchirons dollar par dollar sur le montant des cachets et des défraiements. Je ne peux pas lâcher plus de cent cinquante dollars par jour[1], les autres veulent plus. Cela traîne depuis des heures quand je fais ma gaffe, un mot malvenu qui m'échappe :

« *Freddy, Yo boy...* »

Yo Boy, l'insulte ! *Boy* à un artiste black ! Dans l'univers hip-hop, on ne joue pas avec le respect. Là, à voir leurs mines ulcérées, je comprends que je viens de les replonger dans l'ère obscure du KKK. DST recolle les morceaux, il se moque de moi, de mon anglais. Il avait raison, « *My man*, le Français, il pige rien... » Voilà ce que je n'avais pas saisi : dire *boy*, ça vous rétrécit un homme.

L'ambiance se détend, Freddy oublie et pardonne. Nous finissons par nous entendre sur le fric. J'ai aussi convaincu Blue de

---

1. Environ 450 euros en 2013.

participer à l'expédition. Elle m'accompagnera à Paris avec Futura pour régler les derniers détails de la tournée européenne.

Durant ce voyage promo qui ne dure que quatre jours, Sydney nous interviewe dans son émission de rap sur Radio 7.

« Salut les frères, crie Sydney, salut les sœurs ! »

Curieux, il trouve un équilibre entre le ringard et le smart. Je saisis que le hip-hop a déjà un pied à Paris – favorable augure pour la tournée.

Europe 1 me garantit que la station choisira « Change the Beat » comme disque de la semaine.

Dès les premiers passages, le standard d'Europe s'engorge : les auditeurs outrés demandent le retrait immédiat de cette flagrante obscénité. Comment peut-on prononcer le mot *bite* à une heure de grande écoute ? La station retire aussitôt cette cochonnerie supposée qui ne se doit qu'à l'inculture et à la méconnaissance françaises des langues étrangères. Moi, j'en suis pour mes frais, mes rêves au fond du trou. J'espérais faire mon premier tube, et en France ! J'avais tout monté pièce par pièce, soupesant chaque condition tel un Hannibal du show-biz, tout sauf ce monstrueux détail : qu'à l'époque, fin 1982, la France ne parle pas encore le vrai franglais.

Nous imprimons nos affiches, nous réservons les hôtels, les bus, le ferry pour Londres, nous programmons un passage sur FR3, l'émission « Mégahertz » de Maneval, tout ce qui fait la base du métier de promoteur. Au cœur de cette frénésie, Futura trouve le temps de rencontrer la femme de sa vie, CC, initiales qui voudraient sonner comme celle de BB pour Brigitte Bardot. CC travaille à Europe, assistante de Maneval, elle ne parle pas un mot d'anglais, elle vient de Saint-Tropez et traîne une pointe d'accent du Sud qui lui donne une touche de soleil. Elle promène des décolletés renversants et elle n'apprécie rien tant que de surprendre un regard gêné sur ses seins généreux : « Surtout n'écoute pas ce que je dis et ne me regarde pas dans les yeux. »

Le grain de sa voix, ses courbes, sa démarche arment une sensualité méditerranéenne qui hypnotise Futura. Le New York City Rap Tour démarre par un coup de foudre.

XXI

Blue et sa colonie de vacances

Faut-il rajouter de l'acrobatie et du saut à la corde ? –
« Non madame, votre fille ne court aucun risque. » – Ces
gens-là n'ont pas de passeports – Pour la sécurité, un seul
costaud, mais un vrai – Baston CBS-MTV – Le hip-hop
décroche le média qui le sort du ghetto – Ann s'éloigne

Qu'est-ce qui lui prend ? Blue veut embarquer les Double
Dutch Girls dans la tournée. Je m'inquiète :
« Tu vas transformer le tour en colonie de vacances ! D'abord,
qu'ont-elles à voir avec le hip-hop ? »
Ma charmante Anglaise ne sort pas de là : les Double Dutch se
produisent sur scène, elles mêlent acrobaties et saut à la corde.
J'objecte :
« Elles sont mineures.
— So », répond Blue sur un ton pincé.
Je tente un autre argument :
« OK, leur show est typiquement new-yorkais, mais leur spec-
tacle tient plus du patronage que de la street party. »
Blue ne veut rien entendre. Les raisons de cet acharnement,
je les comprendrai plus tard, au moment de la sortie du clip de
Malcolm McLaren, le manager ami de Blue. Dans son album, il
mélange les danses country des Buffalo Girls et l'urbain des
Double Dutch.
Je ronchonne :
« Encore du concept de maison de disques, coco ! » Mais en
matière de musique et de bizness, les Anglais ont toujours un

coup d'avance. Blue est anglaise, elle a donc raison. Ce coup-là réussira. Je cède. Nous embarquons les Double Dutch, la colonie de vacances.

Blue se voit contrainte de faire le tour des parents des Girls, classe moyenne Bronx ou Brooklyn, pour obtenir une autorisation contre quelques promesses hypocrites. Je l'ai fait en d'autres circonstances, je sais combien il est désagréable d'expliquer à une mère que sa fille ne court aucun risque alors que vous en doutez vous-même.

Parmi les derniers préparatifs, la course aux passeports. Sur les trente impétrants, vingt ne sont jamais sortis d'Amérique et une dizaine de New York. Autant se le dire : ces gens n'ont pas de passeport.

Blue en devient cinglée : elle regarde ses nouveaux amis. Il s'agit de gamins à la tête en l'air, toujours en retard et qui vous jurent de s'occuper de leur passeport alors que vous les retrouvez devant un jeu vidéo. Et les papiers indispensables ! Vous croyez qu'il est aisé de retrouver votre extrait d'acte de naissance dans une famille du Bronx qui a déjà déménagé dix fois ? Blue s'arrache les cheveux : elle les accompagne, prend une assistante pour les gérer, dirige les opérations, surveille chacun. Il y eut quelques cabrioles limite. Des passeports obtenus la veille du départ, dont ceux des Double Dutch, un autre le matin même – suspense jusqu'à la dernière minute.

Autre point délicat, la sécurité. Nous avons une solution qui se nomme Willie : cent trente kilos, deux mètres, un Black qui pige au Roxy. Il possède l'avantage de connaître déjà nos danseurs, nos rappeurs, nos graffeurs, presque tous les participants de notre tournée.

Un seul costaud, cela va-t-il suffire ?

J'ai tendance à le croire, à l'inverse de Blue qui tente de se rassurer :

« Je les connais, nos lascars, turbulents, impulsifs, ça ne manquera pas, il arrivera qu'un jour, ils se foutront sur la gueule. Là, moi je n'en vois qu'un qui puisse les séparer sans trop de casse, c'est Willie. Parce que personne n'oserait discuter avec un gabarit de ce modèle. »

Alors que nous préparons avec fureur notre campagne euro-péenne, l'Amérique de la musique traverse une énième muta-tion : la révolution MTV. Cette chaîne diffuse des clips vidéo vingt-quatre heures sur vingt-quatre depuis qu'elle existe, 1981. Si la première année l'exercice s'est avéré déficitaire, la ten-dance se renverse en quelques mois, une audience en plein élan et des bénefs à la hausse. Le triomphe est si massif que le prési-dent de la chaîne, Robert Pittman, jeune entrepreneur yuppie, ne se tient plus et déclare :

« Nous ne ciblons pas les ados, nous les possédons. »

Pittman le sait : les ados de l'Amérique profonde, comme ceux des villes branchées de l'Est et de l'Ouest, vivent scotchés sur MTV.

S'engage l'une de ces bastons qui rythment l'histoire des États-Unis. Walter Yetnikoff, président de CBS, exige que MTV diffuse les vidéos de son artiste vedette, Michael Jackson, et surtout celle d'une chanson intitulée « Thriller ». Pittman refuse. MTV est une chaîne rock et rock, dans le langage du show-biz américain, se traduit par blanc. À l'époque Michael Jackson est encore noir.

Yetnikoff, ce n'est pas rien. Patron de boîte de disques à l'ancienne, il renifle des tonnes de coke, boit des hectolitres d'alcool, fréquente toutes les cliniques de désintox. Ce Juif de Brooklyn, découvreur de talents, multiplie les signatures de prestige, Jagger, Bruce Springsteen, McCartney, Barbra Streisand... En 1982, MTV s'impose comme le passage obligé de l'industrie musicale.

Depuis qu'il occupe les fonctions de président de CBS, Yet-nikoff a quadruplé le chiffre d'affaires de sa société. Il a aussi favorisé le rachat de CBS par Sony. Businessman puissant, aty-pique et craint, il accumule les réussites spectaculaires. Il n'hésite pas à menacer Pittman : si MTV ne cède pas sur Michael Jackson, CBS interdira à la chaîne toute diffusion d'un artiste de son catalogue. Musique noire ou pas, Pittman ne résiste pas longtemps. Pour une fois, c'est le dollar qui met fin à une discri-mination raciale. Yetnikoff va recevoir sa récompense : *Thriller*, l'album de Michael Jackson, reste aujourd'hui encore la plus grosse vente de l'histoire du disque. Cette réussite sera suivie par Prince, Lionel Ritchie, Whitney Houston et d'autres. Mais surtout, grâce à M. Yetnikoff qui ne le sait pas encore, le hip-hop vient de décrocher le média qui le sortira du ghetto.

Moi qui crois avoir quitté le monde de l'adolescence depuis quelque temps, je termine pas mal de nuits hypnotisé par MTV, à mater seul des vidéos. Ces derniers temps, Ann et moi, nous nous croisons. Les portables n'existent pas. Je cours entre ma *funkroom*, mes rendez-vous avec Blue, cette tournée qui s'organise. Ann, elle, vit une autre vie, la boutique Agnès b., Jackie, son pote black, petit ami de l'artiste photographe Robert Mapplethorpe, Jean-Michel Basquiat qui adore sa chanson.

Il n'existe que quelques gestes, toujours les mêmes, pour qu'un couple se constitue, la boîte ou le restaurant, la main que l'on saisit puis que l'on caresse, le premier baiser ; en revanche, on connaît mille et une façons originales de se séparer. Ma rupture avec Ann se fonde sur un quiproquo inattendu, chacun découvrant qu'il n'a jamais compris l'autre, ses ambitions, ses désirs, ses désintérêts.

Ann n'a jamais rêvé d'être chanteuse, encore moins de s'appeler B-Side et de rapper. La voici à la pointe du cool, star underground sans même l'avoir souhaité. Je la crois au comble du bonheur alors qu'elle pense me rendre service. Pour ses potes, je suis un producteur. Même s'ils me trouvent sympa, ils me voient comme le mec de la maison de disques qui, comme le veut le préjugé, ne rêve que de les arnaquer. Je réaliserai plus tard qu'Ann elle-même se demande parfois si je ne la manipule pas. Elle se sent exploitée.

Pris dans nos vies qui s'écartent, nous n'avons pas le temps de nous expliquer.

Je lui propose sans flamme de m'accompagner dans la tournée. Le désire-t-elle ? Je n'en sais rien. Nous terminons sur un accord foireux : elle me rejoindra, peut-être.

Au Roxy, le dernier vendredi avant le départ, j'aperçois Madonna. Elle s'approche :

« Alors, ça marche, tes disques de rap ?

— Il y en a un ou deux que je vois bien cartonner.

— Moi, dit Madonna, mon single est en rotation et mon album sort dans une semaine.

— Alors, tu vas réussir.

— Ouais, y a pas de doutes. Dis-moi, lequel de nous deux sera millionnaire le premier, Beurnard ? Toi ou moi ?

— Toi, Madonna, et tu le sais bien.

— Pourquoi moi ?

— Parce que tu le veux plus. »

Nous sommes fin 1982.

XXII

Le New York City Rap Tour

Stupéfaction : les Noirs français parlent en français – La troupe
horrifiée par des œufs mayo – Au pays de la bavure –
Un fiasco – Freeze déclenche l'hystérie – Deux mille kilomètres
en six jours – Amours inattendues – Un baiser parfait –
Dangereuse bagarre – Les New-Yorkais terrorisés –
Les folies du Palace

Le New York City Rap Tour démarre par une ruse. Blue, qui
connaît ses loustics, leur donne rendez-vous au Roxy à neuf
heures du matin comme si l'avion devait partir avant midi. Bien
lui en a pris : à l'heure dite, il n'y a que la moitié de la troupe,
qui va râler d'avoir à attendre jusqu'au soir. L'avion ne décolle
qu'à dix-neuf heures. Le reste arrive par paquets dans le plus
grand désordre, mais personne ne manque à l'appel et tout le
monde a son passeport.

À l'arrivée, à six heures du matin, Paris a sa tête de novembre,
grisaille, bruine et petit vent désagréable. Un bus marqué du
logo d'Europe 1 nous embarque et là Freddy a une merveilleuse
et généreuse idée. Il sort son marqueur et, sur le bus, tague son
nom Fab Five Freddy. Dans sa tête c'est un superbe cadeau
d'artiste. Sans hésiter, son pote Dondy signe aussi et graffe avec
entrain. Futura s'apprête à enchaîner quand surgit un gros
monsieur rougeaud qui glapit :

« Ça va pas, non ? Arrêtez de saloper mon bus ! »

Mes amis new-yorkais regardent cet indigène sans
comprendre.

193

« Dis donc, s'étonne Freddy, les Français ne sont pas encore connectés à l'art moderne. »

Le bus démarre. La troupe hésite entre l'excitation, la découverte de l'Europe et la somnolence des décalages horaires. Arrivé vers la porte de Bagnolet, le chauffeur s'interroge sur l'itinéraire et questionne un habitant d'origine antillaise.

« L'hôtel Ibis de la porte Bagnolet, siouplait ? demande le chauffeur.

— La première à gauche, la bretelle, c'est juste après le périph. »

À la stupéfaction de nos amis blacks américains, les Noirs français parlent en français et le bus tout entier retentit d'une clameur d'étonnement :

« *The Nigger is speaking french !* »

Une fois installé à l'Ibis dans l'aimable désordre d'une colonie de vacances, le bus nous emmène déjeuner à Europe 1. La cafétéria d'Europe, au sous-sol, est fréquentée par des salariés qui voient arriver avec inquiétude cette bande de Latinos et de Blacks très jeunes, bruyants et peu portés sur les mœurs de table.

Pour commencer, les Américains ne comprennent rien à ce qu'on leur propose dans des petits plats exposés sur des étagères, camembert, carottes rappées, œufs mayo, rosette de Lyon, poireaux vinaigrette, viandes en sauce, pour eux, ce n'est pas de la nourriture. Ils crient, mettent les doigts dedans, « qu'est-ce que c'est que ça ? », « mais regarde ce truc ». Les gens d'Europe 1 sont scandalisés par si peu d'éducation.

Les Américains, alors qu'ils se croyaient invités, s'aperçoivent en outre qu'il leur faut payer. L'un d'eux s'écrie :

« *Let's get some real food*, de la vraie bouffe. En passant, j'ai vu un Burger King sur les Champs-Élysées. »

Griveleurs inconscients, ils fuient la cafétéria dans la pagaille et se précipitent aux Champs.

Entre mon disque retiré de l'antenne pour obscénité et cette première prise de contact entre les Américains et Europe 1, je me dis que les rapports avec les sponsors ne vont pas être simples. Les Américains sont remontés comme des coucous lorsque Mister Freeze leur rapporte qu'un des employés de la cafet' les a traités d'animaux. Comment l'a-t-il compris ? Mister Freeze a pour particularité de parler français. Pour la bonne raison qu'il est français. Il en rajoute en expliquant :

« Faites gaffe avec les flics, ici, si vous ne répondez pas, ils vous tirent dessus. Nous sommes au pays de la bavure. »

Mister Freeze, parmi les New York City breakers, tient une place à part : il danse debout, c'est un B-boy, adepte du mime Marceau. Il a inspiré le Moon Walk de Michael Jackson. On le surnomme Pocahontas, la princesse indienne de Disney, parce qu'il rougit de sueur sur scène. Son père est un Juif allemand planqué en France sous l'Occupation, arrêté et livré aux nazis. Il s'échappe avec un camarade qui a pu acheter un gardien puis se fait dénoncer par un concierge, s'enfuit, réussit à quitter l'Europe et s'installe en Amérique avec la femme qu'il aime, Juive française, la mère de Mister Freeze.

Lors de notre retour à l'Ibis, je trouve un message de la direction qui veut me parler :

« Nous avons reçu un colis. Est-il destiné à quelqu'un de chez vous ?

Je ne reconnais pas le nom de l'individu à qui s'adresse cette lourde et volumineuse enveloppe et me prépare à répondre non. Mais pris d'un doute, je réalise que je ne connais pas le vrai nom de Mister Freeze, Freeze bien entendu n'étant qu'un pseudonyme. Je décide d'ouvrir l'enveloppe, une grêle de balles se répand sur le sol : il s'agit d'une arme de poing qu'avait commandé Mister Freeze. L'employé de l'hôtel, stupéfait, me regarde sans y croire ramasser les munitions.

Je vérifie. C'est bien Freeze le destinataire et quand je somme l'inconscient de s'expliquer, il répond sans aucune gêne :

« Ben oui, c'est pour me protéger. »

Sentant que j'envisage de le renvoyer à New York, il n'insiste pas. Je confisque l'arme et nous convenons de la rendre à l'expéditeur. Celui-ci viendra la chercher à l'hôtel.

Le lendemain, notre premier concert se tient au Bataclan. Malgré les affiches et la pub sur Europe 1, ce n'est pas la ruée sur les locations. Blue s'inquiète :

« Tu crois que les Français vont saisir le truc ? C'est une fête, une party, pas un concert. »

Je ne sais quoi répondre. Ce qui me semblait évident dans la fournaise du Roxy m'apparaît tout d'un coup plus incertain. Dans le bus qui traverse le centre de Paris pour aller au Bataclan, Donna Lee, la prof qui donne des cours particuliers aux Double Dutch et aux B-boys mineurs, tente sans succès de recruter pour une visite au musée du Louvre. DST lui répond qu'il préférerait serrer la paluche du bossu de Notre-Dame plutôt que de traîner dans les musées.

Pendant la balance, où l'on s'assure de la qualité du son, tous s'activent. Les Double Dutch s'entraînent à sauter à la corde, les Rocksteady Crew décident qu'ils danseront dans la salle et pas sur scène, DST panique les ingénieurs du son avec ses scratchs. Phase Two, qui vient de répéter quelques couplets de sa chanson, m'accoste en quête d'un chaperon pour faire du shopping :

« Tu veux t'acheter des sapes ?

— Non, tu te fais braquer dans le Bronx si t'es trop bien habillé. Tu sais pas où trouver un appareil photo ? »

Futura m'affirme que Mick Jones des Clash viendra ce soir jouer sur son morceau. Ça me rassure, je me dis que si on ne fait pas le plein avec le rap, les Clash rempliront la salle. Erreur, les pubs d'Europe 1 n'ont pas d'effet sur les quartiers, pas d'Internet, pas de buzz, le Bataclan est loin d'être bondé. Pour l'ambiance aussi, c'est un fiasco. Les Parisiens ondoyants critiquent le show comme s'il s'agissait d'un concert. La folie des vendredis du Roxy ne renaît pas ainsi sur les boulevards de Paris.

La salle n'a connu que deux frissons, celui des scratchs de DST et lorsque les Rocksteady ont déboulé dans la salle. Les craintes de Blue s'avèrent fondées. Pour la plupart, les gens étaient venus assister à un spectacle, non participer à une rap party. Paris accueille le hip-hop à l'avance, il croit s'en lasser plus vite encore.

« Il y a un type qui m'a demandé s'il pouvait aller à New York pour s'inscrire dans une école de breakdance », raconte Crazy Legs, le président du Rocksteady Crew, qui vient de fêter ses seize ans. « Il ne m'a pas cru quand je lui ai dit qu'il fallait apprendre tout seul. »

Après le restau, le bus prend la route de Londres. Nous avons prévu d'embarquer sur le ferry de six heures du matin. Tout le monde s'endort, bercé par la musique du ghetto-blaster de Bambaataa.

À Londres, fatigué par le voyage, nos amis filent vers la bagarre. Une insulte, des bourrades, des hurlements, des projectiles, Willie lui-même semble dépassé. Ça tourne vite à l'affrontement général. Le directeur de l'hôtel, qui avait peur de nous dès le début, veut nous virer. Puis la castagne s'arrête aussi brusquement qu'elle a commencé.

Comparé au Bataclan, le Venue ressemble à une boule de feu. La moiteur de l'air ne trompe pas : ici les gens dansent.

« Ça booggie sec, chez nous », s'amuse Blue.

Des grappes s'agglutinent autour des platines de Bambaataa. « *They really want to party here* », lance Rammellzee.

Pour les New-Yorkais, Londres s'esquisse comme la revanche du Bataclan. « *Throw your hand in the air* », s'époumonent les rappeurs. Les bras se lèvent, les cris fusent : le *juice* ! Le juice, voilà l'essence du hip-hop, son énergie. À Londres, le juice va et vient des rappeurs aux clubbers. Freeze, l'homme automate, déclenche l'hystérie. Il règne sur l'illusion. La foule du Venue le regarde sans comprendre. Il danse en trompe-l'œil, comment est-ce possible ? Il maîtrise tous ses effets, cassette humaine au ralenti qui d'un coup s'accélère. Il marque le beat avec des battements de cœur. Son corps est un orchestre dont les mouvements décrivent une mélodie. La foule a beau le scruter, il lui échappe. Ce soir, le Venue découvre la danse du popping et les Anglais n'en reviennent pas.

DST envoie la musique : Jackson 5 et puis du « good time » avec la guitare de Nile Rodgers, et « Rocking it » de Fearless Four. Virevoltent Take One, Crazy Legs et Frosty Freeze, chaque danseur se surpasse et la foule reste sidérée par la vitesse de ces toupies humaines qui tournent sur la tête. On n'avait jamais vu ça. Le hip-hop donne le tournis à Londres. Dans le bus qui nous ramène à l'hôtel, chacun se raconte la soirée, Dondy a même vendu le tableau qu'il peignait pendant la fête. Je me dis que la nuit va être bruyante.

La direction furieuse n'a pas renoncé à nous virer et nous demande de débarrasser les lieux aussi sec. Il est cinq heures du matin. Dans les couloirs, on entend des cris, des gloussements de filles, de la musique. Avec Blue, nous faisons le tour des chambres, les bruits cessent, nous parvenons à calmer les clients réveillés. La direction de l'hôtel renonce à appeler la police.

Le retour à Paris paraît plus court, l'humeur est plus légère. « Taisez-vous ! hurle DST qui tente de mettre fin aux chahuts, les filles veulent travailler. » Dans le bus, c'est à qui se montrera le plus sérieux, le plus protecteur avec les Double Dutch. Les B-boys s'investissent dans la fonction de grands frères. Ils surveillent leur langage, leurs manières, on entend moins de gros mots, moins de « *fuck* ».

Télé, radios, journaux, chacun se répartit les rendez-vous de la promo. Le rap fait son chemin, on raconte qu'une nation zouloue française va se créer, on apprend que nos cinq disques se vendent bien, bon signe avant la soirée au pavillon de Pantin, une salle qui se trouvait à l'emplacement du Zénith actuel et qui pouvait contenir dix mille personnes.

Cette fois, l'info a circulé, de nombreuses dégaines hip-hop parsèment le public et sur scène, les New-Yorkais ont repris de l'assurance. Mais nous n'avons pas vendu plus de trois mille places et Pantin sonne creux.

Le lendemain, le bus arrive à Strasbourg en fin d'après-midi. Le chauffeur se bat avec ses essuie-glaces et nous tournons en rond, incapables de rejoindre Futura qui nous attend à la Fnac pour le vernissage de son expo. À l'époque, les voitures avaient encore accès au centre-ville et dans le bus englué dans les embouteillages, tout le monde s'agace. Les New-Yorkais se montrent excédés par la longueur des trajets et les nuits sans sommeil. Nous frôlons les deux mille kilomètres en moins de six jours : concerts, tournées des boîtes et fiestas dans les hôtels rendent les réveils de plus en plus pénibles. Par souci d'économie, nous avons trop chargé l'emploi du temps et une révolte gronde du fond du bus.

Ils en ont marre des plats français sans frites ni ketchup, ils en ont soupé de la visite de l'Europe en bus, New York leur manque.

La journée de repos strasbourgeoise va-t-elle me sauver ? Nos hip-hopers ont quartier libre après le vernissage. Mais pour le moment, égarés dans ce centre-ville, labyrinthe gothique menaçant, à l'arrêt sous la pluie, essuie-glaces défaillants, cette tournée devient une plaie et leur ressentiment pourrait se tourner vers l'individu qui les a jetés dans cette galère : moi.

Par la vitre ouverte du chauffeur, qui sort la tête tel un vieux coucou toujours en bataille avec ses essuie-glaces, j'aperçois une silhouette qui me renvoie à ma librairie dijonnaise. Nos regards se croisent. Elle comme moi, incrédules, nous doutons.

La fille a les cheveux et le visage ruisselant, je la reconnais : Colette, une de mes clientes qui suivait des études de documentaliste à Dijon. Elle vivait avec Christophe, un critique d'art de la bande qui montait les expos au-dessus de la librairie. Que fait-elle à Strasbourg ? Je fais ouvrir la porte du bus, elle grimpe. Colette sera mon sauveur.

« Tu peux nous aider à retrouver la Fnac ?

— C'est juste là derrière, à vingt mètres. »

À la Fnac, le sourire revient chez les New-Yorkais, coupes de champagne à la main, entourés de belles Strasbourgeoises avides de découvrir les secrets du hip-hop et du graffiti.

Je comprends la présence de Colette : elle s'est inscrite à l'école de journalisme de Strasbourg, l'une des plus renommées. Foin de ma vanité, elle ignore tout de notre concert et de l'expo : le hip-hop n'a pas encore retourné l'Alsace. Colette est une fille peu loquace, quitte à se transformer en bavarde dès qu'elle se trouve en tête à tête. Elle a un look d'héroïne de David Lynch. Sans nulle tentative de séduction d'elle ou de moi, je sens une évidence : nous sommes ensemble.

Francis Bueb, l'homme de la culture à la Fnac, organisateur des festivités, n'a comme d'habitude pas lésiné sur le luxe. Il nous invite dans le plus gastronomique des restaurants strasbourgeois.

Je connais le fâcheux comportement de mes troupes dans les grands restaurants. Je m'entends avec Bueb et libère la plus grande partie de la bande. Je garde Blue, Freddy, l'homme des tables chics de Manhattan, Futura, le globe-trotter, Colette bien sûr et David Hershkovits, le journaliste du *Daily News* qui suit la tournée et prépare un grand article pour son hebdomadaire.

J'ai oublié les plats admirables que nous avons honorés mais jamais l'exceptionnel gewurztraminer vendanges tardives 1971.

Colette se tient devant moi près de la piste de danse. Je passe ma main dans ses cheveux, elle tourne la tête. Je l'embrasse d'un baiser parfait qui nous absorbe entièrement comme celui de ces jeunes amoureux que l'on voit dans la rue. Nous sommes dans une boîte branchée où Bueb nous a entraînés pour finir la nuit.

Le lendemain, au moment où je dois quitter la chambre, Colette dort nue sur le ventre, les fesses relevées. Le jour traverse les persiennes. Je dois y aller, je ne bouge pas, je reste sur cette image, je rêve d'arrêter le temps.

Au moment où se produisent ces instants de privilège, je sais déjà que cette vision m'accompagnera tout le long de ma vie dans sa chaste indécence.

Le soir, nous commençons le concert avec une heure de retard. La salle, irritée, réclame. Les Américains en deviennent agressifs. Hors l'énorme Willie, il n'y a pas de sécurité.

C'est pendant la performance des Double Dutch que l'affaire va exploser. Au départ, des gamins des premiers rangs balancent quelques canettes de bière sur les filles qui sautent à la corde.

Dans la troupe, chacun se sent le protecteur des Double Dutch : pas question de toucher aux petites filles. Fab Five Freddy attrape le micro :

« Qu'est-ce que vous croyez! Ce n'est pas un putain de concert de punk rock. Nous sommes du Bronx et ce genre de merde, ça ne passe pas chez nous. »

Futura fait tournoyer sa ceinture à énorme boucle. Quelques B-boys ont rempli des sacs de bombes de peinture avec lesquelles ils vont frapper comme avec des fléaux d'armes. DST a brisé une bouteille. Tous se jettent sur le petit groupe bien repéré qui a offensé les Double Dutch. DST se coupe lui-même avec sa bouteille. Il a attrapé un petit gars d'Afrique du Nord et lui martèle la tête contre un mur. J'interviens pour les séparer, voyant déjà les titres des journaux alsaciens : « Concert Fnac : un mort. »

Plus tard j'en rirai : DST et sa victime se retrouvent tous les deux aux urgences, DST avec six points de suture.

Les trois ou quatre coupables cognés, Bambaataa relance la musique, la tension tombe, la party reprend.

À la sortie, c'est tout autre chose. En Amérique, dans une histoire pareille, les gamins iraient chercher des bandes dans leur quartier qui auraient massacré les New-Yorkais.

Ceux-ci, persuadés que ce sera leur sort, sont terrorisés. Ils ont peur dans le bus, ils ont peur à l'hôtel et voudraient s'enfuir illico de Strasbourg, là, en pleine nuit. Je réussis à les calmer.

Le tour se retrouve à Mulhouse, sage party dans une salle de cinéma. Futura, Rammellzee et Freddy n'arrivent pas à se faire servir dans les restaurants parce qu'il est trop tard. À Belfort au contraire après le show, la boîte du coin organise une fête, bière à 35 francs. Nos amis jouent les flambeurs, Dondi, qui a vendu sa toile à Londres, offre une bouteille de champagne à 400 francs, Futura en fait autant mais le serveur refuse la commande d'un troisième B-boy parce qu'il est mineur.

Le Palace à Paris, c'est la boîte qui a le plus approché la folie du Studio 54 à New York. Pour la première fois, homos et hétéros faisaient la fête ensemble, les jeunes fauchés stylés et les fils de riches, des vamps tout en rondeurs sur de hauts talons et des androgynes envoûtants. On y croisait des punks louches et les derniers hippies flamboyants, des pubars, des journalistes et des animateurs de radios libres que Mitterrand vient d'autoriser. La porte du Palace a consacré deux reines de la nuit, Edwige et Paquita Paquin. De retour à Paris, nous n'avions pas prévu de jouer au Palace et nous avons improvisé cette nuit. Les Américains, qui portent désormais un regard mitigé sur l'Europe, renâclent avant d'accepter. La salle est pleine, les gens sont là pour faire la fête, tout y est, le sexe et la drogue, les travées sombres sur les bas-côtés, le parquet noir, cette cohue alcoolisée au bar et ce théâtre, le Privilège, lieu réservé où ne sont admis que les VIP.

Pour les Américains, c'est Paris tel qu'ils le fantasmaient depuis les États-Unis : enfin un grand voyage, une belle surprise. La party se révèle un feu d'artifice. Elle égale presque en folie le Roxy et nous vivons notre nuit la plus réussie du Tour. Rammellzee, rappeur inhabituel au flow très particulier, triomphe.

Paris lui aussi a son juice. La toute fin de soirée s'avère moins drôle : nous avons bien du mal, Blue et moi, à remettre la main sur l'ensemble de la troupe alors que l'avion pour New York décolle à dix heures du matin.

XXIII

Tout s'invente au Mudd Club

Le New York du rap accourt dans ma *funkroom* – Une occasion manquée – Peut-on vendre Mathématiques Modernes à un vieux Black ? – Un instant de bonheur qui file entre les doigts – Ma vie sociale prend de l'altitude – Maripol, renifleuse de talents – Fin du disco – Samo le fauché devient Basquiat – Madonna est un cas

Si mes voisins de bureau, les rats et les souris de la *funkroom*, n'ont pas déménagé, le statut de Celluloïd a pris une tout autre ampleur. Intrigués par notre tournée européenne, le New York du rap accourt, deejays, promoteurs, producteurs nous proposent avec insistance leurs services. Une certaine suffisance nous guette, Karakos parle et rit fort, je joue les submergés stressés. Lorsque Rick, un ado blanc à bonnes joues, trois boutons d'acné et le cheveu gras, pousse la porte de mon bureau avec une assurance qui m'étonne, je le regarde avec une sympathique condescendance :

« Vas-y dépêche, j'ai pas trop de temps. »

À ma surprise, il réplique : « Cent dollars, pas plus, et je te produis un disque.

— Quel disque ? Ça ne marche pas comme ça, tu sais ? »

Je me prends pour un vieux loup du show-biz alors que je n'en suis qu'un touriste :

« Je te rappelle. »

C'est bien la formule universelle lorsqu'on veut voir quelqu'un sortir de son bureau. Je n'ai bien sûr pas rappelé ce naïf rêveur.

Rick Rubin s'en remettra : quelques années plus tard, il produira les plus grandes stars, Adèle, les Beastie Boys, les Red Hot Chili Peppers, dépassant les quatre cent millions d'albums.

Le téléphone de Karakos sonne en pleine surchauffe. Voilà qui le change, lui qui jusqu'ici se battait pour franchir l'obstacle de la secrétaire. De Tokyo à Munich, les maisons de disques intéressées par la distribution de notre musique pressent le vieux flibustier. Celui-ci se dit que son heure de gloire est arrivée et garde l'obsession de prendre le système à contre-pied. Il défie la grande distribution et les multinationales : il ne se vendra pas et veut rester indépendant. « Ces gens-là, dit-il, ne font que se gaver, ils ne courent jamais de risques pour défendre les musiques d'avant-garde. »

J'ai tout de même un doute. Un après-midi, dans la Celluloïdmobile, une Toyota bas de gamme achetée d'occasion, nous roulons vers Philadelphie. Des cartons pleins la malle, Karakos prétend vendre quelques dizaines de disques dans les petites boutiques, les Mam's and Pap's du quartier noir. Se servant de la notoriété de son rap, il veut en profiter pour caser ses artistes français. Je reste troublé de le voir, avec son anglais très approximatif, tenter de vendre Mathématiques Modernes, Métal Urbain et Touré Kounda à un vieux Black. C'est à la fois dérisoire et admirable puisqu'il croit toujours à ce qu'il a fait. On le sent en guerre contre les grandes boîtes américaines en se rêvant héros de la contre-culture.

De cette époque date l'un de ces instants de bonheur trop sublime pour ne pas vous filer entre les doigts. C'était un samedi matin de printemps, j'avais pris la Celluloïdmobile pour faire un tour. Je me suis arrêté à Time Square afin d'y chercher un café. Le quartier, qui la nuit grouille de noctambules et de touristes, se vide le matin, surtout un samedi.

Je rentre avec mon gobelet dans la voiture, je mets le contact et je m'accorde le temps de boire mon café trop brûlant. La radio est restée branchée sur WBLS, la station black numéro un en guerre contre Kiss FM. Le deejay prévient d'une voix suave :

« Vous êtes cool, vous êtes chez vous, c'est le week-end à New York City. J'ai une surprise pour vous, vous allez découvrir « *a sexy french song, B-Side, Change the Beat.* »

Aux États-Unis, les radios ne passent jamais de chansons en français. Mais là, j'entends :

« C'est lui Fab Five Freddy, détective privé… » ma fameuse chanson retirée de l'antenne en France.

La voix d'Ann sort de la radio. L'instant me touche au plus profond. J'aimerais arrêter le temps. Hélas, ces moments ne se photographient pas, ne s'enregistrent pas, ne se conservent pas. Je regarde ma radio comme si elle était vivante et je m'attends qu'à la fin, le deejay rejoue la chanson, espoir absurde. Je me demande : « Et Ann ? A-t-elle seulement entendu sa propre voix ? »

Dans les semaines qui suivent, « Change the Beat » va entrer sur les playlists non seulement de WBLS mais aussi de sa rivale Kiss. Je peux désormais l'écouter tous les jours : je ne retrouverai jamais la surprise et le bonheur de la première fois.

Sur la scène aussi, ma vie sociale prend de l'altitude. Ma condition passe de pique-assiette à VIP, je suis de tous les vernissages, les parties, les inaugurations. Les invitations encombrent ma boîte aux lettres et, sans retenue, je re-goûte au clubbing. Mais la nuit new-yorkaise a perdu de sa légèreté. La ville célèbre chaque week-end un nouveau genre de fête, sinistres celles-là : les veillées funèbres pour ceux qu'emporte le sida. Mon copain Haoui, le doorman poète, disparaît parmi les premiers.

Dans cette ambiance étrange débarque l'appétissante CC, le coup de foudre parisien de Futura. Elle atterrit, une petite surprise dans ses bagages : la voilà enceinte. Je vois bien que la nouvelle vie qui s'annonce inquiète l'orphelin Futura, habitué à jeter son argent par les fenêtres. CC, tout à son bonheur, ne doute pas de son peintre new-yorkais. Notre Parisienne baragouine un anglais de lycée avec l'accent du Midi, ce qui lui donne un charme fou. Maripol la Française l'initie aux méandres bohèmes de Manhattan.

Attention, sur la scène, Maripol tient un rôle cardinal. Renifleuse de talents et de tendances, elle a été une des nounous du

Mudd Club, a hébergé Basquiat dans son loft pendant des mois, imaginé enfin les looks de Madonna à ses débuts. Comme moi de Dijon, son histoire part d'une ville de province.

Maripol souvent dure, parfois belle, toujours fine, a fait les Beaux-Arts à Nantes. Elle s'appelle encore Marie-Paule le jour où elle tombe amoureuse d'Edo, un photographe suisse-italien richissime. Elle n'a pas vingt ans quand elle l'accompagne en reportage à New York. Venue pour trois semaines, elle reste neuf mois. Elle suit Edo en Italie.

À Milan, elle rencontre Fiorucci, lui ouvre son book.

« Tu me plais, dit-il. Je te donne un billet d'avion, de l'argent de poche, fais le tour du monde, ramène-moi des idées. »

Telle est la méthode Fiorucci. Madame Fiorucci fait la moue. Marie-Paule ne fait pas le tour du monde. Elle s'installe à New York, 54e rue, dans une énorme boutique : « Art Director » chez Fiorucci. Elle y crée ses premiers bijoux; elle rencontre les jeunes designers, elle les aide à percer. Elle devient Maripol. Elle travaille comme styliste pour Jean-Paul Goude, le directeur artistique qui va lancer Grace Jones bien avant d'organiser le bicentenaire de la Révolution de 1789 pour Mitterrand.

À la fin des années 1970, les gens écoutent encore du disco, mais l'on commence à croiser les premiers costumes étriqués de la new wave. Maripol a du tempérament. Volubile, expansive, elle sort toutes les nuits, copine avec Grace, John, Samo, Debbie, Kenny, encore de simples prénoms, tous ces traîne-savates qui attendent leur heure. Maripol a du nez et le met partout. Grace ? C'est Grace Jones. Debbie ? Comprendre Debbie Harry. La pochette de *Parallel Lines*, le disque le plus célèbre de Blondie, c'est Maripol. Deborah Harry, sex-symbol de l'Amérique des années 1970 finissantes, grossit et rentre dans l'ombre au moment où Madonna dévergonde les années 1980. Qui va produire le come-back de Debbie Harry ? John Jellybean Benitez, le premier producteur amant de Madonna. Ironique coïncidence, chassé-croisé ? C'est ça, la scène.

Samo passait des disques au Mudd Club, quelques 78 tours, des années 1940 de préférence. Un père haïtien, une mère portoricaine, il était beau, Samo, mais pas très sociable. Il parlait peu et dormait là, au club, dans un réduit. Il écrivait des poèmes qui parlaient d'amour et de la pauvreté du monde, mais pas dans un cahier : Samo les écrivait en gros sur les murs, tous les murs de Manhattan.

Quand le Mudd Club a fermé, Samo s'est retrouvé sans piaule. Maripol l'a accueilli. Elle faisait des bijoux, des croix, des épées, un style un peu rebelle. Ses affaires commençaient à marcher. Grâce à ses riches amis italiens, elle tourne un film autour de Samo : *New York Beat*. Le film sortira vingt ans plus tard. Ses amis, Rizzoli et consorts, voient leurs biens saisis par la justice italienne après un scandale financier. Un film, une crapulerie, des Italiens, c'est assez pour attirer l'attention sur Samo.

Quand un personnage commence à se faire un nom, les stratèges, mécènes et nez creux de la scène tournent vite autour de lui. Diego Cortez est de ceux-là, il balade, présente et lance. Diego Cortez décide donc de s'intéresser à Samo et l'emmène en Italie. À leur retour, Samo commence à vraiment dessiner. René Ricard, le critique d'art le plus respecté, tombe sur un de ses dessins griffonné sur du papier photo qui traîne chez Edo. Il publie un énorme article dans *Art Forum*.

Samo lancé reprend son nom d'origine : Jean-Michel Basquiat.

Lors de son premier show, il n'a pas assez d'argent pour se payer un canevas, il peint sa toile sur le matelas où Maripol dormait depuis trois ans. Cela frappe encore plus. La directrice de la galerie Annina Nosei le prend sous contrat, le fait travailler dans le sous-sol, lui trouve un petit appartement, le materne jusqu'à l'étouffer. Avant sa première expo, il lacère toutes ses toiles, se tire en Californie, change encore de style. En moins d'un an, le prix de ses toiles va s'installer dans les six chiffres.

Si le succès ne se dément pas du côté du Roxy, l'ambiance se tend. DST, boosté par son premier contrat avec une maison de disques, sa collaboration avec Herbie Hancock et la tournée française, exige un pourcentage sur le prix des entrées. Blue refuse : clash! Bambaataa en profite pour installer Dee Jay Islam aux platines. La fraternité innocente des débuts du hip-hop touche à sa fin.

Avec Steve, le patron du Roxy, les relations se détériorent. Ce vieux requin de la nuit, excité par les files d'attente du vendredi soir, veut augmenter le prix des billets. Là encore Blue résiste au risque de se faire virer, ce qui arrivera quelques mois plus tard.

New York prend un nouveau virage, calamiteux résultat de la politique de Reagan. Les sans-logis envahissent la ville, le crack se répand. Le matin, quand je sors de chez moi, j'enjambe des dizaines de corps de SDF qui ont passé la nuit sur le trottoir. Les New-Yorkais tremblent à chaque feu rouge, craignant d'être attaqués. Ajoutez le sida qui frappe d'abord dans les milieux de la scène. Le côté « si vous voulez faire la fête, agitez vos mains » du début du hip-hop, cela commence à faire léger.

Il y aura deux réponses : celle de la violence et de l'obscénité, le gangsta-rap, l'apologie des armes, de la drogue et du porno, et celle de l'engagement politique pour sauver la nation noire de sa disparition. Dans les bureaux de Celluloïd, Chuck D, le leader de Public Enemy, harcèle Karakos pour un premier contrat. Le découvreur des talents de l'underground rate le coche. Manque d'instinct, il ne signe pas et perd l'occasion d'installer pour de bon Celluloïd en Amérique.

De son côté, Maripol s'est affirmée comme l'un des personnages centraux de la scène. Elle fonde Maripolitan, sa compagnie de bijoux. Elle fabrique à Hong Kong, deale avec Taïwan, fait un malheur chez les Texans. Elle vend le look de la scène au reste de l'Amérique. À qui d'autres que Maripol et Edo Madonna peut-elle demander la pochette de son premier album que remixe son petit copain du moment, Jellybean ? Celui-ci remixe aussi McCartney, les Talking Heads, Michael Jackson. Les querelles se multiplient car Jellybean cultive une jalousie féroce et bien souvent justifiée.

Pour Maripol, Madonna est un cas : elle a assez de caractère pour supporter son personnage et le maintenir à la hauteur de ses ambitions, à l'inverse d'un James Chance ou d'un Johnny Thunders. Maripol va à tous ses concerts. Il faut la rendre provocante comme on pimente le lait frais. Que choisir dans ses bijoux ? Les croix, ses faux sacs Chanel et ses bracelets en plastique, les chaînes, les boucles d'oreilles, les ceintures Boy Toy, un plan piqué aux rappeurs qui mettent leur nom sur leur ceinture. Tout un mélange de toc, de sport, de punk, de Fiorucci et de sexy qui, chez Maripol, devient la marque de l'East Village.

Cette quincaillerie plaît bien à la jeune Madonna et durcit son look pour éviter que sa voix de minette l'entraîne dans la variété nulle. C'est comme lorsqu'en concert Madonna se glisse un ghetto-blaster entre les cuisses, un plan de rappeur qui fait bouillir la salle.

Les rappeurs ne l'impressionnent pas. Maripol nous avait organisé un voyage à Paris pour une fête Fiorucci. Nous avions dîné à la Coupole et Madonna m'avait demandé devant tout le monde avec son toupet si j'étais vraiment amoureux d'Ann. J'avais dit oui, même si je commençais à en douter.

Pendant le soundchek, elle s'était tournée vers DST et lui avait dit en montrant le micro :

« Alors, tu crois que tu en as une plus grosse que ça ? » DST avait hésité avant de répondre :

« Je te montrerai ça, ce soir dans ta chambre d'hôtel. »

Au fond, il restait stupéfié : une fille blanche parlant comme ça !

XXIV

Basquiat, Madonna, Futura triomphent

Karakos et le football breton – Le rap à son apogée – Basquiat
passe de 500 à 20 000 dollars – La bande du Negril conquiert
New York – Quand Basquiat pique les invités de Kosuth –
Cent sosies de Madonna – Jalal et les Last Poets – Le rap
débarque à Hollywood – Alex et sa boîte illégale – En prison –
Une séparation en douceur

À Celluloïd, malgré l'effervescence qui secoue les bureaux,
Karakos hésite : me suivre dans le rap ou reprendre son combat
de toujours, la world music. Il se voit en Christophe Colomb de
la sono mondiale, il veut faire découvrir les Fela, Touré Kunda
et Manu Dibango à l'Amérique. Pour lui filer un coup de main,
il compte sur son copain Martin Meissonnier, guitariste, producteur, aventurier. Monté sur scène à quatorze ans, Meissonnier manageait les tournées de Fela à dix-sept. Il vient de
sillonner les États-Unis avec Sunny Adé. Une nature de curieux,
touche-à-tout, Martin a été la première personne à m'expliquer
l'importance qu'allait prendre Internet. Il avait déjà tout
compris en 1983 : il se trimballait un maxi de Dibango avec
Tony Allen, l'inventeur de l'afrobeat, et il était persuadé de tenir
un tube.

Chaque dimanche, Karakos a pris une nouvelle habitude : il
klaxonne fort et tôt sous mes fenêtres. Il ne veut surtout pas que
je manque le match de football des Bretons de New York à
Central Park. Ce n'est pas l'amour du sport qui l'anime mais
l'ampleur de son découvert. Son banquier, un Breton qui a vu

Touré Kunda à Morlaix, lui tolère un trou sans mesure avec les garanties que pourraient lui fournir ses récents succès.

Pour flatter le banquier, Karakos ne dispose que de deux armes : mes talents de footballeur, assez modestes il faut le dire, et la grande tournée de Touré Kunda qu'il veut organiser en Amérique. Karakos retrouve son rêve de toujours : lancer la world music qu'il préfère largement au rap.

Quant au rap lui-même, il connaît son apogée dans les rues de New York avec Run DMC. On n'aura jamais joué autant un morceau que celui-là, « Sucker MC's », un beat énorme, lourd, un son tonitruant et des voix tendues à se déchirer. Pendant des semaines, des mois, toutes les radios le passent plusieurs fois par heure, on s'endort avec, on se réveille avec, au point qu'il s'intègre dans les bruits de la ville. Run DMC a projeté le rap dans l'Amérique profonde avec une idée simple, « Walk this Way », un morceau enregistré avec Aerosmith, un groupe choisi parmi les dinosaures du rock. On appelle cela le cross over : passer par-dessus les différents genres de musique pour couvrir le mainstream, le divertissement de masse.

Les deux rappeurs portent un chapeau, une veste en cuir, des Adidas, un look taillé sur mesure pour le marketing.

On les considère comme les inventeurs du rap hardcore. Avec Rick Rubin et Russell Simmons, ils fondent Def Jam, le plus gros label de l'histoire du rap. Par malheur, quelques années plus tard, leur deejay va finir assassiné. Pour l'instant, dans la musique de la scène new-yorkaise, seule Madonna peut se mesurer à eux.

Avec le style graffiti et la figuration, les peintres ont rejoint les rockers au centre du désir. Schnabel, un petit cuisinier qui venait traîner au Mudd, vend ses tableaux plus chers que tous les autres. Comme une star de la musique ou comme McEnroe, il a embauché un homme de relations publiques pour gérer son image.

Les copains qui ont acheté du Basquiat pour 500 dollars, commencent à le revendre. Un matin, à la une du *Village Voice*, l'hebdomadaire culturel de New York, on découvre que l'un d'entre eux a ainsi gagné 20 000 dollars. D'autres percent comme Kenny Scharf, Keith Haring ou Futura. Des galeries ouvrent partout. On paye vite cher pour ceux qui se sont fait un nom, ce qui n'empêche pas Basquiat d'être un grand peintre.

Nous allons assister à la conquête finale de New York par la bande du Negril. Ce jour-là se tiennent deux vernissages : Kosuth, grand maître de l'avant-garde des années 1970, chez Castelli, et Jean-Michel Basquiat chez Mary Boone. L'un avait trôné au Mudd Club pendant que l'autre y dormait dans un placard.

Plus tard, dans la soirée, ils organisent tous deux des fêtes, Kosuth dans un penthouse au Morgan, un hôtel chic de Park Avenue décoré par la Française Andrée Putman ; Basquiat chez lui, dans la grande maison qu'il vient de racheter à Andy Warhol sur Great Jones, une rue à lofts où habitent le peintre italien Clemente et la star néopunk Billy Idol. Chez Kosuth, style intello fric, murs blancs, moquette et balcons donnant sur New York : des garçons en livrée avec des plateaux de la meilleure vodka se promènent entre les gens. L'atmosphère se veut mondaine, on discute par petits groupes, on échange des clins d'œil quand on se reconnaît, tout se veut discret, retenu. On est loin de la foire du trône, quand les stars apparaissent aussi nombreuses que les petits fours. Il y a là David Byrne et sa petite amie japonaise que lui présenta Kosuth, Richard Gere qui parle de ses problèmes de déménagement, Boy George venu sans être invité, aussi gros dans la vie que sur MTV, et Robert De Niro tapi dans un coin de la pièce. De Niro et Kosuth sont de vieux copains, cela remonte à l'époque où ils partageaient la même piaule et avaient à peine de quoi se payer un sandwich pour la journée. Ils n'avaient d'autre argent que celui de la mère de De Niro, une grosse mamma avec des joggings rose pâle et des cheveux gras.

Vers deux heures du matin, Jean-Michel Basquiat arrive chez Kosuth avec des lunettes rondes et noires, une coiffure de rasta, un long manteau et une allure de comploteur.

Quand il entre dans la pièce principale, on sent comme un malaise, rien de très perceptible, une légère brise qui n'échappe pas aux avertis. Basquiat regarde les invités avec défi. Il vient vers moi, l'air rieur :

« Je suis venu voler du beau monde à Kosuth », me dit-il.

Basquiat repart avec une vingtaine de personnes. Je les suis, pensant que la fête de Jean-Michel doit être ratée et qu'il faut lui soutenir le moral. Pas du tout : il y a foule devant sa maison et les gens doivent jouer des coudes pour rentrer. Au fond, un orchestre de salsa joue. Les convives entassés et éméchés essayent de se dandiner. Il y a de tout, des Noirs, des Blancs, des stars, des voyous et des pique-assiette. Il faut dire que Mister Chow, le restaurant chinois le plus chic, a fourni le buffet.

Pour Jean-Michel, cela ne suffit pas. Il lui faut aussi emporter le gratin de chez Kosuth, lui vider sa party, le vaincre sur le terrain mondain. Il est loin, le temps de Samo du Mudd Club.

New York, New York, toute la ville en parle.

La fille des rues de l'East Village est de retour. Sur la scène, personne n'a vu Madonna depuis des mois. La petite chanteuse qui harcelait Blue pour passer au Roxy a pris une ampleur planétaire. Le tirage des journaux à scandale a augmenté. Elle fait la une depuis des semaines : tous les jours, on lui découvre un nouvel amant ou une phrase choquante qu'elle aurait prononcée quelque part pendant sa tournée. À Hollywood, on n'aime pas la New-Yorkaise. Ses manières semblent trop vulgaires pour les stars hollywoodiennes et surtout elle est montée trop vite. Personne, ni les Stones, ni Prince, ni Jackson, n'a vendu à cette allure. Prince, impressionné, a loué tout un restaurant à Los Angeles pour l'inviter à dîner. Aventure rapide.

Pour le concert au Madison Square Garden, il ne reste plus une place. Dans l'East Village, c'est la fièvre, la course aux places gratuites, personne ne veut payer. « Normal, quand on la fréquentait, elle n'était rien. » Car c'est incroyable, le nombre de gens qu'elle a connu. Le téléphone de Maripol n'arrête pas de sonner. Dans l'après-midi avant le concert, Maripol organise un concours de sosies à Macy's, l'un des deux grands magasins new-yorkais.

Dans le jury, on remarque Andy Warhol, le peintre Ronnie Cutrone et d'autres personnages de la scène. Quand arrive l'heure du concours, des embouteillages monstres bloquent le centre de New York, une foule assiège le magasin et toutes les chaînes de télé américaines se bousculent. On découvre enfin plus de cent midinettes hystériques, identiques en tout point à Madonna. Maripol n'en revient pas.

Le soir au concert, ils sont tous là, les anciens amants, Jellybean, Basquiat, Futura et beaucoup d'autres. On croise Kenny

Scharf et la Brésilienne qu'il a épousée en sortant de l'avion où il venait de la rencontrer, Fab Five Freddy...

Le soir, en l'honneur du retour de Madonna, se tient une party au Palladium, le plus grand, le plus beau club au monde. Il a coûté plus de sept millions de dollars. Steve Rubbel du Studio 54 s'en occupe. On y voit des plafonds peints par Clemente, les toilettes sont de Kenny Scharf, l'un des bars présente deux fresques de Basquiat et, derrière la piste de danse, on découvre les tentures de Keith Haring. Toute la bande de Maripol est là, Madonna a envoyé des limousines chercher ses anciens copains et copines, tous ensemble à attendre. Futura est venu avec sa femme, costumé d'étrange manière, un manteau de champion de boxe sur un maillot de cycliste et un pantalon de soie qui le moule à la limite de la décence. Lui aussi, le peintre du métro, est devenu un artiste connu.

Quand Madonna arrive avec ses gardes du corps, une foule s'attroupe autour d'elle. Elle se dirige d'abord vers Futura. « Salut, dit-elle, et sans lui parler, demande un gros crayon de feutre. Sous la braguette, elle écrit sur la soie : « Love, Madonna » avec une constellation de petits cœurs. Futura en reste pantois. Warhol s'y met et rajoute un vagin. Basquiat signe son nom une dizaine de fois puis Kenny Scharf, et Fab Five Freddy. Cet imbécile de Futura perdra vite fait ce pantalon unique. Madonna, comme une star qu'elle est devenue, ne reste pas longtemps à sa fête.

Quand le lendemain ses anciens copains essayent de lui téléphoner, voici ce qu'ils entendent sur le répondeur : « Excusez-moi les mecs, je ne suis pas là et il n'y a absolument aucun moyen pour vous de me joindre, dommage... » et un petit rire. Le rire de Madonna : tout le monde s'est marré, elle n'a pas changé.

Le lendemain soir, après le concert, elle demande au chauffeur de sa limo de la conduire dans le fond de l'East Village, là où se font les deals d'héro. Elle cherche un jeune Espagnol de dix-sept ans, criant son nom debout par le toit ouvrant de la voiture. Peut-être le seul qu'elle ait vraiment aimé ce soir-là.

De ce jour-là, je n'ai plus jamais revu Madonna.

Cinq minutes, dix minutes, davantage, il se tient sur une jambe, ce qui n'est pas facile dans la durée. Il prétend pouvoir rester ainsi une bonne demi-heure. Il me gonfle, Jalal, avec sa quincaillerie New Age ! Son patchouli infeste ma *funkroom*. Grand, sec, pas une once de graisse, une démarche de couguar, Jalal pratique l'homéopathie, la médecine chinoise et le kung-fu.

Sur sa jambe, il me défie :

« T'es pas cap d'en faire autant ? »

Il me sert une démonstration pour me convertir :

« Tu t'empoisonnes avec tes Camel, ton alcool, tu ne t'occupes pas assez de ton corps. »

Il me fatigue avec sa bonne parole. Tous les jours, il squatte ma *funkroom*. Nous sommes en affaires. Karakos et Bill Laswell l'ont rencontré par l'intermédiaire d'Alan Douglas, le manager de Jimi Hendrix qui gère son catalogue et cherche en ce moment du cash. Nous devons sortir une version modernisée du *Mean Machine* de Jalal en collaboration avec DST, un texte fantastique à la Ballard où l'on décrit comment la technologie va dominer l'homme.

Jalal, pourtant excité à l'idée de cette sortie, n'en finit pas de râler : contre les membres de son groupe qui l'ont arnaqué, contre l'industrie du disque qui ne lui a pas payé ses droits, contre les rappeurs incultes qui s'enrichissent. Il vit en guerre, s'habille afro, pantalon bouffant, tunique chinoise, chapeau afghan, bouc pointu. Il mange végétarien, vitupère les McDo de mes copains zoulous et condamne chaque matin la société de consommation.

Jalal veut rester mobilisé. C'est un combattant forgé dans la lutte contre le Cointelpro, l'officine du FBI, une bande de salopards en charge des basses œuvres de Hoover, assassinats, écoutes illégales, campagnes de calomnies, pièges, coups montés, tous les moyens concevables pour détruire les Black Panthers et la contestation qui menaçait d'enflammer les ghettos.

En 1983, le Cointelpro n'existe plus depuis douze ans, les Black Panthers ont eux aussi disparu. Jalal pourtant n'a pas renoncé au combat.

Ce jour-là, il entre en conflit avec une verrue qui pousse sur ma main. Il veut me la couper au cutter, il a chauffé la lame à la flamme de son briquet, il tente de la trancher, je saigne, il n'y parvient pas. Pour moi, sa crédibilité de chaman en prend un coup.

Jalal sort d'une bande qui dans les années 1970 s'est proclamée les « Last Poets », groupe underground ignoré des radios, qui a vendu des millions de disques sans passer de compromis commercial. Ils ont écrit « Niggers Are Scared of Revolution » : c'était la première fois qu'un groupe noir s'en prenait à la drogue, à l'alcool, aux fléaux qui rongeaient les ghettos. Autre chef-d'œuvre, « The Hustler Convention », l'hymne des maquereaux, des dealers et des voyous de la rue. Les deux voies du rap avant même qu'il existe, hardcore politique, hardcore gangsta. En 1983, Public Enemy n'a pas encore rugi, personne n'a entendu parler de Snoop, les politiques et les gangsters. Devant le rap en plein essor, Jalal proteste et se dit déjà pillé.

L'essor du gangsta a suivi l'explosion du rap West Coast. Tout s'est passé très vite. Au retour de la tournée New York City Rap, le manager anglais de la Lingerie, club branché d'Hollywood, me propose une soirée en Californie.

Nous voilà repartis, cette fois avec une équipe plus modeste : nous ne sommes qu'une douzaine, les Double Dutchs, Dondy, Phase Two, les rappeurs de DST et Blue ne font pas partie du voyage. *Exit* aussi les gros sponsors. Je n'ai pas trouvé les équivalents d'Europe 1 et de la Fnac. Kiss, une radio urbaine, accepte de balancer des promos mais ne met pas un sou. Les risques sont pour moi. J'ai de quoi payer les billets d'avion et trois nuits d'hôtel. Les New-Yorkais voudraient rester plus longtemps. Hollywood les fait autant rêver que Paris, les Californiennes, le ciel bleu, les palmiers, avec un avantage supplémentaire : ils ne craignent pas d'être empoisonnés par la cuisine locale, les McDo pullulent au bord du Pacifique et la gastronomie alsacienne n'est pas arrivée jusqu'ici.

Dans l'avion, je tremble. Je ne cesse de répéter :

« Vous pouvez rester à Los Angeles mais après trois jours, je ne suis plus responsable. »

Autant pour le climat de rêve, à notre arrivée, il pleut. Mon copain Alex nous attend dans une camionnette déglinguée, je loue un van, nous nous entassons à quinze dans les deux véhicules et nous partons vers le miteux mythique Tropicana Motel, aujourd'hui disparu.

Une moquette verte imitation gazon, une piscine suspecte et dans les chambres, les télés grésillent, fatiguées.

Le Tropicana a vu passer des générations de rockers sur les traces des Doors mais c'est la première fois qu'il accueille du hip-hop. J'installe mon petit monde. Par souci d'économie, j'ai prévu de dormir chez Alex.

Le lendemain, alors que je vais chercher DST pour une inter-view, on m'apprend que l'un des danseurs a disparu. Personne ne l'a vu depuis le dîner de la veille et il n'a pas défait son lit.

J'imagine le pire : Mister Wiggles, le gamin, est mineur, il n'a pas dix-sept ans. Que vais-je dire à Blue ? Déjà, elle n'était pas favorable à cette expédition en Californie. Et les parents ? Avant de partir, M. Wiggles n'a prévenu personne.

« T'affole pas, me lance DST, il va rappliquer à l'heure du dej. »

Ces paroles ne me rassurent guère. Devrais-je prévenir le LAPD, la redoutable police de Los Angeles ? Heureusement, le gosse réapparaîtra le soir une demi-heure avant le concert : il avait attrapé une fille.

Après une démonstration ratée au bord d'une patinoire de banlieue à moitié vide, nous nous retrouvons sur Sunset Boule-vard devant La Lingerie, passage obligé de l'underground et de tous les nouveaux groupes américains, les Tramps, Plugz, le Gun Club, Los Lobos... Sur le trottoir, la longueur de la file me rassure : tout le monde ne pourra pas rentrer, il n'y a que quatre cents places.

« Oui, mais ce n'est qu'un club », me dit Alex.

Je commence à le trouver lourd. Il ressasse cette idée qui le travaille depuis notre arrivée : ouvrir la première boîte hip-hop de Los Angeles, en quelque sorte son Roxy à lui.

Nous avons attiré les premiers rappeurs, danseurs, deejays de L.A. à l'écoute de New York, un public déjà conquis qui découvre dans la réalité ce qu'il n'avait fait qu'entrevoir à la télévision. Mon équipe rêve d'Hollywood : elle se révèle plus motivée qu'à Mulhouse. DST, Mister Freeze ouvrent le festival mais celui qui va électriser la soirée, c'est Mr. Wiggles, boosté par le savon que je lui ai passé au retour de son escapade.

« Mister Wiggles, Mister Wiggles », répète ce grand Black admiratif qui ne se nomme pas encore Docteur Dre et n'a pas encore vendu vingt millions d'albums.

Dans l'enthousiasme, après le succès du concert, on ne trouve plus grand monde qui veuille rentrer à New York. Alex, obsédé par l'idée d'ouvrir sa boîte, y voit son intérêt. Il offre une hospitalité générale. Où coucher tout le monde ? On s'entasse jusque dans la salle de bains. Avec le camion déglingué que lui a offert un copain dealer, nous partons faire la tournée des poubelles à la recherche de vieux matelas.

La première nuit se passe dans la folie et la rigolade. J'enjambe dans le couloir un musclé à cheveux longs : c'est Anthony Kiedis, chanteur de Red Hot Chili Peppers qui dort enlacé avec Ione, la fille de Donovan. Au matin, j'angoisse. J'ai beau me dire que je ne suis plus responsable, je le reste quand même. La presse du lendemain me remonte le moral et d'abord l'article élogieux du *Los Angeles Times*.

Alex échappe à mon contrôle. Il veut monter une nuit hip-hop, hors de toute légalité en squattant un local Downtown. Nous n'avons rien trouvé de mieux que de nous entendre avec un grand Blanc, un margoulin de quarante ans, raciste, fan du drapeau confédéré des esclavagistes et qui écoute de la country.

Celui-ci consent à nous laisser une salle pour 400 dollars la nuit. À nous de trouver le matériel pour la sono, la billetterie, des videurs, enfin l'alcool. Alex fixe le billet d'entrée à cinq dollars, le whisky à deux, nomme ce squat payant le Radio et imprime des tracts qui annoncent la première soirée avec Grandmaster Flash, DST et B-Side. Des années plus tard, ce tract se retrouvera exposé dans le musée de Bill Gates, témoignage des débuts du hip-hop à L.A.

Les copains d'Alex trouvent au cul d'un camion de l'alcool à un prix fort bas.

Le premier soir à minuit, le proprio ricane, convaincu que nous allons nous prendre un bouillon. DST passe des disques devant une piste vide et Anthony Kiedis, qui joue le physio, n'a pas eu l'occasion de refuser une entrée, les seuls clients à se présenter portant un uniforme : les flics. Alex doit leur lâcher quelques billets. Vers deux heures du matin, alors que plus personne n'y croit, les premiers groovers se pointent.

Vers quatre heures, la situation nous échappe. Dans la rue, les voitures de marques allemandes, en double file, provoquent des embouteillages. La sécurité insuffisante peine à juguler la foule de l'entrée. Le proprio, vert de jalousie, menace de rappeler les flics si nous n'arrivons pas à mettre fin aux trafics de coke dans les chiottes. Alex n'en finit pas de recompter ses liasses de dollars qu'il range selon la tradition dans une boîte de métal. Le succès dépasse ses espérances.

Hélas, dès la troisième soirée, une descente de police interrompt les festivités et ferme la boîte clandestine. Alex passe une quinzaine de jours en taule.

À sa libération, il n'a qu'une idée : relancer illico le Radio.

Cette fois, il va se montrer plus respectueux de la loi. En moins de quatre soirées, son club s'est imposé dans la nuit d'Hollywood, Michael Jackson, Bono de U2 sont venus humer l'endroit, Madonna, qui s'est installée à L.A., vient jeter un œil, elle propose même de chanter, Alex et son copain Ice T, qui ont pris la grosse tête, lui répondent qu'elle peut faire une tentative après quatre heures du mat'.

Un week-end, Soul Sonic Force et Bambaataa sont annoncés au Kool Jazz Festival de San Diego. Alex en profite pour programmer le roi zoulou au Radio. Mais l'affaire tourne mal, Alex doit conduire Bambaataa et ses assistants au festival dans sa vieille Toyota. La voiture trop chargée tombe en panne. Quand Bambaataa arrive à l'auditorium, il cogne avec sa canne à l'entrée des artistes en hurlant « Soul Sonic Force ! ».

« Ils ont déjà joué », répond le videur. Caméo, le Gap Band et les Ojays sont fous de colère contre le deejay new-yorkais et il doit s'employer à calmer son groupe qui veut lyncher Alex.

Alex, nouveau personnage repéré de la scène, se déplace maintenant avec des gardes du corps, de beaux bébés samoans de plus de cent cinquante kilos qui deviendront célèbres avec leur groupe, les Boo-Yaa Tribe. Le Radio nourrit les conversations branchées de la Cité des Anges, on jase sur une histoire de viol : dans le club, un membre des Crips, l'un des deux gros gangs de Californie, a agressé Deborah, une amie d'Alex. L'histoire s'est soldée par une fusillade dans un square voisin. Sans oublier un échange au couteau. Les célébrités hollywoodiennes se précipitent pour côtoyer les gangs de Compton et connaître le frisson. La chanteuse Chaka Khan choisit le Radio pour tourner son clip.

Alex collectionne les amis. Ice Cube se crashe souvent sur son canapé. Ice T monopolise le micro du Radio, étrennant avec fierté le titre de rappeur maison. Easy E. fait partie des gens de South Compton, le Bronx de L.A., qui viennent écouter.

Le Rap West Coast paraît sur le point d'éclore même si personne n'a encore signé de contrat. De cette mouvance va sortir N.W.A., Niggaz Wit Attitudes, le groupe de rap le plus controversé du hip-hop, interdit sur la majorité des radios américaines. Le FBI lui-même a écrit au groupe pour lui demander de modérer ses paroles. N.W.A. vendra dix millions d'albums. Revoilà le fameux Nigger de Jalal, *nigger*, le mot qu'utilisaient les négriers.

N'oublions jamais que l'histoire des Blacks américains a commencé par quatre siècles d'esclavage, quatre siècles où ils n'avaient pas le droit de se déplacer, de se regrouper, de battre du tambour, de lire. Malgré l'adoption du 13e amendement en 1865, qui abolit l'esclavage, l'Amérique blanche a continué de lyncher les Noirs et les a maintenus par la ségrégation en état d'infériorité économique, politique et culturelle. Après l'abolition, on pouvait encore contraindre un Noir subversif à travailler gratuitement[1]. Aujourd'hui encore, on compte davantage de Noirs dans les prisons qu'il n'y avait d'esclaves en 1860.

À New York, le hardcore positif et politique de Public Enemy s'essoufflera. À Los Angeles, le gangsta et le politiquement incorrect domineront par la force de leurs ventes.

C'est à cette époque que mes rapports avec Ann prirent fin en douceur, coïncidant avec la sortie de son premier et dernier album.

---

1. Voir *The New Jim Crow : Mass Incarceration in the Age of Colorblindness* de Michelle Alexander.

XXV

Grand reporter

« Ça poissonne », dit Bizot – En une heure, je change de vie –
Retour à *Actuel* – Un salutaire guet-apens – Sale blague –
Protocolaire rencontre avec les parents dans le château de
famille – De l'Ouganda à Soweto – Scott La Rock, premier
rappeur assassiné – J'enquête : toutes les pistes mènent à
l'Armoury

Le 14 juillet 1985, il fait chaud. Le matin, seul au lit, je me
sens poisseux dans l'été new-yorkais. Ma copine Elsa est partie
au boulot et ça ne va pas fort entre nous. Dans ma cuisine, le
téléphone sonne. Je laisse sonner. Je me rendors. Le téléphone
re-sonne, ça dure. Je finis par décrocher :

« Qu'est-ce que tu fous ? »

Je reconnais tout de suite la voix et les manières de Bizot.
Que dire ?

« Je dormais, mec ! »

Je ne vais pas lui expliquer que je suis un producteur qui a
réussi et que mes affaires marchent, d'autant qu'*Actuel* a publié
une lettre ouverte titrée « Vos cousins de province vous remer-
cient ». Le texte nous chambrait, Karakos et moi, pour avoir
déclaré dans une interview à *Vanity Fair* que le rock n'appartenait pas à la culture française.

« Ça poissonne », dit Bizot – terme personnel et négatif chez
lui. « Il faut changer la formule d'*Actuel*. Viens me retrouver aux
Arcs, la station, au-dessus de Bourg-Saint-Maurice, on va réfléchir. Il faut des gens neufs. »

223

Je bredouille « okay » sans savoir à quoi cet accord m'engage. Je retourne au lit, je fixe le plafond pendant une heure, je me lève, j'ouvre mon armoire, remplis un sac de fringues. Je sors de l'appartement, c'est la dernière fois que je ferme cette porte.

De cet instant, ma vie va radicalement changer.

Je trouve un billet d'avion. Le lendemain, j'atterris à Paris. Mes huit ans de vie new-yorkaise s'achèvent et je n'en ai pas encore une claire conscience.

Il y a quelques années, je voulais être un Fabuleux, ambition vaine et vacuité résumées par la fameuse phrase de Warhol : « Chacun aura droit à ses trente secondes de célébrité. » On s'en souvient, ce furent mes copains libraires de Dijon, de passage à New York, qui m'avaient réveillé d'une remarque : « Alors, tu fais dans la limonade ? »

Aujourd'hui, c'est Bizot qui me demande si je n'en ai pas marre d'user mes futals sur les tabourets de boîtes de nuit. Sur le coup, je trouve la question injuste : j'ai tout de même vécu de près la naissance d'un mouvement culturel aussi neuf que mondial. J'ai organisé les premières tournées de rap en Europe et aux États-Unis, produit des disques dont plusieurs classés dans les charts, fait de la promo auprès des radios, de la vente auprès des magasins, un métier. Cela dépasse une vie de *wannabe*, ceux qui se rêvent riches et célèbres sans savoir pourquoi.

À New York, je menais une vie de riche mais au fond je sais que je n'ai pas d'appétit pour l'argent, incapable de consacrer ma vie à sa quête. Cette indifférence m'a aidé, mais elle ne me motive pas. Je sais que je ne revivrai pas le moment de grâce qu'a été l'éclosion d'un énorme mouvement. Le succès attire désormais l'argent et la magouille.

En m'ouvrant de nouveau *Actuel*, Bizot me propose de prendre ma vie en main, de ne plus subir. C'était sa conception du journalisme : participer à l'histoire du monde, actif et non passif, repérer ce qui échappe aux autres, ne jamais imiter la concurrence surtout si elle vous imite. Ma vie de producteur s'arrête net.

Aux Arcs, Bizot joue au golf; comme je ne sais pas jouer, je porte son sac. Il marmonne, ronchonne : la philosophie du golf lui va bien. Comme dans sa position de chef à *Actuel* et à Nova, au golf, tu n'as que des emmerdes. La quête impossible du swing parfait, la balle qui se perd dans un fourré, le club oublié, une nature de jardinier qui vous domine, cela vaut bien les listes de sujets et de problèmes qui emplissent le Filofax de Bizot, objet d'époque. Le golf, c'est la zénitude du râleur et un choix. Mais comme à *Actuel*, mille contraintes fondent une liberté.

Le séjour aux Arcs m'apparaît comme un salutaire guet-apens. Je me suis préparé à des vacances destroy, je me retrouve seul avec Bizot, une charmante jeune femme et Julien, son fils de seize ans, qui sauf par le nez lui ressemble et fait ses débuts en boîte de nuit.

Comme d'habitude et sans demander l'avis de personne, Bizot nous a inscrits d'avance dans toutes les activités qu'offre une station moderne comme Les Arcs. J'ai dégringolé deux mille mètres de dénivelé debout sur des pédales de VTT ; je me suis écorché sous ma combinaison d'hydrospeed aux rochers d'une rivière qui voulait se transformer en cascade ; j'ai tremblé le nez contre une façade d'escalade à dix mètres du sol avec un Bizot au-dessus qui criait : « Bouge-toi ! » ; je me suis essoufflé sur les pentes des glaciers ; enfin j'ai dû expliquer au moniteur de rafting que je n'étais pas le champion américain qu'avait, dans la série « les sales blagues aux copains », annoncé Bizot.

Au retour, il m'entraîne à Bully, près de Lyon, dans son château de famille. C'est une bâtisse médiévale restaurée à la Viollet-le-Duc, avec un donjon. J'y rencontre ses parents, qu'il vouvoie. Mieux : eux le vouvoient aussi.

Les invitations à Bully étaient rares et pesées car elles révélaient la position des Bizot dans la haute bourgeoisie et l'écart qui nous séparait. Le château, la famille : la photo du personnage se complète.

Bizot m'embarque vers les marais du Poitou pour retrouver sa sultane de l'époque. On passe d'un château à un café-restaurant rural, du lit Louis XIV au matelas posé par terre. L'après-midi, Bizot va faire réparer sa voiture. Devant le garage, il tombe sur un cabriolet décapotable BMW qui s'exhibe sous le soleil avec une pancarte « À vendre », une belle caisse même si elle n'a pas trop bonne mine.

« Dix mille balles, dit Bizot, je te les avance. »

Cela ne dure pas cinq minutes : voilà l'affaire faite et Bizot qui m'offre une voiture bling-bling version débrouille banlieue. Nous rentrons à Paris, lui dans sa grosse Volvo, première voiture qu'il n'ait pas cassée, moi dans ma BM qui chauffe. Des voyants incompréhensibles s'allument et surtout je n'ai pas d'assurance.

J'arrive un dimanche d'août à *Actuel*, soulagé : la voiture ne m'a pas claqué dans les doigts et je vais pouvoir l'assurer le lendemain. La fourrière l'enlève dans la nuit. Faute d'assurance, je ne suis jamais allé la chercher.

Ce coup-ci, je deviens ce que je n'ai pas été lors de mon premier passage à *Actuel* : grand reporter. Les soldats d'Alice en Ouganda, rebelles menés par une prophétesse qui leur promettait l'immortalité, Haïti et le père Aristide qu'à l'époque Bizot et moi prenions pour un démocrate, Soweto où j'ai vécu un mois dans l'appartement du parrain du township, l'arrivée au pouvoir de Mandela... Ajoutons d'autres virées, je parcours le monde, familier des salles d'embarquement.

Me voici de retour en journaliste à l'aéroport JFK de New York. Je me souviens des premières fois où j'ai marché dans cette ville et à quelle vitesse je me suis senti, je suis devenu new-yorkais. La métamorphose va aussi vite dans l'autre sens, la ville vous expulse de son système avec la même rapidité. Je déambule dans les mêmes rues où je me suis baladé pendant des années et j'intègre cette évidence : je ne suis plus d'ici.

L'essence de New York se niche dans le mouvement, la ville bouge chaque jour, chaque instant, et les New-Yorkais s'adaptent. Pour eux, c'est une question de survie, de fric. Il faut comprendre ce qui va compter, où ça va se passer. Vos affaires, votre réussite en dépend. Tel un essaim, ils suivent, anticipent les humeurs de la ville, tout le monde ne gagne pas à la loterie, la ville abandonne et chérit tour à tour ses quartiers. Les rues vivent comme les favorites d'un harem, le Meat Market, l'East Village, Chelsea, Harlem, Brooklyn. Autant de gesticulations invisibles à l'œil de celui qui n'est plus d'ici, la géographie raconte ce qui s'invente : à New York, rien n'est fait pour durer.

Bizot m'a remis la tête dans le hip-hop. Il m'a commandé une enquête sur Scott La Rock, le premier rappeur assassiné après s'être montré sur la pochette de son disque avec une mitraillette.

Depuis que le rap est devenu l'ascenseur le plus rapide pour sortir du ghetto, les mômes du Bronx, du Queens ou de Los Angeles y mettent toute la rage et la frustration à laquelle les contraint l'Amérique de Reagan.

« *I'm bad!* » – « Je suis mauvais » : c'est ce que braille, avec une autre conviction que celle de Michael Jackson, LL Cool J. Teigneux comme Mohamed Ali, star à dix-neuf ans, il susurre des douceurs comme « Je vais te mettre en bouillie » et « Black Ninja est de retour, il va tous vous buter ».

Il a des concurrents : Public Enemy qui monte sur scène avec des pistolets-mitrailleurs Uzi, Schoolly D qui se vante d'appartenir à un gang de tueurs ou Ice T, le copain d'Alex à Los Angeles, qui se flatte d'être un maquereau.

Scott La Rock lui aussi tenait sa place sur ce marché bestial de la haine musicale, des dizaines de millions de disques par an. Il est mort au champ d'honneur de la bêtise et des guerres de quartier. Tous les rappeurs lui rendent hommage dans le Bronx, c'est le deuil national : deux minutes de silence au Madison Square Garden, nuit funèbre au Latin Quarter, la grande boîte rap de la 40ᵉ rue. L'enquête s'enlise, on ne sait pas qui a tué Scott La Rock, ni même à quoi ressemblait la vie de cette comète du rap.

Le rap, un meurtre, un polar en plein Bronx où le destin frappe comme dans la tragédie grecque ou un avertissement des Évangiles – « Qui se sert de l'épée périra par l'épée » : à l'époque, il n'y avait qu'*Actuel* et *Libé* pour publier ce genre d'enquêtes. À *Actuel*, on pouvait même écrire jusqu'à trente, trente-cinq feuillets, au rythme d'un monde qui ignorait tweet, textos et découvrait à peine le TGV.

J'ai mobilisé mes relations, remonté des pistes. Toutes menaient à l'Armoury Shelter dans la zone des zones d'une banlieue new-yorkaise, un ancien dépôt d'armes transformé en asile pour sans-abri. L'endroit où Scott avait pêché sa bande, Just Ice et KRS, un carrefour dans sa vie.

L'Armoury se dresse sur Franklin Street à Morrisania, un coin putride du Bronx qui pourrissait depuis plus de vingt ans, quadrillé d'avenues trouées où s'engouffrent de grosses rafales de vent.

J'hésite, je tourne en voiture. Les macs vendent leur étalage de filles à la criée. « Sans capote ! Sans capote ! », sifflent-ils en ces temps de sida. Sur des terrains vagues jonchés de verres brisés, des épouvantails titubants allument des feux de poubelles et des poivrots se déchirent pour des flacons d'alcool à bon marché. Aux carrefours, les dealers de crack tiennent en laisse leurs pitbulls, ces chiens tueurs qui terrorisent l'Amérique, pour protéger leur stock de poison et leurs liasses de dollars. Les clients, des gamins de quinze ans, rôdent par groupes de dix et friment avec des jouets qui tirent à balles réelles.

Je gare avec prudence ma voiture à cinquante mètres de l'Armoury Shelter. Sur le trottoir, un paumé en guenilles pisse sur la poignée d'un portail. Il se retourne avec un regard de cinglé :

« Hé, connard, me crie-t-il, tu veux en boire un coup ? »

Le type marche vers moi, avise un pigeon crevé au milieu de la rue, le ramasse et l'écrase sur mon pare-brise puis s'éloigne.

J'ai rencard avec un copain de Scott La Rock, D-Nice, un petit mec timide. Il m'attend devant la bibliothèque du Shelter qui porte le nom de Scott. Le directeur a même promis d'accrocher son portrait au-dessus de l'entrée.

Dès les premiers mots, D-Nice insiste :

« Non, non, me dit-il, Scott La Rock n'avait rien d'un tueur. Ça t'étonne ? »

Il me cadre la vie du rappeur assassiné. Avant de se lancer dans la musique, Scott La Rock travaillait ici pour 650 dollars par semaine. Pas mal, rare même dans ces coins où une bonne moitié des jeunes n'a pas de boulot clair.

D-Nice me conduit au dortoir, un genre de grand gymnase avec six cent dix lits alignés en rangées de vingt. Ça doit faire drôle de partager sa piaule avec des centaines de mecs. Dans cette ambiance intime, Scott La Rock n'avait pas mis longtemps à repérer deux pensionnaires taillés comme des armoires : Just Ice et KRS.

« C'était des caïds, se souvient D-Nice. Ils ne faisaient pas la queue à l'heure de la soupe et ne manquaient jamais de savon pour aller aux douches. »

Scott débarque à l'Armoury avec un diplôme de gestion, il veut devenir assistant social, drôle d'idée : les autres diplômés noirs fuient la zone, ce qui en aggrave le pourrissement.

Joseph K. Eady, le directeur de l'Armoury, se souviendra toujours de l'arrivée de ce gaillard d'un mètre quatre-vingt-cinq, attaché-case, cravate, costard impec. Scott ne fumait pas, ne se droguait pas : presque un anormal. Il aurait pu être le héros du clip de Michael Jackson de l'époque, le bon gars qui réussit au collège et vient retrouver ses anciens copains de la zone.

Il est né dans le Bronx d'une mère assistante sociale, d'un père musico de jazz et très absent. Il se fait remarquer dans l'équipe de basket du lycée et travaille comme deejay dans un restau pour payer ses études à l'université de Castletown. C'est là qu'il découvre le rap.

« Il n'aimait pas la musique des radios du coin, raconte Lee Smith, son copain de chambre pendant quatre ans. Il rapportait des disques de New York. C'était un type sérieux dans les études. »

Ce sérieux va impressionner à l'Armoury Shelter, gare de triage de tous les paumés du Bronx. « Il a eu une influence considérable, raconte le directeur, il savait redonner espoir à ceux qui l'avaient perdu. Grâce à lui, plusieurs sans-abri se sont lancés dans le rap et ont réussi à se tirer d'ici. »

Scott a pris sous sa protection les deux brutes du dortoir, KRS-One et Just Ice. Ensemble, ils concluent un pacte : devenir des stars. Pour cela, les trois brothers vont se battre sans répit.

Scott leur explique que pour réussir dans le Bronx, le ghetto-blaster vaut mieux qu'un attaché-case. Il change rapidement de look. Avec sa paye de l'Armoury Shelter, il loue des studios d'enregistrement.

J'ai retrouvé Just Ice dans l'un de ces studios, à Long Island City. Une montagne de muscles avec un tee-shirt rouge et six dents en or bien briquées. Just veut s'en faire huit autres avec son nom gravé, plus un croc de loup en diamant qui donnera à l'ensemble l'allure d'une devanture de bijouterie. Il m'emmène acheter de l'herbe, tranche en deux un énorme cigare et allume le tout. L'air de ma Plymouth devient irrespirable tandis qu'il me déroule sa vie.

Son vrai nom, c'est Joseph, mais il préfère Just Ice, Justice. Son père était chauffeur de camion, le genre de celui qui joue dans *Duel* de Spielberg. Un jour, le vieux s'achète un beau pantalon neuf et le plie sur son lit.

Pour frimer, dès que papa a le dos tourné, Just Ice enfile le futal et s'en va à l'école. Le soir, il replie l'objet sur le lit de papa et oublie l'affaire. Pas longtemps : papa surgit une batte de base-ball à la main et désigne le pantalon :

« Pourquoi y a ce faux pli ? »

Just Ice n'a pas le temps de marmonner une excuse, le père cogne avec la batte : « Ne remets jamais mon fut' sans ma permission ! »

Just Ice aime cette histoire. C'est l'enseignement du ghetto : tu risques une punition chaque fois que tu veux accéder à des rêves qui ne sont pas pour toi.

Just Ice sèche l'école et traîne la nuit dans les parcs plutôt qu'en compagnie de son père et de la batte de base-ball. Sa mère diabétique, amochée du cerveau à la suite d'une erreur médicale, végète dans un institut à Boston.

Comme Just Ice est le plus grand et le plus costaud, chacun vient le voir en cas de problème. Il rend la justice à sa façon, d'où son surnom.

C'est l'époque où Bambaataa et Kool Herc inventent le rap sur des terrains vagues. Just Ice rentre chez lui la tête pleine de rêves. Le jour où il dit à son père qu'il va se lancer dans la musique pour ne pas avoir à bosser, le vieux retourne chercher la batte. Mais le garçon se taille. Il se retrouve au shelter de Franklin Street et sur-le-champ, s'acoquine avec KRS, l'autre mastard du dortoir. Son père à lui ne s'est pas attardé après sa naissance. Dès treize ans, KRS couche à Central Park, dans les caves du Bronx, se nourrit du pain rassis des boulangeries et des fruits à demi pourris qu'il ramasse sur les marchés. Tous les deux jours, il écrit des poèmes à sa mère.

À dix-sept ans, la municipalité le prend en charge et l'envoie dans une école d'art, puisqu'il veut être dessinateur de comics. Il bosse comme coursier, se retrouve mêlé à des deals. C'est l'un des seuls secteurs où l'argent circule dans le ghetto : difficile d'y échapper si l'on veut trouver un appart, s'installer et frimer devant les filles.

Tout s'écroule sur une affaire de dope, KRS passe deux mois en prison. À la sortie, boulot et appart ont disparu.

C'est ainsi que KRS atterrit à l'Armoury, cité de transit. La bande se constitue : Scott La Rock le deejay, KRS-One le poète, Just Ice le rappeur. Maintenant, il faut se tirer de ce trou à rats.

Just Ice, le premier, enregistre une cassette et la porte au label indépendant Sleeping Bag. Une semaine passe, le téléphone sonne. C'est le PDG, Will Socolov. Voilà Just Ice sous contrat !

Bien qu'il n'ait pas un dollar vaillant, Just voit maintenant le dortoir de l'Armoury avec un autre œil. « New York, New York ! chante-il à ses copains. La ville aux cent mille rêves, cette ville incroyable dont on répète toujours le nom ! »

Bref, il a du mal à passer les portes. Scott et KRS savent que leur pote ne va pas traîner longtemps au shelter. Il est artiste. Quel mec friqué serait assez con pour rester dans la moiteur du ghetto quand de l'autre côté du pont, Manhattan impudique exhibe son luxe métallisé ?

Dans le ghetto, la règle veut que dès que l'on peut se tirer, on se tire. La politique d'intégration des Blacks a fabriqué une classe moyenne qui auparavant restait sur place. Mais les fils des braves paysans qui avaient fui le racisme des États sudistes sont repartis quand la violence a submergé la morale à la Luther King.

La bonne fortune elle-même vous chasse du ghetto. Les copains trop attentionnés harcèlent Just Ice, des filles du quartier le poursuivent jour et nuit et font la queue devant sa porte. « Ces femmes qui tournent autour de moi me fatiguent, dit-il. Je baise trop, ça fait maigrir. »

Un ami d'enfance l'invite à Washington. Derrière lui, parmi ses copains, Just Ice laisse une traînée amère.

« Pourquoi pas nous ? » suffoquent KRS-One et Scott La Rock. Ils retapent tous les labels avec une cassette. Si Just Ice est parvenu à vendre cinquante mille exemplaires de son premier 45 tours, pourquoi à eux deux ne feraient-ils pas un malheur ?

Ils n'essuient que des refus. Les places sont rares, les ennuis s'accumulent, Scott vient d'engrosser Jenny, une fille du ghetto, et n'assume pas la situation. Il ne sait plus où loger. Associés à des ritals qui sortent juste de prison pour une histoire de disques pirates, KRS et lui placent leurs derniers dollars dans une autoproduction. En vain : les radios ne passent pas leur chanson.

« C'était trop politique, grogne KRS, les Américains détestent ça. On avait notre album *Criminal Minded* en tête. Nous voulions dire que dans ce pays, seule la réussite compte et que pour y parvenir, tout le monde se tape de transgresser les lois. Regardez Reagan et les agents de Wall Street, corrompus jusqu'à l'os, et les prêcheurs de la télé qui violent leur secrétaire. Ce sont des criminels et pourtant, quand on dit "criminel", tout le monde pense à un jeune Black avec une casquette de baseball. Ce pays s'est construit sur une terre volée avec une main-d'œuvre d'esclaves. »

Allez donc vendre cette vision du monde à CBS ou EMI ! Les deux jeunes s'accrochent. Scott dégote une drôle de boîte de prod qui ressemble plus à une association de malfaiteurs qu'à une maison de disques. Pas de contrats, pas d'adresse, pas de téléphone, on fait affaire en se tapant dans la main, comme au coin de la 42e rue. Des requins ? Scott et KRS s'en balancent, puisqu'ils vont devenir des stars.

Sur la pochette s'étalent des flingues, une cartouchière, une grenade. Personne n'avait osé faire ça. Tous les journaux parlent de cette méchante révolte qui traduit la remontée du racisme autour des ghettos.

On dégaine vite à leurs frontières depuis trois ou quatre ans. Les pisse-copie de la presse musicale découvrent ce nouveau rap hard, ce rap de paumés qui chantent comme on mitraille, le rap du trou à rat, des rats qui veulent mordre.

« Je connais un dealer de crack du nom de Peter,
J'ai essayé de le calmer avec mon 9 mm
Il disait que je m'étais fait sa nana
J'ai dit non, à quoi bon connard ?
Mais il a continué à la ramener
Et KRS-One n'est pas du genre à se laisser faire

Il a essayé de sortir son pistolet
Inutile
Mon 9 mm était déjà sous son nez
Il a quand même touché mon flingue
Moi je l'ai truffé de plomb
Juste avant qu'il tombe
Voici ce que j'ai dit
This is how my 9 mm goes bang – c'est comme ça que cartonne mon 9 mm. »

Criminal Minded s'installe dans les charts officieux des ghettos. En avril, Scott et KRS passent en vedette au Latin Quarter, club fameux de la 40ᵉ rue : ils s'imposent désormais avec leur nom en gros. Cette nuit-là, Scott croise Deatema, une splendide métisse aux cheveux soyeux. Il n'ose même pas lui parler et envoie D-Nice, le môme du Shelter, lui porter un message :

« On va faire un clip, on a besoin de belles nanas. »
C'est faux mais l'amour fera le reste.

Deatema vit chez sa grand-mère, elle a déjà un môme. Scott et elle se livrent à des acrobaties pour trouver un endroit où coucher ensemble. Heureusement les concerts s'enchaînent : ils auront bientôt assez d'argent pour louer un appart.

S'il est un talent de patron de rédac que Bizot possède, c'est celui de vous dénicher au bout du monde. À l'époque, les portables n'existent pas. J'ai la fâcheuse habitude de ne pas laisser de contacts, histoire d'avoir la paix pendant mes reportages et d'éviter de me faire mettre la tête à l'envers par un Bizot qui appelle de son bureau entre deux et quatre heures du mat…

« Allô, t'avances, Pas-frais ? »

Tout lui ! Il vous affuble de sobriquets qui, en fait, correspondent à sa situation personnelle. Le bouclage du journal a commencé, j'imagine qu'il a déjà une nuit blanche au compteur. En général, ces coups de fil démarrent par une engueulade.

« Ça gonfle sérieux. Grosse prise de tête avec La Burne[1] sur le papier de Péan. Pour ton papier, ton ami Massalade ne veut

---

1. Dès les débuts du premier *Actuel*, chacun avait son sobriquet : La Burne pour Burnier, La Bise pour Bizot, La Kouche pour Kouchner. Viendront ensuite Hélène Pépée pour Claudine Maugendre et, toujours pour Bizot, Jean-Louis Binot des Laboratoires Binot, à cause d'une bande dessinée de Lauzier.

rien savoir : il dit que tu rentres trop tard, ton Scott La Rock ne passe pas ce mois-ci.

— Tu rigoles ?

— Tu n'as pas appelé. Qu'est-ce que tu voulais que je lui dise... »

Nous y voilà, Bizot déteste qu'on disparaisse, la disparition est un droit qu'il se réserve. À New York subsiste cette ambiguïté : si la tentation d'y rester me prenait à nouveau ? C'est vrai ! Avant que je comprenne que je n'étais plus new-yorkais, je passais mon temps à ressasser une nostalgie de snob : ah, New York, tellement mieux...

« Dans un mois, mon histoire ne vaudra plus rien. Je t'assure, j'ai du bon matos ! Tu déconnes, Jean-François, c'est pas la peine que je continue à bosser. »

Malgré ma rage, je me demande comment il a réussi à me localiser. Karakos, David mon pote journaliste, Valérie, une fille d'Uptown ? Qui lui a filé mon numéro ?

« Commence à écrire. Si tu procrastines moins que d'habitude, on le passera. Pousse pas trop la gloriole des guns et de la came.

— Tu n'y es pas. La Rock, ce n'était pas le genre gangster. Faut pas se fier à la pochette.

— OK, OK, les mecs lisent, t'es responsable. Faut faire gaffe à ce qu'on envoie. À part ça, il y a un championnat du monde de deejay, paraît que les Français sont bons. T'iras faire un tour, ça bouge dans la zone... »

Il raccroche comme si c'était moi qui le retenais au téléphone.

Il n'y a pas que les concerts qui marchent pour Scott La Rock. Les maisons de disques appellent tous les jours depuis que la chanson passe en rotation rapide sur la bande FM. Warner et RCA proposent des contrats à six chiffres.

Le mardi 25 août, Scott prend le métro jusqu'à Manhattan pour acheter une bague de fiançailles dans une bijouterie chic. Il a la pêche. Le mercredi 26, dans l'après-midi, il passe chez Sleeping Bag Records et signe un contrat afin de produire le prochain disque de son vieux complice Just Ice. Scott nourrit son grand rêve : créer son propre label, produire et faire gueuler tous les mômes du ghetto.

C'est sans compter avec deux balles de 22 long rifle.

Huit heures du soir. Le téléphone sonne et cette fois-ci, ce n'est pas une maison de disques mais D-Nice, le petit protégé de Scott. Il est dans la mouise. Un type lui a braqué un pétard sur la tempe pour une histoire de poule. D-Nice est tout petit, malingre.

Scott promet d'arranger les choses. Il passe à l'Armoury Shelter. Il n'y vient plus si souvent depuis que le directeur lui a filé un congé pour tenter sa chance dans la musique. Durant une demi-heure, il bavarde avec d'anciens potes de boulot. Puis il file dans le New Jersey en compagnie de Maurice, son manager, D-Nice et un copain flic.

Il se gare sur University Avenue à vingt-trois heures trente et marche jusqu'au parc. C'est là qu'il pense trouver le type qui a menacé D-Nice. Le type a disparu, des membres de sa bande rôdent toujours.

« Ça va, disent-ils, tout le monde s'est calmé. On a rangé l'arme au râtelier. »

Scott se sent rassuré. Très cool, il remonte en voiture avec ses potes. La clé tourne dans le démarreur.

Embusqués sur un toit, deux tireurs mitraillent le véhicule avec des armes à canon scié. Scott est le seul touché, une balle de 22 dans le cou, une autre dans la tête. Son manager Maurice fonce au Lincoln Hospital. Il est minuit trente. Scott sombre dans le coma. Les médecins paniqués le transfèrent au service de soins intensifs de l'hôpital Misericordia. Il meurt à deux heures du matin.

Il avait été le premier à placer un gun sur sa pochette et des guns l'avaient tué, boucle bouclée, destin accompli.

Scott La Rock venait d'avoir vingt-cinq ans.

Sa mère accourue sur place fait don du corps à la science. « Afin qu'il reste quelque chose de positif de cette soirée », dira-t-elle plus tard.

KRS apprend la nouvelle par le manager.

« J'ai décidé que le groupe continuerait, dit-il. Désormais, la place de Scott restera vide, éclairée par un projecteur. Pour moi, il sera toujours là. »

La musique comble l'absence et KRS reprend le boulot avec Just Ice.

Il décide de produire son prochain disque, celui pour lequel ils avaient signé l'après-midi même de la mort de Scott. Car Just Ice est devenu une sorte de star, et pas seulement à cause de la musique.

Le 24 mars 1986, Just Ice et son copain Shamel vont faire les courses à l'épicerie Seven-Eleven. Ils reviennent tranquillement chez Shamel. Sa mère pleure dans le jardin.

Ils n'ont pas le temps de comprendre. Les policiers les jettent au sol, canon de revolver sur la nuque : « Vous êtes en état d'arrestation pour homicide volontaire !

— Qu'est-ce que c'est que ces conneries ? » s'étouffe Just Ice.

Embrouille classique, vengeance, dénonciation, jalousie de flics ou de marlous ?

Just Ice nie en bloc l'histoire de meurtre qui lui tombe sur le dos mais se retrouve en taule. Il est fou de rage : son incarcération lui fait manquer une vingtaine de concerts bien payés.

Just Ice risque de prendre vingt ans à cause d'un certain De Souza qu'il nie même avoir rencontré. Mais l'inspecteur Ronald Taylor, dix-huit ans de service à la police de Washington, a l'air sacrément sûr de son dossier.

Pour lui, Just Ice et Shamel appartiennent à la Nation des cinq pour cent, une organisation ultra-secrète. Depuis des lustres, associations et missionnaires trouvent dans la communauté noire des clients en quête de libération. Il y eut en 1910 Marcus Garvey qui voulait repartir en Afrique, dans les années 1960 les Black Muslims et désormais, face à la décomposition du ghetto, des petites structures que les flics n'arrivent pas à tracer.

Les Cinq pour cents, d'où sortent-ils ? L'inspecteur explique que leurs membres se prennent pour des divinités investies par une force toute-puissante. En fait, ils trafiquent de la coke.

Ainsi, selon la police, Shamel et Just Ice étaient chargés d'approvisionner en drogue les frères de Washington. Ils se seraient donc trouvés vers une heure du matin dans la piaule du dealer De Souza, à la cité universitaire Howard. Le ton monte, Shamel et Just Ice sortent leur flingue, demande à De Souza s'il craint Dieu et le plombent.

Toute cette accusation tient sur un seul témoin, un indic, lui-même toxicomane. L'inspecteur Taylor manque de preuves et Just Ice s'en tire avec une caution de dix mille dollars. Sa maison de disques, Sleeping Bag, allonge le fric et notre homme s'en retourne à New York.

Sa réputation l'a précédé. Libéré ou pas, on le considère comme un vrai tueur. Un tueur rap, cela peut faire vendre des disques. Les filles bloquent le standard de Sleeping Bag Records. L'ensemble des clubs de la ville le réclame.

Il apparaît sur scène tout en noir, chemise, pantalon, casquette, lunettes. La foule l'adore et il en rajoute. Il descend de scène, les fans se pressent, tout le monde veut l'approcher, le toucher. « C'est bien toi le terrible Just Ice, pas LL Cool J, pas Schoolly D, c'est toi Just Ice, *you're bad man, you're bad*. » À chaque fois, se frayant un passage dans la foule, Just Ice touche sa petite cicatrice au tibia avec un sourire : la batte et le pantalon. Il a payé son dû.

Après Reagan, l'Amérique fonce dans une impasse avec ses ghettos. Les gangs se multiplient. Dans ces quartiers où l'espérance de vie baisse avec le prix des revolvers, la peur de l'uniforme ne dissuade plus. Je me demande ce que l'Amérique va faire de ses exclus. À Los Angeles, Philadelphie ou New York, les parias se tirent dessus et la puissance publique laisse croupir avant de rénover les quartiers et récupérer des mètres carrés hyper-rentables dans les centres-villes. On a nettoyé Harlem, assaini le Bronx, dégagé l'East Side, autrement dit viré les Blacks et les Portoricains. Pourtant une classe moyenne black a vu le jour et si on s'est surtout contenté d'éloigner la misère, il faut reconnaître que la criminalité, même dans une ville comme Newark, capitale de la délinquance, a baissé. De là, à penser que la société américaine s'est débarrassée de cette vilaine gangrène, il y a un pas.

XXVI

Le funk peut-il mettre la zone K.O. ?

Bizot explore la banlieue – Il y a une vie dans les quartiers
après TF1 – Dee Nasty avant Dee Nasty – Le voici aux platines
– La solitude du deejay – Destroy Man s'explique dur –
Panthers contre « Négros » – Rencontre avec Black-Blanc-Beur

De retour à Paris, Bizot ne me laisse pas le temps de souffler.
Il vient de sillonner la banlieue pendant des mois et il est pris
d'un espoir. Le patron d'*Actuel* a décelé un nouvel esprit funky
qui croit-il peut métamorphoser la banlieue. À force de tourner
avec lui et Massadian dans les cités les plus invraisemblables,
nous découvrons d'anciens loubards qui se sont mis à bosser,
des junks qui font du jogging, des zonards qui se racontent au
micro et bombent le métro.

Le 4 février 1987 au Studio A, nouvelle boîte parisienne rue
de Ponthieu, la Force Alphabétique, groupe de bombers et de
rappeurs, organise une soirée, comme ça, sans pub. Deux mille
mecs et nanas déboulent, sortis de Dieu sait où, des toasters,
des deejays, des scratchers. Partout des funkys rappent en banlieue dans des soirées où se mêlent le zouk, le funk et le rap.
Comment l'expliquer ?

Après notre passage en 1982, il y eut l'émission « Hip Hop »
sur TF1, un programme qui suscita beaucoup d'engouement
autour du rap. Devenu une star, son présentateur Sydney a
même tourné dans le pays avec un jeune deejay hip-hop
inconnu, David Guetta. En pionnier, le photographe Mondino à
la manière d'un McLaren sort un disque, *La Danse des mots*, et

Chacun fait c'qui lui plaît de Chagrin d'amour se vend à des centaines de milliers d'exemplaires. On pense le hip-hop sur la voie royale mais le mouvement s'essouffle, enterré par la critique sur le ton de « on vous l'avait bien dit, un mouvement de mode sans intérêt ».

Bizot, en adepte du terrain, nous entraîne avec Massadian dans les banlieues. Nous découvrons qu'il y a une vie dans les quartiers après TF1.

Remontons à 1979. Dans un bistrot quelconque, les derniers verres se vident. Deux ou trois clients traînent au comptoir. Quand le patron quitte sa caisse pour aller à la cuisine, un gars surgit dans son dos et rafle le tiroir-caisse, deux mille balles, de quoi acheter quatre grammes d'héroïne, une misère pour un junky !

Le triste junk ne s'appelle pas encore Dee Nasty.

1987. Il habite depuis des années un placard dans un couloir obscur rue de Belleville. Coursier, il sillonne Paris en Vespa douze heures par jour. Une passion malade le brûle, il veut être champion du monde des deejays le 9 mars 1987 au Royal Albert Hall de Londres. Ce soir du 4 février au Studio A rue de Ponthieu, Dee Nasty n'est pas encore aux platines. Ses fans boudent, branchent leur walkman et font bande à part sous leur casque. Des peintres barbouillent à la bombe les derniers lambeaux de murs encore vierges. Des danseurs à la bouille joviale répètent de nouvelles phases. À chaque pas réussi, ils se tapent la main et leurs claquements de doigts scandent la musique.

Dehors, cinq cents agités se bousculent devant la porte. « Poussez pas, hurle le portier, tout le monde pourra rentrer. » Le patron du Studio A arbore un large sourire : personne n'a annoncé la soirée mais le téléphone funk a fonctionné et sa boîte se remplit.

En une image, je revois les files bruyantes du Roxy à New York. Le funk parisien s'habille en plus bigarré. Les coupes japonaises flottent sous les blousons de base-ball, on a graffité les toiles de jeans et les K-Way multicolores.

Et leurs rires ! On s'interpelle et on se tape les mains par-devant par-derrière. Cette tape, c'est une figure de danse. Les garçons matent les petites funkettes aux mines aguicheuses. Solo est là. Ce funker-ambianceur ne rate jamais une occasion de s'éclater. Tout le monde le connaît : c'est le petit Black qui rigole sur les pubs Benetton. J'ai vu Solo tremper son tee-shirt au concert de Run DMC à Londres. Ce soir-là, il ne savait pas où coucher mais ce genre de galère relève aussi d'un plan funk.

Le funk est un esprit. Il a ses mots, *cool*, ses gros mots, *fuck*, son code, *man*, l'humour, *you're bad*, et des gestes, *relax Jack, relax.*

Venus d'Amérique ? Pas si sûr. La vie des rues, la vraie vie est la même partout, le groove, les énergies, l'émotion et le plaisir, le fun, le jive, la tchatche, l'illusion, le verlan. Voici le message du rap : se dire, ça se mérite. Il faut vivre à l'intérieur pour comprendre. Le funk apporte le poids du vrai, le balancement : laisse aller, tu sens, ça se passe à l'intérieur. Je n'oublie pas le corps sur la piste, sueur, mollets d'acier, ni le sexe. Le funk est une contradiction, un oxymore, une coquecigrue : aussi sauvage que tranquille. Vient ensuite l'allure, le look aussi bariolé que des murs aux affiches lacérées et graffitées, et le mix : on ne peut pas penser mix et être raciste. Logique que le funk représente la culture des cités. Le mix, on le trouve dans l'escalier de son immeuble, le jive permet de rouler les bourges. Le rap donne à chacun la liberté de parler.

Le mix de cette nuit tient la rampe avec des Zoulous en bonnet, des branchés chics en costume coupé net, des funkys classieux en chemise clinquante, des musclés en débardeur et même des rastas en anorak.

L'heure des défis approche, Dee Nasty se met aux platines. Comme un sprinter, il répète depuis des années le même geste pour atteindre la perfection. Ces milliers de disques lui donnent le souffle et la résistance. Inventer des sons, scratch après scratch, chercher sillon après sillon sur chaque disque, à l'endroit puis à l'envers, trouver des miaulements ou des rugissements, la préparation coûte chère et tous ses gains y passent.

La solitude du deejay ! Il faut être allumé pour suspendre sa vie au diamant d'une platine. Un centième de seconde de retard et je sens les dents de Dee Nasty qui grincent, question de tempo. Les platines se révèlent aussi délicates à conduire que les formules 1. Sur l'album qu'il a auto-produit, Dee Nasty raye le premier morceau de chaque disque avec une paire de ciseaux, il ne veut plus qu'on l'entende. On ne fait pas de concession quand on vient de la zone.

Désormais Dee Nasty reçoit des lettres de Mantes-la-Jolie ou des quartiers nord de Marseille et les gamins écrivent son nom dans les halls des HLM.

Les meilleurs rappeurs, Destroy Man, Johnny Go et Lionel D sont déjà sur scène prêts à crier dans le micro. Mais voilà qu'un bonimenteur le leur chope et interpelle la foule en anglais. « Qui c'est celui-là ? » Dans la tribu, le droit au micro se paie et surtout, ce soir, on rappe en français. Destroy Man va lui répondre à coup de rimes assassines :

« Boy, tu racontes pour frimer à fond
À ta meuf et à tes compagnons
Que sur le micro tu me jettes et tu me doses
Moi je t'écraserai sans façon
Car mon nom est Destroy Man, j'rappe avec Johnny Go
Et si je pécho le micro
Alors je t'explose
Je vais te ruiner, briser
Quand je commencerai à gazer
Je te donnerai la frousse que tu ne pourras plus jamais rapper
Ton cœur, ton âme tomberont dans le drame
Quand avec une parole, je t'enlèverai ta femme
Vas-y rappe... »

Le bonimenteur s'en va la tête basse. Deux doigts tendus, deux doigts pliés, les danseurs font le signe funk à Destroy Man et Dee Nasty secoue la salle d'un scratch vicieux. On glousse, on crie : « Méchant le deejay, méchant ! »

1987 toujours, cette fois au studio de la Madeleine pour le mix du premier maxi de Johnny Go et Destroy Man. Un titre par face, « Égoïste » et « J'te l'balance ».

« Parfaitement, tous les groupes de bombers parisiens ont travaillé sur notre pochette. Je te le dis, ça va être méchant », explique Johnny Go.

Ils trouvent que leur son n'est pas encore assez agressif et rouspètent contre le producteur qui a du mal à masquer sa nervosité. On le comprend à voir leurs biceps. Les deux lascars sont prêts, ils ont tout tracé dans leur tête, un plan pour conquérir la France. Ils ne doutent pas une seconde du succès. Ils rappent tout le temps.

« Ils m'ont pris et usé jusqu'à la trame.
Si ma femme est blanche, alors là c'est le drame.
Oui, je ne dois pas dépasser votre médiocrité
Car avoir la classe, oui, c'est vous provoquer
Quand on est chez eux, ils nous traitent de zoulous
Et quand, nous, on s'en va,
Eux, ils s'incrustent chez nous.
Négro, négro. »

Les cafés ferment tôt à Vitry. Lionel D flâne avec un ami. Ils s'arrêtent sur un banc pour bavarder. Des gosses de quatorze, quinze ans, une trentaine en petit blouson avec des battes de base-ball s'avancent vers eux en rangs serrés. Lionel reconnaît un copain, le torse plâtré, une main et le visage bandé.

« Qu'est-ce qui t'est arrivé ?

— Je me suis fait démolir au bal des pompiers la nuit dernière. Je me suis sauvé de l'hosto ce matin. Faut que je règle mes comptes avec les pompiers. Ne restez pas là, il va y avoir du grabuge. Nous les avons appelés, ils vont arriver. »

Lionel D se cache pour observer la scène. Cinq minutes plus tard, un camion rouge ralentit dans l'avenue déserte, cherchant à repérer l'appartement d'où provenait l'appel de détresse. Avec des hurlements de rage, les trente mômes déboulent de derrière un bâtiment et chargent le camion. Ils cognent comme des forcenés.

Terrorisés, les pompiers démarrent et s'enfuient à toute allure.

Plus tard, Lionel D regarde la cité par la fenêtre de sa chambre. Les pompiers, armés de barres à mine, sont revenus en nombre à la recherche des gamins. Cette nuit, la cité sent la haine. Le surlendemain, Lionel D apprend la mort du copain blessé au bal des pompiers, victime d'une overdose.

« Et chaque fois que l'on te désigne
Toi, comme un abruti tu te résignes.
Il faut que tu te supportes, il faut que t'assures
À New York, le crack les emporte tous
Mais j'te l'dis, mec, ne sois pas ouf

Va balader ailleurs tes idées d'malheur
Lucifer, Satan, on n'est pas des leurs
Envoie la came se faire paître
C'est comme ça, tâche de pas t'faire mettre
Assassine ce sort, oui, ce mauvais sort
Et les mauvaises idées, allez! Toutes dehors!
Respire bien fort et surtout accroche-toi
Énorme est la rancœur, le pouvoir est aux rats. »

Lionel D rappe le blues de la cité. Il y est né et ne l'a jamais quittée. Il travaille comme agent de sécurité dans un super-marché Casino. Ses journées se passent à surveiller la misère ordinaire, les vieilles qui piquent des tranches de jambon, les gamins du chocolat et les clodos qui essaient de boire les bou-teilles sur place. Il rentre chez lui sans déranger le silence de ses parents qui regardent la télévision. Sur les murs de sa chambre, des photos de Cerrone, le coiffeur de Vitry devenu une superstar internationale grâce à la disco.

« Tu as envie d'en faire autant ?

— La réussite, oui, mais pas avec la même musique. Je veux parler de la vie autour de moi, rapper la solitude, les minitels qui piègent les fauchés qui crèchent ici. Je veux rapper la nympho qui habite l'immeuble en face, les alcoolos qui vivent plus loin, les cauchemars de la routine, les files d'attente du chômage, les boums dans les sous-sols d'immeuble avec leur cortège de bagarres, les cuites à la Valstar et la rage qu'on a tous au fond de nous…

« Quelle rage ?

— Celle qui nous pousse à sortir d'ici. »

Des scènes, des vies de ce genre, c'est l'esprit des cités en cette année 1987. Le funk leur sort les tripes et les meilleurs comptent sur le funk pour échapper à la zone.

Les lascars du funk se méfient des journalistes.

Ils se moquent des journaux et des radios qui pourtant vien-nent les voir. Leur tchatche a fonctionné. Les voilà maîtres de la rue avec leur culture orale. Les renégats, les pirates, les lascars ont trouvé leur musique, le funk a débarqué et règne sur les autoradios qui nazillent dans les parkings autour du merguez-frites.

Les danseurs de Black Blanc Beur m'ont donné rendez-vous au Pyramide, à Saint-Quentin-en-Yvelines, la ville nouvelle. À onze heures du soir, sur l'autoroute, l'embrayage me lâche. Par bonheur passe une patrouille de motards. Ils appellent une dépanneuse et m'emmènent téléphoner à leur QG.

Le Pyramide envoie quelqu'un me chercher. Les motards plutôt sympas m'offrent une tasse de café. Quelques minutes plus tard, Djemad débarque en R25. Il est mince, la démarche énergique, un accent canaille, costume de velours, foulard au cou, très à l'aise. Il s'installe à table avec les deux motards.

« Je voudrais pas m'imposer. Je peux avoir du café ?

— Allez-y », répond le plus jeune des motards. L'autre bougonne dans son coin, Djemad le relance :

« Alors, vous êtes breton. Immigré, comme moi. Vous n'avez pas le mal du pays ? »

L'ambiance se rafraîchit. Avant de partir, Djemad prend leur adresse et promet d'envoyer des invitations pour la première de leur prochaine création de Black Blanc Beur : le spectacle démarre la semaine prochaine. Après tout, pourquoi la police ne se brancherait-elle pas funk ?

Djemad vit à cent à l'heure, conduit à cent cinquante et parle encore plus vite. J'essaie de le suivre.

« Avant la ville nouvelle, Saint-Quentin, c'étaient des marécages, maintenant, on est des dizaines de milliers à avoir immigré ici, des Français, des Blacks, des Beurs. L'enjeu, c'est de réussir à se supporter. Avant la troupe de danse je faisais du karaté. »

Black Blanc Beur s'est créée avec des caïds du samedi soir, des Travolta de boîte de nuit, des smurfeurs de banlieue, mélange funk et sport de combat. Ils se sont disciplinés comme des pros, leur travail a payé. On les invite à danser dans toute l'Europe, en Australie, à New York. Mais il faut le souffle pour suivre, grignoter du blé, partout et de toutes les manières.

« J'attaque Paris avec ma bécane et je peux boucler dix rencards par jour, dit Djemad. Le cabinet de Léotard[1] m'a reçu, il ne sucrera pas notre subvention. Je leur ai dit : "Je ne roule pas pour vous mais je ne suis pas chez les autres." La politique, je m'en fous. Quand t'es dans le réel, t'as pas à te casser le cul, il faut que t'arrives à des résultats.

---

1. Le ministre de la Culture de l'époque.

245

— Tu es responsable de la troupe ?

— Disons que je suis metteur-en-énergie ! »

Nous arrivons dans la boîte, les danseurs occupent la piste et improvisent sur Cameo. Rien à envier aux Américains qui peuplent les vidéos de Janet Jackson et Lionel Richie.

Djemad veut mélanger leur feeling funk à la danse contemporaine. Au moment de partir, avec son accent parigot, il me glisse : « Au fait, de mon vrai métier, je suis toubib, ça aide pour les bobos des danseurs. Avant, je m'occupais des drogués. Maintenant on est passé au karaté et à la danse. »

Djemad n'a pas envie de déblatérer sur le comment ni le pourquoi, mais sa pêche en dit long. Il en faut pour revenir du fin fond de la zone.

Johnny Go et Destroy Man ont grandi chez les orphelins d'Auteuil. Même le week-end, ils restaient à l'internat. La rage les a pris très tôt. Ils ont écumé les pensions de la banlieue parisienne. Renvoyés tous les six mois, à douze ans, ils se retrouvent dans la rue et veulent rentrer chez les Panthers. Destroy Man raconte :

« Fallait assurer à la baston,

Montrer que de caractère, on n'était pas un bidon

Et que pour les meufs, on pouvait faire un carton. »

« Les autres Blacks n'assuraient pas. Les Rastas, les Congolais marchaient le dos voûté en regardant leurs chaussures. Quand j'ai vu les Panthers, j'ai dit : voilà enfin des lascars qui ne cherchent pas à jouer aux Blancs, des Noirs qui veulent s'éclater. Ceux-là casseront ceux qui chercheront à les en empêcher. Une trentaine d'Africains et d'Antillais qui venaient de banlieue, il n'y avait qu'un Blanc dans la bande. Les bastons qui cartonnaient le plus éclataient toujours aux Puces de Montreuil et de Clignancourt. Quand on allait acheter nos fringues, on savait qu'on rencontrerait les Teddy Boys et les Rebelles en train de fouiller à la recherche de drapeaux sudistes. Nous réglions nos comptes avec eux là comme partout dans Paris. Ils dansaient sur du rockabilly et sous prétexte que ça venait du Sud des États-Unis, ils se prenaient pour le Ku Klux Klan. »

Les Panthers se retrouvaient tous les jours dans la petite première classe de la ligne Orléans-Clignancourt. En ce temps-là, les flics ne venaient pas dans le métro.

« Nous étions les maîtres sur notre territoire, la rue. Personne ne venait nous faire chier, même les Rebelles, pourtant plus nombreux. Quand le patron du Golf Drouot ne nous laissait pas entrer, nous attendions les Rebelles dehors et on les allumait, ils repartaient sans leurs chaussures. On ne se battait jamais dans les boîtes, question de respect. Pas comme ces fils de putes d'aujourd'hui qui vendent leur drogue dans les W.C. Ils ne comprennent pas qu'une boîte, c'est déjà rare, que ça représente un milieu et des gens. La rue est là, elle appartient à tout le monde, qu'ils s'en contentent pour faire leurs conneries. Pour nous, la boîte, c'est comme un point d'eau pour les animaux. Personne ne se tape à l'intérieur, c'est ta source de vie.

« Les Panthers étaient les plus galériens du milieu, continue Destroy Man, les plus fauchés et les plus balaises. La bande ne se droguait pas, ne fumait pas et ne buvait pas. Nous délirions sport de combat, esthétique physique et danse. Nous avions un club, une petite salle rue de Lancry, on s'entraînait au combat de rue. J'avais pas de tunes, je cognais et je dormais dans le métro. La galère ! Des fois, tu mates les fils de bourges qui passent en te regardant comme si t'étais moins que rien. Je les braquais pour leur montrer que j'étais quand même là. Je faisais partie de ces mecs prêts à donner leur vie pour sauver une vieille mais quand je voyais que cette connasse me traitait de voyou, j'avais les boules contre le monde entier. Quand je braquais, c'est parce que j'avais faim. Des fois, j'ai même eu mal au cœur en braquant, mais je me disais : « Seigneur, c'est la loi de la jungle. Cette dureté en moi, ce n'est pas moi qui l'ai créée. » J'avais quatorze ans, quinze ans, j'étais petit de taille, j'étais obligé de taper avant de demander l'argent, je n'en imposais pas assez.

« Je me suis calmé à seize ans quand j'ai pu trouver du boulot. Les patrons de boîtes m'embauchaient comme videur, j'ai rencontré des gens différents, je me suis civilisé et rendu compte que je n'étais pas le seul à galérer. Moi, j'étais un violent, je pouvais m'en sortir, mais les autres, ceux qui ne savent pas se battre, ils se laissaient crever ou tombaient dans la drogue. Quand j'ai réalisé que nous étions forts, mes copains et moi, j'ai compris qu'il fallait sortir de la baston. Nous avions du feeling à revendre, un souffle à communiquer. J'ai trouvé le rap. »

Et encore, ceux-là, ils avaient échappé à la drogue.

Junkie, Dee Nasty ne voulait même plus en sortir. Quand il partit se désintoxiquer en Belgique, ce n'était pas pour décrocher mais pour pouvoir retrouver des sensations, un vrai frisson après la seringue. À son retour, il rencontre une fille qui veut le libérer. Il décide de s'y mettre. Toutes les nuits, il fait des cauchemars, il se réveille en manque. Les anciens copains se montrent soudain généreux. Ils veulent le conserver dans le cercle des amis, ils ont tous un petit paquet de poudre à offrir. Juste une fois, ça ne peut pas faire de mal.

Dee Nasty résiste. Il trouve un autre flash. Les rappeurs du New York City Rap Tour débarquent à Paris. Ils trimbalent la même déglingue que lui, il se reconnaît dans les sons qu'ils sortent de leurs platines. Ce tam-tam urbain le fait balancer dans un autre monde. Déjà dans sa cité à Bagneux, les Antillais lui avaient bougé la tête avec le funk. Le voilà Zoulou.

Il se rallie au manifeste de Bambaataa, la non-violence, le combat contre la drogue, l'alcool. Il achète deux platines. Des heures, des nuits entières, il répète les trucs de ses maîtres, DST, Flash, pour les égaler.

Il se met à bomber, s'introduit dans le métro avec les premiers aventuriers qui veulent colorier les tunnels, lance les parties rap du terrain vague près de Stalingrad, qu'il annonce dans son fanzine funk, *Kid Street News* : deux francs l'entrée et les premiers grands défis. La sono faiblarde étouffe la voix des rappeurs qui doivent s'égosiller.

Radio 7, le Bataclan, installent sa renommée autour de Paris. Dee Nasty mobilise ses économies et se paie un voyage à New York. Il arrive complexé au New Music Seminar pour un concours de deejay. Là, il réalise qu'il a refait son retard sur les New-Yorkais. Il jouit d'un privilège : il scratche des mots en français, il peut créer des sons nouveaux.

Le funk n'a pas « mis la zone KO », comme l'affirmait avec un espoir excessif Bizot dans son titre d'*Actuel*. Mais ce n'était pas si faux : il y a contribué, amenant l'avant-garde des rebelles au cœur de la société.

XXVII

« Chez Roger boîte funk »

Loïc a une sacrée poisse – « Je tourne dans cette cour depuis
vingt-cinq ans » – « Chez Roger » dynamite la nuit parisienne –
Massadian s'embrouille avec Public Enemy – Obligé de
s'humilier – Je perds la foi

« Saleté de journée ! »

Loïc Dury, seul et mal assis, marine en garde à vue dans le
bureau des douanes belges à la frontière hollandaise. Il vient de
se faire serrer avec plusieurs kilos de cannabis. Il a eu la pire
des poisses.

Loïc Dury, fou de funk, passionné de jazz, a voulu se lancer
dans l'organisation de concerts et faire venir ses idoles à
Bruxelles, la scène new-yorkaise, les copains de Bill Laswell, le
géant de la guitare James Blood Ulmer, le bouillonnant batteur
Shannon Jackson avec ses musiciens et Defunkt, le groupe jazzy
chic de Manhattan. Sur le coup, la magie ; à l'arrivée, les dettes.

Loïc se débat dans le drame financier quand un jeune de la
haute société bruxelloise lui propose de se refaire. Il veut
l'adresse de l'ancien dealer de notre fauché et contre cette seule
info, il lui file un kilo de shit. Un kilo : en revendant, Loïc pourrait effacer sa dette. D'un autre côté, il ne veut plus toucher au
cannabis. Il tranche : dans cette opération, il ne fait pas de
commerce, il n'avance pas d'argent, il ne prend pas de risque,
cela ne s'appelle pas vraiment dealer. Il avait juré de fuir cet
univers mais il accepte.

« Trop tard pour avoir des regrets », se dit Loïc qui ressasse ses mésaventures. Une demi-heure, une heure, depuis combien de temps poireaute-t-il dans ce bureau de douane ?

Quel que soit l'angle d'attaque sous lequel il examine sa situation, Loïc se voit mal barré. Une idée imbécile lui traverse l'esprit. Il est fan d'*Actuel* mais n'a jamais traîné au journal. Il décide qu'il va vivre son histoire comme un journaliste d'*Actuel* en reportage, regarder ce qui échappe aux dealers classiques et raconter dans le détail. Il se persuade que cette idée va l'aider à tenir le coup.

Il s'est fait serrer avec le jeune bourgeois belge, Reda, son associé. Devant les douaniers, Reda a piqué une crise, il hurlait : « Je vais me faire tuer, mon père va me massacrer. » Les douaniers se mettent à plusieurs pour le contenir. À cette occasion, Loïc apprend que le père de Reda dirige les services de renseignement algériens.

Toute l'histoire est insensée. Au départ, pas de problème. Nos deux acolytes se sont rendus chez le dealer hollandais pour y régler leurs achats. Dans la voiture, tandis que Reda conduit Loïc à la gare, les deux hommes sympathisent. Par précaution, ils ont convenu de revenir en Belgique par des chemins séparés, le copain algérien en bagnole avec ses cinq kilos et Loïc en train, avec le kilo qui lui permettra de calmer les huissiers.

Mais à la gare, ils découvrent que ce jour-là la Belgique s'est arrêtée, une grande grève nationale, les trains ne circulent plus. Nos deux amis prennent alors le risque de rentrer ensemble par l'autoroute. Les voici englués dans un affreux bouchon dix kilomètres avant la frontière. Ils comprennent trop tard : les douaniers font la grève du zèle et examinent chaque voiture avec la plus vive attention. Six kilos, ça ne se jette pas comme ça au milieu d'un embouteillage. Ils n'ont aucune chance de passer au travers : l'autoroute les mène sans recours à la fouille.

Leur camelote saisie, ils se retrouvent au trou.

Ils, c'est vite dit, car après la garde à vue, Loïc ne reverra jamais le jeune Algérien, pas plus en prison qu'au procès. À croire que l'homme a disparu.

Le procès : Loïc saisit que les flics et la machine judiciaire essayent de le charger d'une histoire qui n'est pas la sienne. Son avocat peine pour accéder au dossier. Au fil de l'enquête, la police accumule des charges de plus en plus lourdes sans preuves manifestes. On veut l'impliquer dans les trafics d'un policier ripou qui revendait les prises de drogue, un individu qu'il ne connaît pas. On prétend trouver mille doses d'ecstasy à son domicile : Loïc n'a jamais voulu toucher à l'ecstasy. Lui monterait-on un chantier ? Qui ? Pourquoi ? En rapport avec le fils du chef des services secrets algériens ? Devant le tribunal, son avocat le pousse à s'écraser. Condamné à un an en première instance, Loïc ne tient pas compte de ses conseils répétés, il fait appel. Cela ne change pas la peine.

En prison, il apprend d'abord que le temps s'y ralentit. On le mesure en secondes. Dans la cour, le premier jour, un Indien au physique de géant lui lance :

« Quel âge ?

— Vingt-deux ans. »

L'Indien sourit :

« Je tourne dans cette cour depuis vingt-cinq ans. »

Il y a aussi le bibliothécaire. « Le plus dur demeure de supporter l'ennui », se souvient Loïc qui plonge dans la lecture.

Il n'a pas beaucoup de choix, des romans d'espionnage, des Paul Kenny que Loïc termine en deux heures. Hélas, on ne peut en sortir qu'un à la fois et le règlement interdit de se rendre tous les jours à la bibliothèque. Mais le détenu responsable des livres s'arrange pour lui faire passer des Paul Kenny à la cantine par un copain cuistot.

« Il semblait cool, le mec. Un jour, j'ai appris pourquoi on l'avait condamné : il avait découpé des vagins au couteau. C'est aussi ça, la prison. »

Alors qu'il ne lui restait que quelques semaines à tirer, Loïc profite d'un week-end de sortie pour s'échapper et gagner le sud de la France. Les flics laissent filer et il ne retournera plus jamais en prison.

Qui vocifère de la sorte ? Un commissaire de police qui enquête sur un chat de quartier. Le commissaire s'énerve, sa voix résonne dans le studio de Radio Nova. Cinq minutes plus tôt, on pouvait entendre un sinistre directeur de cabinet, celui de M. Barre, qui tentait de faire désenvoûter son patron. À l'antenne, Lafesse nous inondait de ses impostures. Il débusquait d'incroyables conneries et extirpait des stupidités inespérées à des bonnes sœurs, des voyantes, des bourgeois, des concierges.

« Ça fait du bien, dit Bizot, c'est de l'hygiène. »

À *Actuel*, nous écoutons Lafesse passer ses coups de fil comme au théâtre. Sa voix caméléon, son toupet, sa mauvaise foi plus que sartrienne provoquent dans la rédaction des fous rires de bon cœur.

Loïc lui aussi suit les émissions de Lafesse sur un transistor dans sa chambre de bonne. Un jour, Lafesse propose à la radio des petits jobs de distribution de prospectus, Loïc dévale son escalier, saute dans une cabine téléphonique pour joindre Radio Nova. Après plusieurs tentatives manquées, il finit par obtenir l'animateur :

« Sympa d'avoir appelé mais c'est trop tard. L'équipe est au complet. »

Loïc rêvait d'*Actuel* depuis longtemps, il a préparé son argumentaire : « Tu ne peux pas dire ça. Je viens exprès de Bruxelles. »

Cette réponse amuse Lafesse : « Bon, y a plus de place mais viens quand même. »

Loïc distribue les propectus de Lafesse sur les Champs-Élysées. Ce jour-là, il porte un blouson avec un dessin titré « L'industrie de l'éjaculation », œuvre provocatrice d'un certain Benito, l'un des fondateurs de *Zoulou*.

Zoulou : ainsi se nommait le nouveau mensuel de bédé financé, on s'en doute, par l'insatiable Bizot encadré des deux personnages les plus fantasques de notre entourage, Massadian d'un côté en généreux gestionnaire, Frédéric Joignot de l'autre, le Rackham le Rouge du sexe, bon écrivain qui menait en notre compagnie une vie de liberté et d'indépendance. On restait toujours surpris de ne pas lui découvrir sous son futal les sabots fourchus d'un faune tant il ressemblait aux joyeux serviteurs de Bacchus, le dieu de la jouissance.

Sur les Champs-Élysées, les flics ne s'enchantent pas du dessin porno de Benito ni de la dégaine du distributeur de prospectus. Loïc passe la nuit au poste. Massadian accourt pour l'en sortir.

C'est comme ça qu'on peut entrer à Nova.

Massadian a changé et se considère en charge d'une mission : à lui, symbole des classes populaires, sans diplôme, on avait ouvert la porte d'un milieu de rebelles littéraires et transformé sa vie. Il voulait faire partager cette chance à d'autres marlous. Avantage supplémentaire : cette charité sociale lui permettait de restaurer sa « street crédibilité » d'autodidacte.

Massadian était en cheville avec un groupe du quartier Saint-Paul, la Malka Family, qui avait monté un orchestre funk. Massadian songe à organiser des soirées avec eux.

Les Malka s'avisent fort vite que Loïc connaît le funk par cœur. Un jour, ils doivent parler à Radio Nova et craignent de bafouiller. Ils demandent à Loïc de les accompagner.

Durant l'interview, Loïc sort une tirade inspirée qui épate l'animatrice, Bintou Simporé. Elle lui propose de faire la rubrique des bons plans avec elle tous les soirs à Nova. Ça y est : Loïc a trouvé sa place.

Pourtant il lui reste quelques détracteurs. Massadian le prend pour un baratineur. Mais Massadian veut organiser des soirées. Pour convaincre les patrons de la boîte près des Champs-Élysées, il lui faut une cassette de démonstration et les Malka suggèrent Loïc qui accepte sans hésiter. Il dispose d'un week-end pour montrer de quoi il est capable.

Les deux jours vont se transformer en catastrophe. Loïc n'a pas de table de mixage et ne dispose que d'une platine préhistorique. Massadian, on l'a vu, n'a jamais fait dans la nuance et le traite de baltringue en écoutant son mix. Loïc comprend le danger et choisit de s'écraser plutôt que de chercher des excuses, d'autant qu'il se débrouille assez bien à la radio. À l'antenne tous les soirs, il prend ses aises avec Nova. Depuis quelques jours, suite à une foudroyante rencontre amoureuse, Jean-Pierre Lentin, animateur de l'émission, a disparu. Sans formalité ni autorisation, Loïc s'installe dans son bureau. Du coup, plusieurs semaines s'écoulent avec la même play-list. Un soir, Loïc tend une liste de morceaux à Marc H'limi, le directeur de l'antenne, pour qu'il les rentre dans l'ordinateur. Dans un premier temps, Marc refuse. Le lendemain, Loïc le voit s'affairer avec sa liste et rentrer les morceaux dans la machine. Loïc est devenu programmateur de la radio, une aventure qui va durer dix ans.

Après l'épisode malheureux de la cassette de Loïc pour les Malka, Massadian se met en quête d'un deejay, un vrai. Il en charge Valérie, sa fille, vingt-sept ans. Elle revient de six mois à Tokyo et New York. Elle a défilé comme modèle et s'est installée dans l'East Village avec le chanteur d'un groupe rock. Avec son carnet d'adresses et son anglais parfait, Valérie tient pour Massadian une place déterminante. Première mission, première réussite, avec Loïc, ils parviennent à convaincre Dee Nasty de se joindre à leur projet. Ils lui ont rendu visite dans son petit appartement à Belleville, dans le couloir qui mène à la maison de disques Virgin. Depuis quelques semaines, Dee Nasty passe des disques à Nova où tous les dimanches se déroulent des *battles* mémorables entre rappeurs de différentes banlieues. Massadian en est convaincu : Paris est mûr pour le hip-hop. Encore faut-il trouver le Roxy parisien, le lieu où tout va commencer.

Les deux Massadian, Funky Loïc, la Malka Family, voilà l'équipe de « Chez Roger Boîte Funk », la boîte qui pendant des mois va dynamiter la nuit parisienne.

Le démarrage se révèle tonitruant. Chaque vendredi soir, Dee Nasty met le feu. Une nuit « Chez Roger » ressemble à un parcours d'obstacles : il faut d'abord entrer, la file d'attente paraît interminable, franchir la sécurité n'est pas à la portée du premier venu, traverser le club équivaut à une séance de hammam, quant au bar, on plonge dans une mêlée de rugby, c'est l'épreuve finale. Pour un verre, il faut de la sueur, des cris et des larmes sans compter les petits malins qui se pressent et laissent traîner des mains. On vient de partout pour groover « Chez Roger », les banlieues croisent les quartiers chics, réalisateurs en vue, journalistes, branchés, rappeurs, jeunes de banlieues, créateurs de mode, mannequins, on frissonne, on échange, on s'encanaille. Des *battles* de danseurs improvisées déclenchent l'admiration, Dee Nasty scratche en virtuose et les clubbeurs serrés comme des sardines tendent des index vengeurs vers le ciel, Paris, boulevard de Strasbourg, écrit sa légende hip-hop. L'énergie fabrique l'électricité de ces moments où se réinvente la musique. Le samedi matin, après les folies de la nuit, Jacques Massadian, ravi et épuisé, entasse les billets de la recette dans des sacs-poubelle.

Hélas, la magie et l'euphorie ne dureront pas.

Il y a d'abord cette baston devenue mythique, une bataille rangée où une partie des Requins Vicieux, bande terrifiante de durs à cuire, attaque la boîte antillaise voisine de « Chez Roger ». Sur les trottoirs jonchés de verres, Massadian fait preuve d'un réel courage physique, il s'interpose entre les belligérants et réussit à éviter que la situation ne tourne au drame.

Cet épisode, suivi d'autres incidents, attire l'attention des services de police. Massadian, qui n'a pas la licence adéquate, décide de cesser la vente d'alcools forts. Les Malka Family en désaccord font sécession. La fréquentation de la boîte diminue, le temps des sacs-poubelle est révolu.

Pour relancer « Chez Roger », Jacques Massadian rêve d'organiser un concert. Programmer un groupe prestigieux, voilà un coup qui ferait revenir les foules boulevard de Strasbourg.

Valérie et Loïc foncent à Londres convaincre Public Enemy de faire un crochet par Paris. Chuck D accepte. Public Enemy jouera gratuitement « Chez Roger ». À charge pour Massadian de régler les frais de séjour.

Inespéré ! Un rêve ! Jacques croit au retour des beaux jours, la tornade Public Enemy va conquérir le monde. « La révolution hip-hop, c'est eux qui l'incarnent, jure Massadian, le groupe le plus excitant du moment soutient "Chez Roger". Nous allons reprendre le *lead* de la nuit », répète-t-il à l'envi. Convaincu que son concert va créer l'événement à Paris, il lance l'impression de milliers d'affiches : *Actuel* présente Public Enemy !

Patatras ! Professor Griff, quelques jours avant le concert, balance une déclaration choc sur le bizness et les Juifs. Sa tirade fait le tour de la planète. On accuse Public Enemy d'antisémitisme, le groupe se défend mollement, usant d'arguments maladroits. Jean-François Bizot fait savoir qu'il ne souhaite plus qu'*Actuel* soit associé au concert. En dernier ressort, le rusé Massadian monte une méga-fête chez lui, avec en tête un objectif, trouver la main-d'œuvre gratuite qui collera à la main un bandeau sur des milliers d'affiches pour remplacer *Actuel* par le mot *Nova*. Jean-François Bizot a finalement accepté que sa radio endosse l'événement.

Les Américains débarquent le matin du concert, dans un hôtel proche de la Bastille. Les chambres ne sont pas prêtes, ça les met de mauvaise humeur. Ils passent l'après-midi à la Pizza Pino de la Bastille, comprennent que Nova qui devait les recevoir pour une interview ne le souhaite plus vraiment. Ça n'arrange rien. Plus tard, le manager part faire un tour dans les rues de Paris et revient agacé : « Comment ces fauchés ont-ils pu se payer autant d'affiches ? »

Le groupe est venu défendre l'esprit hip-hop et un petit club sans le sou, il a soudain l'impression qu'on lui ment. En début de soirée, à l'hôtel, après moult palabres, Public Enemy décide qu'il ne jouera pas. On est à une heure du show tant attendu.

Devant « Chez Roger », les files s'allongent, la boîte se remplit comme à la belle époque. Mais toujours pas de musicos en vue. Massadian, inquiet, envoie sa fille à la pêche aux infos. En cette époque d'avant les portables, il faut foncer dare-dare à l'hôtel.

Vingt-deux heures. Les fans piaffent. On s'impatiente. Le groupe n'arrive toujours pas et Jacques reste sans nouvelles. Hors de lui, il saute dans sa voiture et débarque à la Bastille dans une ambiance lourde : les Américains tirent des mines de cent pieds de long. De façon ostentatoire, ils ne le saluent même pas. Massadian se transforme illico en Moussalin, son côté Hulk, il envoie un rageur « Mais qu'est-ce tu fous ? » à la pauvre Vava dont les yeux paniqués indiquent qu'elle a déjà compris : elle va prendre pour tout le monde.

Alors Moussalin se lâche, il postillonne, lui hurle au nez. Le voici cramoisi, les veines gonflées, il secoue sa fille, la bouscule, l'injurie, stoppe à un millimètre du coup de boule, elle crie, pleure, son nez coule, prise de tremblements, elle n'arrive plus à parler. Les New-Yorkais sont sidérés quand ils comprennent : Moussalin est le père de Valérie. « Dans le Bronx, les gens ne traitent pas leurs enfants comme ça », lâche Chuck D.

Il s'approche de Moussalin, on craint le drame, l'algarade, mais non, il fixe Jacques et d'un ton calme, en détachant chaque syllabe, dit :

« On va le faire ton concert. Mais avant, devant tout le monde, tu vas demander pardon à ta fille. »

Bref silence. On n'entend plus que les sanglots de Vava. Jacques est en fureur, personne ne sait comment il va réagir. Éternel problème : il ne comprend ni ne parle l'anglais. Vava doit traduire.

« Qu'est-ce que t'attends ? rugit le papa arménien, parle !

— Il dit qu'ils vont jouer, dit Vava.

— Hé ben c'est pas trop tôt », se détend Jacques.

Vava a omis la petite condition posée par Chuck D, qui ne manque pas de le rappeler à Vava : d'abord les excuses.

« *Tell him !* insiste-t-il.

— Ils n'iront pas si tu ne me présentes pas tes excuses. »

Jacques s'exécute.

Il était temps. « Chez Roger », le public est au bord de l'émeute. Trois heures d'attente. On se précipite dans les voitures.

Le concert durera plus longtemps encore, « on se sentait tellement bien sur scène, on ne voulait plus se barrer, on souhaitait que le set ne se termine jamais », dira plus tard Prof Griff.

Au petit matin, dans la salle de restaurant de l'Holiday Inn, alors que Jacques régale une tablée d'un petit déjeuner fastueux, techniciens, musiciens, il s'approche et glisse à l'oreille de sa fille : « Tu sais, ils n'auraient jamais joué si je n'avais pas piqué ma crise. Je te jure, je n'étais pas vraiment en colère, c'était de la comédie. »

Valérie ne l'a pas cru.

Malgré le succès du concert Public Enemy, le revival de « Chez Roger » fait long feu. Jacques, le cœur triste, devra bientôt arrêter ses soirées. Pourtant, le hip-hop prend racine à Paris, tandis que ma passion personnelle se fane. J'irai voir Snoop à Los Angeles, Arrested Development à Atlanta, Warren G à Compton, nouveaux héros du rap qui nourriront mes papiers d'*Actuel*, mais la magie des B-boys en marche pour la conquête du monde ne sera plus, pour moi, au rendez-vous.

À New York, l'ami Bill Laswell lui aussi explore d'autres pistes. Il produit Jagger, Maceo Parker, Richie Sakamoto,

Shankar et aussi Gil Scott-Heron, le héros de « Revolution Will Not Be Televised », mais ce qui l'intéresse c'est le dub, la musique africaine, Cuba et Addis Abeba où il découvre, en retard sur les Français, les trésors de la musique éthiopienne. Bill s'est rapproché de ces aventuriers défricheurs que sont Bizot et Martin Meissonnier, le premier producteur de Fela. Les nouveaux territoires qu'il explore touchent à la magie, la musique de transe.

Un jour, il me téléphone : « J'ai un truc fou à te proposer. Je pars enregistrer un album au Maroc. Dans le village de Jajouka, au-dessus de Tanger, en pleine montagne. La transe la plus proche de Paris, à une heure et demie d'avion ! Depuis trente ans tous les dingues y ont défilé, Brian Jones, Ornette Coleman, Burroughs, Paul Bowles, Brion Gysin, les écrivains, les poètes, les peintres beatniks... Pourquoi ne ferais-tu pas un film sur ce voyage ? »

XXVIII

Jajouka, sacré film, film sacré

Cent mille francs en liquide – Le village de la transe –
Ornette Coleman se tait, Burroughs parle – L'ami du shit –
À Jajouka, la musique change le temps – Ben Jaloud se
damne – Une rave de deux mille ans

« Un film », a dit Bill.

L'histoire commence comme au cinéma : « Hey man! Rapplique, je suis hôtel de la Paix. » Au téléphone, Tony Meilandt, le manager d'Herbie Hancock.

Meilandt est un blond à peau rose qui ne tient pas en place et parle comme une mitraillette. Il abuse des superlatifs et ponctue ses phrases de « génial-génial! ». Il n'a connu que gens extraordinaires, lieux fantastiques, instants sidérants. Avec Tony, rien de normal, rien de banal. Un bonhomme Duracell qu'on peut trouver fatigant à la longue.

À l'hôtel, il me tend sous le nez cent mille francs en liquide. « Tu vas faire un putain de film, *man*, un putain de film! »

J'ai beau être bluffé par la liasse, j'objecte :

« Pas assez pour un long-métrage.

— C'est une avance, *man*, une avance. »

Avec l'argent, j'achète de la pellicule, je loue une caméra Super 8, un camion, un générateur : pas d'électricité à Jajouka. Mes copains réalisateurs François Bergeron et Vartan Ohanian feront le voyage par la route. Je n'ai pas eu de mal à les motiver : Laswell, Paul Bowles, Burroughs, Coleman, ces noms les font rêver. Massadian s'est incrusté dans le projet, il mettra l'argent

259

qui manque pour le montage. Bizot a dit OK pour un reportage dans *Actuel* et j'ai embarqué Daniel Lainé, le photographe du journal.

L'endroit fait saliver. Jajouka, village perdu dans les collines, un mythe. Jajouka ! Là-bas, la transe vit, la vraie.

De 1960 à 1970, tous les grands de la route ont visité ce village pour se perdre dans l'extase, hors mode, pour le tambour qui vous tourne la tête, les rhaitas qui soufflent la nuit entière, les démons qui prennent forme, les nuages de Castaneda. Ils partaient pianoter sur leur âme, s'illuminer ou s'endormir au pays du shit, et là-bas le haschich est pire que légal : une industrie à la tonne qui vous tombe sur le citron, comme l'écrit Mrabet, l'écrivain analphabète managé par Paul Bowles.

Notre curiosité venait d'abord de Brian Jones, l'étoile filante des Stones, qui avait enregistré les maîtres-musiciens de Jajouka.

« Quel pouvoir insuffle cette musique ? Pour que tout le monde y retourne, il doit y en avoir un », me disait Bill Laswell retrouvé à New York avant le voyage. « Jajouka fait l'effet d'une drogue. »

Les géants des sixties étaient venus à Jajouka. Pourquoi ?

« Non, je ne parlerai pas de Jajouka, dit Ornette Coleman en m'intimant de ranger mon magnéto. Les gens parlent trop de musique et ils disent trop de conneries. »

Ornette a joué avec les maîtres-musiciens de Jajouka, vingt ans plus tôt, en 1971. Il n'a pas oublié :

« Dans le village, les enfants me criaient : "Négro, négro." Les musiciens ne me donnaient aucune indication, ni tempo, ni clés. On jouait et ça marchait. Comme si j'étais né là-bas et que nous avions répété toute notre vie. »

J'en ai rencontré d'autres, revenus changés par ce village minable. Par le hasard de ses transes, Jajouka a fasciné les amis du Bowery et ceux de l'avant-garde beatnik.

« Des fois c'était parfait, d'autres fois raté », m'a lâché la voix grognante du plus indigne vieillard de l'Amérique, William Burroughs. Après ses périples au Maroc, à Paris, à Mexico et sur le Bowery de New York, Burroughs est rentré vivre dans une bourgade du Kansas, Lawrence. Là-bas, les habitants ressemblent aux héros du *Twin Peaks* de David Lynch. Ils n'ont pas l'air vrai. À Lawrence, il n'y a rien à faire, tout est laid. Burroughs n'écrit plus. Il peint, s'entraîne à tirer au 9 millimètres et ne laisse entrer personne.

David Cronenberg vient d'adapter *Le Festin nu*, que Burroughs a écrit à Tanger en 1957 et publié à Paris. Ornette Coleman délire sur la bande-son, il y a glissé quelques passages de son voyage à Jajouka. « La musique de Jajouka, reprend Burroughs, c'est une musique pour l'âge de l'espace. Et nous y sommes, à l'âge de l'espace. Si l'homme ne va pas dans l'espace, je ne vois vraiment pas où il va finir sur la terre qu'il a pourrie ! »

Nous voici à Tanger, dernière étape avant le village de la transe. Notre petite bande fait le tour des bars.

À Tanger, Paul Bowles est formel : « La source, c'est Brion Gysin. Lui qui a inventé le cut-up et révolutionné avec Burroughs le roman américain. C'est Brion qui a découvert et fait connaître la musique de Jajouka. »

Brion Gysin a entraîné ici Burroughs, Timothy Leary et Brian Jones. Les Stones ont même sorti l'enregistrement de Brian à Jajouka. « Dans les applaudissements de la fin, on reconnaît les clap-clap d'un Blanc, hé hé ! », m'a dit William Burroughs, toujours cynique.

« Tous les soirs, poursuit Bowles, j'allais les écouter. J'ai passé des moments merveilleux. Je les enregistrais avec un vieux magnétophone. Et tous les soirs, Brion Gysin s'arrangeait pour éternuer au milieu d'un morceau juste à côté du micro. " Hum hum, *sorry*, j'ai pas fait exprès. " Brion ne supportait pas l'idée qu'on puisse exploiter commercialement ces bandes. »

La liberté se vit mieux qu'elle ne s'écoute.

L'histoire des musiciens de Jajouka et de Brion Gysin s'est mal terminée. « Les musiciens, poursuit Bowles, se sont aperçus que Brion notait sur un cahier tous les secrets de magie. Sans les avoir prévenus. On raconte que, fâchés, ils lui ont jeté un sort pour qu'il disparaisse. Qu'il s'évapore comme la fumée d'une cheminée et qu'on ne le revoie jamais. La magie a dû fonctionner : quelques jours plus tard, Brion s'est fait jeter par ses financiers, un couple de Scandinaves. La femme a fermé son restaurant, enfoui la clé dans son soutien-gorge et Brion s'est retrouvé à la rue. »

Transe plus shit, rave plus magie, d'où sort cette culture qui résiste depuis vingt ans, malgré les trafics de tonnes de shit avec bateaux pourchassés de la Corse à l'Espagne? Comment les Arabes voient-ils ce qui, selon les joints et cerveaux, fait rire, planer, dormir ou s'abrutir l'Occidental?

Chez eux, le shit est normal et quotidien.

« Rue de la liberté ». Un petit dealer nous montre du doigt la pancarte en roulant une cigarette de haschich avec des yeux gourmands. « Rue de la liberté, c'est normal, on peut fumer! » répète-t-il en riant. Je lui dis que je suis journaliste, ce qui le fait éclater de rire. Il porte un chapeau tyrolien et les poches de sa veste se gonflent de billets de 500 francs.

L'ami du shit nous entraîne où clignotent les enseignes des cabarets mal famés version arabe, là où traînent les femmes sans hommes et les hommes à femmes, les divorcées et les faux divorcés, toute une histoire trop longue à raconter. Des grappes de visages burinés obstruent les entrées. À l'intérieur, la chaleur embue les verres. Dans cette cohue figée se mêlent des sueurs luisantes, des gueules d'aboyeurs, des regards bruts de désir pour des corps de matrones, et pourquoi pas, elles sont belles les matrones arabes!

Le shit a une histoire, une saga. Vous en fumez sans le savoir, vous vous la jouez reggae, vous attendez que ça vous prenne, que ça réveille le désir ou que ça endorme les frustrations, pour glousser devant la télé ou caresser une forme vivante en la sentant comme le paradis.

À Tanger, le temps s'est arrêté depuis longtemps. Une fille casse avec rage le goulot de sa canette sur les dents d'un marin qui pisse du sang. On entend de sourdes injures puis l'algarade s'étouffe.

Bill Laswell, s'humectant les lèvres de rhum-coca, tambourine sur le bar. Il fredonne « Jazz-jouka, Jazz-jouka ». Bien vrai. Nous y serons demain soir. Demain, nous partirons vers la grâce des enfers, vers Bou Jeloud qui se damne, empêtré dans des toiles soniques.

Dans les coins, on prise, on éternue, des filles piaillent pendant que des fumeurs hagards se perdent dans le vague. Ici, ils sont habitués. Ils ne voient pas le shit comme en France. Ils affirment que le haschich, si on ne le maîtrise pas, rend imbécile. Tout l'Orient considère comme des idiots du village ceux qui fument sans arrêt. Ils sont loin d'avoir tort.

Il faisait nuit quand nous sommes arrivés dans le village bleu de Jajouka. De la route, Jajouka reste invisible. Pour y accéder, il faut emprunter un sentier à se tordre les chevilles, hérissé de souches et de pierraille. Les villageois en djellaba nous guettaient au coin d'un feu avec des lampes électriques. Ils ont chargé le matériel et les bagages sur la remorque d'un tracteur. Il a fallu plusieurs voyages. Bill Laswell, traqueur de musique en digital, venu saisir l'âme de Jajouka, se taisait. Craignait-il le regard des djinns ?

Un vieillard édenté nous verse du thé brûlant dans des verres poisseux de sucre. Aussi régulièrement qu'un sablier qu'on retourne, il sort du kif de la bourse qui pend à sa ceinture. Il en bourre ma pipe. Un froid sournois m'engourdit les os. On ne sait jamais quelle heure il est à Jajouka.

Le kif change le temps. Quand la crise est là, il faut la transe. La transe libère du temps.

De mon nuage de fumée, j'observe les feuilles de menthe fraîche qui dansent sur le thé et les ombres trouées par la lueur des chandelles. Il n'y a pas d'électricité à Jajouka.

À l'extérieur, depuis des heures, les rhaitas – flûtes à anche double – et les tambours déchirent l'atmosphère. Vingt musiciens en burnous, assis, les paupières baissées, peignent du Jackson Pollock sur les étoiles. Ils jouent sans pause pour la respiration, à la façon des soufis, comme ce bon vieux Roland Kirk. Des aboiements de chiens sauvages dignes de Castaneda ponctuent les chants. La terre vibre. Je cherche ma place. Les pouvoirs de leur musique me possèdent. Les habitants de Jajouka affirment d'ailleurs que « cette musique a déjà tué deux fois ».

À Tanger, Laswell m'avait dit : « Je veux faire le disque de Jajouka. » Il serait temps. Jusqu'ici, aucun musicien, aucun groupe n'a jamais réussi à rendre l'esprit de transe tel qu'on le vit sur place. Mais la transe peut-elle s'écouter sur CD ? Bonne chance, Bill.

263

Les musiciens nous attendaient. Ils avaient déjà beaucoup fumé. Bachir, le chef, s'est levé pour nous accueillir. Il m'a présenté « le criminel de la nuit », un vieux virtuose de rhaita à moustache grise, celui qui s'était endormi au milieu d'un concert organisé par *Actuel* sur la scène du Palace au printemps 1980. Il fallait être givré pour venir jouer dans un concert et s'endormir sur place. Affaire de shit.

« Le criminel de la nuit se réveille toujours quand les autres veulent aller dormir et là, il se remet à jouer, dit Bachir. Impossible de le faire taire. »

Le vieillard hoche la tête en riant.

Les maîtres-musiciens de Jajouka, quand ils jouent sans relâche, voient l'aube chasser la nuit, le jour chasser l'aube et le soleil chasser la fraîcheur du matin. Comme le kif, leur musique change le temps.

Premier réveil à Jajouka. Le soleil brille. Les musiciens ont joué jusque tard dans la matinée comme dans une rave mais une rave civilisée par une longue tradition : du miel, des crêpes et des galettes de pain nous attendent, c'est l'œuvre d'Abdallah. Abdallah s'affaire sans répit, Abdallah veut nous gaver.

Au dos de la pochette du disque que Brian Jones enregistra à Jajouka, Gysin a écrit : « La magie n'est qu'une autre manière de contrôler la matière et d'explorer l'espace. Au Maroc, on s'adonne davantage à la magie qu'à l'hygiène. À moins de considérer comme une forme d'hygiène psychique les danses en quête d'extase sur des musiques d'amour. »

« Et les djinns, Bachir ? »

Bachir Attar, le chef des musiciens, me prend le bras, feignant de ne pas entendre. « Viens, nous avons une longue marche. Je t'emmène voir la grotte de Bou Jeloud, et voir l'arbre sacré. Si tu veux comprendre, tu dois venir. »

Bachir a raison. En chemin, j'insiste. « Robert Palmer, un critique de musique du *New York Times*, a écrit qu'il avait perdu conscience en écoutant votre musique. Il s'est retrouvé un matin au bord de la route dans la vallée sans comprendre ce qui lui était arrivé. C'est ça que tu veux ? »

Oui, c'est cela que Bachir veut. De toute façon, je suis déjà barré. À cet instant, mon ami Bachir qui depuis vingt ans observe les rapports de la montagne magique et des Blancs, prend un air grave :

« Écoute, je vais te dire ce que mon père m'a raconté. C'est toute une affaire. À l'époque, les Espagnols occupaient encore cette partie du pays. Dans un village voisin, il y avait un homme très puissant nommé Bou Haza. Bou Haza représentait la loi, il était juge et juste. Il avait épousé une femme étrange, une sorcière bien sûr. À chaque fois qu'ils écoutaient la musique, elle se faisait accompagner des djinns de toutes les régions, et des autres régions du monde. Oui, tous les génies étaient là.

« Au beau milieu d'une nuit, poursuit Bachir, il pleuvait, Bou Haza débarqua à Jajouka sur un cheval. Suis-moi, dit-il à mon père. Les djinns attendent que tu viennes jouer ta musique et ils te veulent seul. Ils célèbrent une grande fête dans le monde des djinns en présence de leur roi.

« Mon père répondit : Oh! mon ami Bou Haza! J'ai une famille, mes enfants. En t'accompagnant, je risque de tomber sur des choses trop étranges. Si j'approche les djinns, je peux devenir fou.

« Bou Haza montra les sacs accrochés à la selle du cheval, ils étaient remplis d'or : Si tu viens cet or sera à toi. Si tu refuses l'or, que puis-je t'offrir ?

« Rien, ami, répondit mon père, je n'ai aucun besoin.

« Voyant qu'il était vain d'insister, Bou Haza remonta sur son cheval. Avant de repartir, il se retourna une dernière fois.

« Quand tu joues ta musique à Jajouka, dit-il à mon père, quand ta famille joue, quand tes fils jouent, les djinns viennent vous écouter. Même si personne ne les voit, ils sont là ! »

« Bou Haza s'éloigna. Il tombait des cordes. De la pluie, beaucoup de pluie, se dit mon père. Puis il remarqua que sous toute cette pluie, le cheval de Bou Haza était sec. »

Nous atteignons enfin la grotte de Bou Jeloud, énormes roches accrochées à flanc de montagne sur les hauteurs de Jajouka. Ici, Bou Jeloud est apparu aux ancêtres musiciens de Bachir Attar.

« Bou Jeloud, disent les traditions de la région, est arrivé avec les ancêtres. Bou Jeloud, le possédé, le maudit, la transe. Mais les déesses Aisha Hamouka ou Astarté elles aussi hantent ces montagnes depuis toujours. »

Hamouka, Astarté sont ces déesses païennes à gros ventre qu'on voit au Louvre. Là, on les sent toutes proches. Les rituels de Jajouka ont une fonction : accorder, mettre en harmonie les polarités mâle-femelle dans la charge spirituelle de notre vieille terre. Est-ce clair ? J'ai beaucoup fumé.

Toute cette chaîne de montagnes n'est, paraît-il, qu'un immense réservoir de *baraka*, qui signifie chance mais aussi force, énergie vitale, magie.

« Quand tu mets les peaux de mouton de Bou Jeloud, me préviens Bachir, tu changes. Je les ai mises, j'ai changé. »

Aujourd'hui encore, quand ils célèbrent le rituel de Bou Jeloud, les maîtres-musiciens de Jajouka choisissent un garçon dans le village qui enfile la peau d'un agneau qu'on mangera à la fin de la cérémonie. C'est Bou Jeloud qui danse.

Il danse huit jours, huit nuits.

Insensible à la fatigue, à la douleur, pieds nus sur les pierres, les ronces, incontrôlable, il se livre tout entier au pouvoir des musiciens. Inutile de lire Castaneda : il est là, en vrai, à une heure et demie de Paris. Bou Jeloud se rue sur les femmes, les enfants, et il les roue de coups. Seule la musique lui ramène la paix. Mais c'est risqué, voire mortel.

« Deux Bou Jeloud sont morts ces dernières années me dit Bachir. Le dernier avait dix-sept ans. Il dansait depuis trois jours, ses pieds étaient en sang. Il est rentré chez lui, a vidé d'un trait cinq litres d'eau et il est mort sur le coup. »

Ce soir, je verrai Bou Jeloud. Jajouka prépare le rituel que Brion Gysin a décrit :

« Qui est Bou Jeloud ? Qui est-il ? Est-ce l'adolescent frissonnant choisi pour qu'on le montre nu dans la grotte avant de le revêtir de peaux chaudes ensanglantées ? Le garçon aura le visage masqué d'un vieux chapeau de paille. Il est Bou Jeloud quand il danse et court. Il ne s'appelle plus Ali, ni Mohamed ! Pour le reste de sa vie, il sera tabou dans son village.

« Quand il danse seul sur la musique, on croit entendre la terre qui s'arrache la peau. Il est le père de la peur. Il est aussi le père des animaux. Le berger travaille pour lui. Quand un agneau disparaît, c'est lui qui compte le troupeau. Un frisson vous traverse comme si on venait de marcher sur votre tombe ? C'est lui : Pan, le père des peaux. Avez-vous fait un tour hors de votre peau ces derniers temps ? Je vous ai dans la peau ! »

Le garçon qui sera Bou Jeloud rôde à l'écart du village depuis deux jours. Les femmes fuient sa présence. Bill Laswell a enregistré cet après-midi des mélopées étranges que chantaient des femmes immobiles aveugles. Le disque est terminé. La cuisson des moutons tués le matin arrive à point. Après le repas, les musiciens joueront pour Bou Jeloud.

Bou Jeloud vous veut. Il vous course. Des rires, quelqu'un pleure. Des chiens efflanqués tourbillonnent sans fin autour de vous. Bou Jeloud trébuche, se relève. Il poursuit les enfants, les femmes. De l'alcool, du kif, du majoun, le maudit gâteau au shit, le *spacecake* des dealers. Les flûtes explosent dans vos têtes. Vos oreilles se sont figées contre une barrière de sons et vous voilà sourds ou quelque part après la mort.

Tourbillon sous des clairs de lune glacés, cerné d'hommes sauvages et d'agneaux. Bou Jeloud est sur vous. Il vous cogne, vous mord, vous prend, vous abandonne. Le grand vent enfin libère votre tête et vous entendez de nouveau la musique paradisiaque. Vous sentez de la compassion, de l'amour et de la tendresse pour ce pauvre animal qui rit et sanglote à bout de souffle juste à côté de vous.

La nuit, autour de Jajouka, les fumées bleues du kif se promènent comme des voiles de mariée, des roues de Boeing qui touchent le sol, des machines qui remontent le temps, un hibou dans les bois, des forêts de jambes, des gros plans sur des bouches qui s'effleurent et des mandarines. Un mec, une fille baisent en tailleur, un apprenti boulanger, laiteux tatoué chômeur, rockeur, danse sur un ampli tel un insecte fou géant.

Les basses font vibrer des zones érogènes.

« *I wanna be your dog* », hurle Abdallah en serrant la guitare électrique contre son ventre. Iggy Pop ? Sex Pistols ? Abdallah ? Qui chante « I Wanna Be Your Dog » ? Personne ne disputera le titre de prince du punk à Abdallah. Sur la couverture du carnet de Bill Laswell, je repère une phrase jetée au hasard de Jajouka : « *Fuck art, let's kill !* » Les dealers et les criminels seraient les seuls artistes d'aujourd'hui ? Grave, encore.

Quelle heure est-il à Jajouka ? À Lawrence, aux États-Unis, Burroughs me dira : « J'ai aimé beaucoup de gens. Il n'y en a qu'un que j'ai respecté : Brion Gysin. C'est lui qui explique toute cette histoire. »

Brion Gysin : « La troisième nuit, Bou Jeloud rencontre Aisha Hamouka, qui erre au gré du vent dans l'obscurité. Elle lui dévoile la beauté de son visage bleu et ses seins. Il cherche ses mots, bégaie. Il est perdu à moins de la toucher avec la lame de son couteau. Il doit la planter entre les sabots fourchus de ses pattes de chèvre. Alors Aisha Hamouka, Aisha Kandisha, *alias* la vierge Miriam Bar Levi, la déesse blanche, sera à lui. Cette déesse s'incarnera en une mère de l'âge de pierre avec le pouvoir d'annihiler les effets du couteau magique de l'âge de fer.

« Le groove de la musique s'égare dans l'hystérie et la fornication. Une boule de rire et de pleurs se noue dans la gorge. Une démangeaison inquiète se fait sentir entre les jambes. On arrive au cœur de l'histoire des trois hadjis. L'homme et le singe.

« Les hadjis se branlent sous leur couronne comme trois rois sages. L'homme singe arrive enceint d'un garçon qu'il porte dans un pantalon bouffant. Il a des contractions et les hadjis l'accouchent d'un garçon nu, le cordon ombilical enroulé autour de son cou.

« L'homme entraîne le singe dans une ronde, le cogne et le baise pendant des heures sur la musique. Le singe saute sur le dos de l'homme et le baise sur la musique pendant des heures. Et sous la lune du rif, le vent panique, les flûtes deviennent folles.

« La rave de Jajouka a deux mille ans. »

XXIX

Histoire de Jamel et de la Jaguar

« Pour moi, Radio Nova, c'est comme McDo » – Une leçon de
frime par Jamel – Il astique la Jag' – « Avec les keufs, c'était
un kif » – Rencontre de la Jag' et d'une 4L sur une flaque
d'huile – Massadian pardonne

Cela s'intitule « Jamel, Moussalin[1] et la Jaguar » et pourrait
se raconter comme une fable de La Fontaine :
Notre ami Moussalin était propriétaire
D'une Jaguar fort chic qui faisait son bonheur
Mais son ami Jamel, qu'on sait baratineur,
La voulut emprunter en pensant se distraire.
Il s'installe au volant
Et frime jubilant.
La voiture avait bonne mine,
Voici donc Jamel qui chemine,
Il se montre partout
Et des Champs-Élysées irait jusqu'à Saint-Cloud
Si quelque obstacle en pleine route
Allait lui procurer la plus grande déroute,
Apprenant par ici qu'à faire le malin,
On finit par planter la voiture au félin.

Revenons à la prose. Voici l'histoire, nous la tenons de la
bouche du coupable qui ne s'est pas privé de la raconter en
d'innombrables versions avec rajouts et variantes. Il en existe

---

1. Moussalin faisait partie des nombreux surnoms de Jacques Massadian.

un document irréfutable puisque Jean-François Bizot eut la présence d'esprit de l'enregistrer pour Radio Nova[1].

Nous sommes en juin 1997, le jeune Jamel Debbouze vient d'arriver à Nova.

« Tu te rends pas compte, prévient-il, pour moi, Radio Nova c'était carrément une firme internationale, comme McDo ! »

Jacques Massadian roule dans une vieille Jaguar d'occasion. Jamel l'imagine richissime. Un soir, il dîne chez Jacques et ne sait où dormir. Il doit rentrer chez ses parents à Trappes, quarante bornes, et pour cela il faut une bagnole.

« Une bagnole, s'écrie Jacques, prends la mienne. » Et le généreux Moussalin tend les clés de la Jaguar.

« Tu la ramènes demain à quatorze heures. Déconne pas j'en ai besoin. »

Jamel se glisse dans la Jag. Il n'ose y croire. « Non mais ce mec est malade ! Ou alors il a trop tiré sur un joint. Non il va revenir, il va m'faire "c'était une blague pauv'con descends de là !" »

Je le revois raconter l'histoire à Bizot dans la grande bibliothèque de Saint-Maur. Il mimait le conducteur et on voyait des gants chamois là où il n'y avait que la main nue du jeune comique actionnant un volant imaginaire. Jamel bat des records en ce domaine qui le fascine autant qu'il s'en moque : la frime pensée, organisée.

« J'démarre, j'mets sur D, *drive*. La voiture avance toute seule, génial ! Premier feu rouge. Deuxième feu rouge et là, je suis à trois cents mètres de la maison de Jacques. Il est malade, Jacques, il est fou ! Je me retrouve sur le périf et tu sais quoi ? Sur la tête de ma mère, je flippais du contact des pneus au sol. Enfin bon, fallait pas que je l'abîme. »

Jamel énonce ici le principe qui régit tout emprunteur de Jaguar : « La première chose que tu penses quand tu rentres dans une Jag', c'est : faut pas que j'l'abîme. » Le chauffeur d'occasion ne craint rien d'autre que de se transformer en chauffard involontaire, ce qui calme son plaisir.

« Le kif dans tout ça, c'est qu't'es assis dans un intérieur cuir... hum... cuir de porc, tu vois ce que je veux dire, pas n'importe quel porc... »

---

1. Voir les archives sonores de Radio Nova. La brochure « Radio Nova 25 ans d'histoires » en publie pour une bonne part la transcription. Nous nous sommes également servi de nos propres souvenirs.

Jamel arrive à Trappes à trois heures du matin : personne pour le mater dans le somptueux véhicule.

« J'ai cherché des pubs ouverts... rien à faire. J'ai emmené la Jaguar dormir chez mon père, parce que lui, il a un box. Imagine, quatre heures du matin. "Eh les gars! ouvrez!" Y avait plein de trucs qui encombraient le box. J'ai réveillé mes deux frères pour qu'ils m'aident à faire de la place. À quatre heures du matin... »

Enfin le lendemain : le jour de gloire est arrivé. Jamel se lève aux aurores, astique la voiture. Par malheur, le quartier reste désert.

« J'fais le tour. J'vois deux trois mecs. J'la ramène. Et tu sais quoi? Genre le lendemain, dans toute la ville de Trappes, on savait que j'avais une Jaguar XJS, de quelle année et le kilométrage exact et tout et tout. »

Comme Jamel rapporte la Jag à Moussalin en bon état et à l'heure dite, Moussalin prête à nouveau sa voiture et Jamel a tout loisir pour développer sa stratégie de frimeur.

« Ça a vraiment fonctionné le jour du marché, explique Jamel. Quand il y a marché à Trappes, tout le monde est là! Il y a les keufs, tout le monde! Et tu sais, y a un parking près du marché, donc moi je laisse la Jag' là-bas. Sur le marché, j'rencontre plein de gens que j'connais, et tous, j'les emmène à la Jaguar, genre sans faire exprès... "Ouais viens, viens avec moi on va acheter un truc par-là." Aujourd'hui j'm'en aperçois, c'était ridicule! Mais j'voulais qu'on me voie avec, quoi.

« Un soir j'vais au Grec avec la Jaguar, j'arrive devant le resto et j'te jure, j'sors pas de la voiture! Tu t'rends compte! J'sors même pas de la voiture. Le manque de respect le plus total! Ça veut dire quoi, tu les prends pour qui les mecs? Mais t'es pas au McDrive! J'étais là à cette distance et j'dis "Mets-moi un grec, sauce blanche, s'te plaît."

« Là, t'as les jaloux, les vrais jaloux. Ils sont là, ils savent que t'es avec la Jaguar. Ils te regarderont jamais, c'est-à-dire qu'ils sont là, ils t'ont vu, ils sont là à discuter et... ils te regardent du coin de l'œil mais ils veulent pas que tu voies qu'ils sont en train de te regarder. »

Restait à s'attaquer au paradis des malins, au royaume de la vantardise, l'endroit où les riches se montrent et s'exposent depuis près de deux siècles, calèches ou automobiles, afin d'épater leurs semblables : les Champs-Élysées.

« J'trouvais que… sur les Champs, elle était là où il fallait qu'elle soit, la Jaguar. J'me garais souvent en double file, et quand j'me garais, j'klaxonnais, j'sais pas pourquoi… dzz… j'klaxonnais quand je sortais de la voiture, j'laissais les fenêtres ouvertes, la porte ouverte pour qu'on me rappelle : "Monsieur, vous avez laissé votre porte ouverte" – "Oh oh oui, pardon, j'avais pas vu, pardon."

« Et quand tu passes sur les Champs, t'as ces mecs qui font : "Mais comment ça se fait-il ??? Qu'est-ce qu'il fait pour conduire une voiture comme ça ? Tout de suite tu passes pour un dealer, remarque, c'est pas plus mal.

« Avec les keufs, c'était un kif. Au début j'avais peur, un peu. Et puis, whooooo ! Dès que je voyais des keufs, sans faire exprès, j'faisais des dérapages. Ou je me faisais remarquer avec des petits klaxons… tut ! tut ! ou… je sais pas, j'freine sec. "Pardon, monsieur le policier, j'ai pas fait exprès. Vous voulez les papiers de la voiture ? Oui, mais bien sûr, les voici. Tout va bien, normal, en règle. Oui, mes papiers à moi ? Voilà, très bien… Je suis en règle, monsieur. Bonjour, excusez-moi, j'peux repartir ?" Et j'partais. Ça arrivait six fois par jour, je l'faisais exprès quand j'avais le temps. Le kif ! »

Et puis la drague : à quoi serviraient les belles voitures si ce n'est à draguer ? Chacun sait qu'aux États-Unis la révolution sexuelle des années 1950 a commencé sur la banquette arrière des Cadillac, Chrysler, DeSoto, Studebaker et Ford de papa. Mais en 1997, une Jaguar a meilleure allure et réputation qu'une Américaine dont le design, délaissant les audaces de jadis, est devenu mastoque et bien moche.

Un jour, Jamel promet à une copine de la ramener chez elle. Il lui donne rendez-vous et l'entraîne jusqu'au parking.

« Y avait trois voitures sur celui-ci : la Jaguar, une Clio et une sorte de Renault 4 bizarre, chelou. La meuf, elle marchait devant moi. Spontanément, elle va vers la 4L chelou, tu vois c'que j'veux dire ? Même pas une demi-seconde, dans sa tête, elle s'est dit que la Jag' elle pouvait être à moi. Sur la vie d'ma mère, elle s'met devant la 4L et elle dit : "Fais vite." Alors moi, tranquille, j'contourne la 4L, j'contourne la Clio, je me mets devant la Jaguar. Elle rigole : "Ah ah ah!" J'fais "Quoi ah ah ah?"

« J'fais sonner les clés. "Quoi ah ah ah? Allez rentre, pauv'conne." J'ouvre la porte, et elle, elle est là : "Hummm..."

« Elle monte dans la tur'voi et j'l'emmène au McDo! Comme ça! Comme un grand con, comme un cav' que j'étais.

« Un autre jour, j'vais aux Assedic pour mes trucs d'intermittent du spectacle. J'arrive... une place, deux places : trop petites. Une seule solution, se garer juste en face la porte des Assedic et comme c'est une porte vitrée, tout le monde sait que t'es arrivé, et dans quelle bagnole. La fille du guichet, elle me regardait même pas, elle regardait la tur'voi. Là tu sens tout d'suite que t'es plus crédible.

« Pour aller à Trappes et de Trappes à Paris, il y a trente bornes. Tu calcules : sur trente bornes, y a des villes à côté. Y a Coignières, La Verrière, une autre ville qui s'appelle Saint-Quentin, y a des petits chemins qui emmènent de Trappes à Coignières, Saint-Quentin et tout ça. Si tu veux aller à Paris, t'es pas obligé de te taper tous ces chemins. Rien à voir! Eh bien moi, pour aller à Paris, oui madame, j'allais d'abord à Coignières et puis j'allais faire un petit tour de La Verrière pour voir si tout le monde était là, si on m'avait bien regardé et bien vu, et puis je passais ici, et je passais là-bas, et puis après pleins de petits détours comme ça, j'arrivais à Paris. Et pour aller à Bastille, j'passais pas par la porte Maillot ou par Paris Centre. Non, non, non... j'prenais porte des Lilas, porte de ceci, porte de cela... »

Comme on le devine depuis le début, l'histoire va mal tourner.

« Allez, Jamel, continue, comment t'as déconné?

— Comment j'ai écrasé la Jaguar? Y a une femme au volant, en face de moi, qui perdait de l'huile. À 60 kilomètres à l'heure, j'étais derrière, elle décide de s'arrêter. Je freine, j'glisse, j'sais pas pourquoi, j'glisse d'un coup! Elle avait un problème de frein, la Jaguar, c'est-à-dire qu'elle allait vers la gauche quand j'freinais sec. Y avait une flaque d'huile, j'sais pas quoi, un truc qui m'a fait glisser. J'me suis retrouvé à faire un tour sur moi-même. Je tape une rambarde de sécurité, j'me retourne encore, je tape un peu le pare-chocs de la dame, j'me retourne et je me retrouve en sens inverse. Et là, un 39 tonnes arrive, là, comme ça et il s'arrête à deux millimètres de la Jag', net... Hop là, moi j'sors : "Pardon, pardon, j'ai pas fait exprès." La meuf, elle sort en m'faisant : "Hhhun, hhhun, vous êtes con ou quoi ?" J'ai failli la tuer, j'te jure. Quand elle m'a dit : "Vous êtes con !" J'ai fait "Moi ?" J'ai failli la tuer. »

Voici donc une double morale.

À la stupéfaction de Jamel, qui avoua avec peine l'accident de la Jaguar, Moussalin prit la chose avec légèreté. Pas d'engueulade, de « j'en étais sûr », de réclamations, juste un fataliste : « C'est la vie ». Cette générosité et cette indifférence aux jouets matériels, c'était déjà une belle leçon, surtout venant d'un colérique.

Deuxième enseignement, Jamel, qui rêvait d'acheter une Jaguar, s'est mis à rouler en Clio lorsqu'il entra à Canal+, ce qui lui valut des réflexions : « Alors, Canal paie moins que Nova ? » « Avec la Jag', dit Jamel, je me suis fait un million six cent mille ennemis. Avec la Clio, on me charrie. »

À chacun de se démerder avec sa vanité : ce n'est pas si facile.

XXX

Bizot pleure

Actuel s'arrête – Je suis à la bourre pour mon article – Ça craint
rue de la Roquette – « Bâtards de journalistes ! » – A.G. des
journalistes, menace de grève ! – Tout seul dans la pénombre,
Jean-François pleure en silence

Actuel, décembre 1994. Je suis dans mon bureau du troisième
étage, au fond du couloir. Dernier soir du dernier bouclage du
journal, dont Bizot a décidé de suspendre la parution, pour la
seconde fois de sa vie après la fin de l'*Actuel* underground en
1975. Il ne reste plus qu'un papier à mettre en page, c'est le
mien, et il n'est pas terminé, je suis à la bourre. Tout le monde
passe dans mon bureau « voir le cancre » et même le filmer.
Bizot chambre, Massadian me houspille. J'ai envie de les baffer
et pour fuir cette ambiance sur les nerfs, je préfère prendre l'air
et avec le cameraman, Vartan, un beau mec qui m'avait accompagné à Jajouka, nous décidons d'aller tourner rue de la
Roquette et rue de Lappe, filmer l'ambiance du quartier Bastille. Histoire de faire œuvre utile, de rester pro coûte que coûte
et jusqu'au bout. On est en décembre mais il fait tiède comme
au printemps. Avec nous, Philippe Denard, dit Pipo, fils de Bob,
le roi des mercenaires – comme on voit, il y a du beau monde
dans les bureaux d'*Actuel* !
  Rue de la Roquette, à peine entrés en action, une bagnole
freine à notre hauteur et pile net. En émergent deux lascars, un
emmerdeur qui a déjà semé sa zone à Nova en insultant les
filles – appelons-le Moktar Firouz – et son acolyte, un Black

costaud qui aujourd'hui coule des jours plus méditatifs en centrale pour tentative de meurtre.

Les deux lascars se sont réparti les rôles. Le costaud tient son énorme poing fermé à trois centimètres de ma tempe pendant que Firouz tchatche : « C'est vous les putains de journalistes qui êtes venus tourner à la cité c't'aprem. Connards ! Bâtards ! »

Nous, on explique qu'on n'était dans aucune cité cet aprem. Vartan, très calme, pose sa grosse caméra sur le trottoir. Je fais attention à ne pas m'énerver non plus, à cause du poing fermé sur ma tempe.

« Mais non, on est en bouclage à *Actuel*. »

Cause toujours. Les lascars le savent très bien, c'est juste histoire de prendre la tête, on a déjà compris que c'est la caméra qui les intéresse, une caméra qui vaut des thunes. Détail inquiétant dans notre dos : les employés de la Pizza Romana sont en train de fermer boutique, ils éteignent les lumières, descendent le rideau de fer. Une pénombre fatale envahit le trottoir, et en plus il n'y a plus de témoins. Les noctambules défilent indifférents devant l'altercation, nous laissant à notre destin.

Pipo prend une baffe sans broncher. Vartan reste zen. Au bout d'un moment qui n'a pas dû excéder dix minutes mais m'a semblé une heure, les lascars sans doute désarçonnés par notre apathie plient boutique, remontent dans leur caisse et dégagent. Suffit pour ce soir, on revient au journal, l'immeuble du 33 faubourg Saint-Antoine.

Là, une scène imprévue m'attend.

Au fond du couloir du troisième étage, seul dans son bureau en clair-obscur, Bizot pleure.

Dos tourné à porte, face à la verrière qui donne sur le parking d'à côté, tête pendante entre les genoux. Des néons du parking monte une lueur glauque, un éclairage de film noir.

Bizot pleure sans larmes, et sans un mot. Pourquoi pleure-t-il ? Je le connais assez pour deviner. Il pleure le sabordage de son journal. Il pleure de rage contre lui-même, contre son impuissance, contre ses collaborateurs qui pense-t-il l'ont trahi, contre la loi Evin qui en interdisant la pub des alcools et des clopes lui coûte quatre millions de francs par an. Sans oublier une scène étrange, humiliante, qu'il n'a pas digérée.

Cela s'est passé un mois plus tôt. Pour la première fois en vingt-cinq ans, le personnel du journal s'est réuni en assemblée générale. Ils étaient tous là, dans la salle de la maquette, les vieux copains comme les petits derniers, ordre du jour : faut-il arrêter le journal ? Excédés par les ordres et contre-ordres du patron, les oukases, les caprices, les changements de dernière heure des dates de publication, la majorité veut en finir. Psychodrame stupéfiant : d'habitude, dans les boîtes en péril, le personnel s'insurge pour sauver l'entreprise contre le patron qui veut la bazarder. À *Actuel*, c'est l'inverse ! Certes, chacun a aussi en tête un calcul mental, celui de ses indemnités de licenciement.

L'ambiance est funèbre, l'issue inéluctable. On va passer au vote. C'est à cet instant que Bizot, averti de l'A.G., pousse la porte de la maquette. Comme toujours, il parie sur son charisme pour retourner la situation.

Alors, Claudine Maugendre se lève. Didine, c'est la chef historique du service photo. Une fidèle entre les fidèles. Bizot l'a débauchée de *L'Express*, en 1969, quand il a démarré l'aventure. Elle a l'habitude de dire : « Qu'est-ce que tu veux, mon p'tit gars, il a beau faire des conneries, qu'est-ce que tu veux, je l'aime ! »

Didine lance : « Non Jean-François, tu n'entres pas. C'est une assemblée du personnel, ici. La direction n'a pas le droit d'y participer. »

Bizot encaisse, referme la porte sans un mot, s'en va. On vote. Pour l'arrêt du journal : unanimité moins une abstention, celle de Frédéric Joignot, le rédacteur en chef, qui a succédé à Michel-Antoine Burnier parti sous d'autres cieux. Et si Bizot refuse, ce sera la grève.

Devant cette menace inouïe, Bizot a rendu les armes. Telle est la vraie histoire de la fin du deuxième *Actuel*.

Et là, dans son bureau, au dernier soir du dernier bouclage, Bizot pleure.

« Jean-François... »

Je tente un dérisoire : « Bon, je retourne bosser. Je vais le finir, mon papier. Tu l'auras à six heures du mat'. »

Il se retourne, l'œil lourd.

« OK, mec. »

XXXI

Un mariage et deux enterrements

Massadian perd la mémoire – Une étrange cérémonie –
« Le plus beau jour de votre vie. » – La mort cogne pour de
vrai – « Oui ! » – Où Jamel montre qu'il est fidèle en amitié

Fin du printemps 2006. « Je suis très emmerdé, je perds la mémoire, nous dit Massadian.

— T'inquiète pas, répond Burnier, entre quarante et soixante ans, aujourd'hui, tout le monde pense qu'il a un Alzheimer. À 90 %, c'est de la pure parano. Je viens de lire un petit livre, d'un copain de talent, le professeur Escande. Il démontre que depuis l'adolescence chacun a des trous de mémoire. On en avait déjà à quinze ou vingt ans et, souviens-toi, au moment des examens. Tu devrais lire le bouquin d'Escande. »

Massadian remercie Burnier et n'en est pas plus rassuré.

Passe l'été. À l'automne, Massadian tient un stand de brocante rue Mouffetard, essentiellement de la belle argenterie des années 1920-1930 et de la vaisselle achetée en Europe du Nord. Pauline, sa compagne, ancien mannequin, s'est reconvertie dans ce commerce et Massadian, fauché, lui prête la main. Burnier ne demeure pas loin : il passe le voir en voisin.

« Ouais, Roger ! Gentil de venir, on ne s'est pas vu depuis longtemps ! dit Massadian. Bon, là, je suis seul à garder l'étal. Va faire un tour et repasse dans un quart d'heure. Pauline sera rentrée, on ira boire un café.

— À tout de suite. »

Burnier va chiner, achète comme toujours une babiole absurde, renonce de justesse à un buste de Lénine en papier mâché et revient.

Massadian lève les yeux :

« Tiens, Roger ! C'est sympa de passer, on ne s'est pas vu depuis un moment ! »

Il embrasse Burnier sans la moindre allusion à leur rencontre un quart d'heure plus tôt. Burnier en reste ahuri.

Au bistrot, Massadian explique qu'il a des trous de mémoire terribles, l'autre jour il a oublié Pauline alors qu'ils devaient rentrer ensemble à Saint-Maur où il loge désormais, faute de pouvoir payer un loyer, bref ça ne va pas du tout.

Cette curieuse et tragique affection du cerveau empire. Massadian parle de zones blanches dans sa tête, muettes, inertes. Quand il y tombe, il reste une heure, deux heures, sans penser à rien. Un vide grandissant l'habite et l'envahit. Les médecins diagnostiquent une maladie à prion, rarissime et incurable, proche du Creutzfeldt-Jakob de la vache folle.

Désormais, les jambes de Massadian se dérobent sous lui et les mots l'abandonnent. Pauline l'installe dans son pavillon, sur le plateau de Champigny. La chambre est à l'étage : il faut soutenir Massadian pour monter l'escalier et le descendre.

Une journée de mars 2007, chaude et ensoleillée, nous déjeunons dans le jardin. Le fauteuil de Massadian s'enfonce dans la terre molle et bascule, il tombe avec comme un pantin, il faut le relever et c'est lourd. Il a toujours sa carrure de gladiateur.

L'invasion du vide s'aggrave de semaine en semaine, puis de jour en jour, accélère. Voici notre Moussalin calé dans un lit médicalisé d'où il parle avec difficulté. Il se rend compte qu'il vient d'oublier le chemin de sa salle de bains. Il se lève encore parfois, puis plus du tout. On dirait Socrate privé peu à peu de ses sens par la ciguë.

Alors, avec Pauline, ils décident de se marier. Mariés, elle pourra le suivre partout, l'accompagner dans les soins et régler les problèmes administratifs que soulèvent les hôpitaux. Ils s'aiment : il ne l'avait pas laissée tomber autrefois, quand elle-même avait été malade, elle va l'accompagner mourant.

Mariage, donc cérémonie. Mais quelle cérémonie ? Où ? Impossible de le transporter à la mairie en brancard. Bizot propose Saint-Maur, son hôtel des Tilleuls, de Largentière et des Noailles d'Ayen. Le mieux sera dans la pièce centrale, entre le perron d'entrée et le double escalier du parc, baptisée « la Royale » à cause des boiseries qui l'habillent jusqu'au plafond. Bizot exige le moins de monde possible. Les enfants de Massadian, son pote le cinéaste Michel Hazanavicius et les anciens d'*Actuel* si possible pas en couple.

Dans ce décor improvisé débarque l'adjoint au maire. Le type ajoute du comique au tragique : c'est une caricature sortie d'une édition illustrée d'Alphonse Daudet, barbichette en pointe, moustaches en croc, courtes cuisses et ventre gros, voix hors-jeu. Il répète : « Le plus beau jour de votre vie... le plus beau jour... si je puis dire... »

Un râle lui répond.

Quelle scène ! Elle concentre la douleur et le ridicule, l'histoire d'une bande qui a tout partagé, le bonheur et les coups tordus, les ambitions déçues, l'humanité, les amours, les joints, la vanité, une famille qui s'est aimée, détestée, jamais quittée.

Massadian ne parvient à prononcer ni son nom ni son prénom. Le premier rang assure les avoir entendus. En revanche, il a de l'énergie pour dire d'une voix forte :

« Oui »

Je me tasse près de la porte, pas envie qu'on me voie pleurer. En trois pas je suis dans l'escalier qui descend à la cuisine. Bonne planque ? Pas vraiment, j'y retrouve les enfants de Massadian et des Actuéliens catastrophés. Fin de la cérémonie. Pauline invite tout le monde chez elle boire un coup et se remonter le moral. Je vois Bizot faire signe à Michel-Antoine Burnier, – pseudonymes Mab, la Burne ou Roger – rédacteur en chef historique d'*Actuel*.

« Roger, murmure Bizot, je ne peux pas y aller. Mais je ne veux pas me retrouver seul. Reste. »

La Bize et la Burne d'autrefois, eux qui s'étaient souvent disputés mais jamais quittés, se retirent au fond de la bibliothèque. Pour Bizot c'est double peine : il perd un complice indispensable et lit dans cette bouffonnerie pathétique l'annonce de sa propre mort. Lui, c'était le cancer, qui avait survécu à une chimio. Il disait : « Je me donne trois ou quatre ans. On doit pouvoir en faire, des trucs, en trois ou quatre ans. »

Bizot se trompait : après avoir écrit un dernier roman cruel sur sa maladie et compilé une série de best of d'*Actuel*, de Nova et d'œuvres diverses, cette même année 2007, il mourut cinq mois plus tard.

Et là, en cet après-midi de printemps, dans la grande bibliothèque de Saint-Maur, la Bize et la Burne filent vers un flip extrême : la mort cogne pour de vrai la bande d'*Actuel* et c'est Massadian en tête de cordée.

C'est alors qu'on frappe à la porte. Jamel. Il n'a pas oublié que Massadian a été l'un des premiers à le pousser dans la carrière.

On lui a dit « mariage », il a enfilé un élégant costume neuf, bleu-gris pâle. En venant il a confondu les deux rues de Paris, celle de Joinville et celle de Saint-Maur. Il s'est perdu. Quand il arrive, la cérémonie est terminée.

Il capte tout de suite : son vieux copain Bizot déprime grave et Burnier n'arrive pas à le consoler. Lui, Jamel, connaît le remède. Il s'assied avec eux et débite des histoires, des histoires drôles, celles du champ légué par son grand-père, bien sûr le périple de la Jag' de Moussalin. Burnier me dira qu'il n'a jamais autant ri et aussi longtemps, sans pause, par rafales ininterrompues.

Trois semaines après son mariage, Massadian quitta ce monde où il s'était tant amusé.

XXII

Épilogue

Je deviens moins intelligent – Un rab de plaisir arraché
à la vie – Aujourd'hui, Rastignac s'appelle Mohammed
– Information, savoir, sagesse – Platon rencontre Frank Zappa
– Les murs de la ville tremblent

Au début, nous avons bien ri. Trois fois par semaine, je le retrouvais au Canon, le bistrot de l'avenue d'Italie. C'était la fin de l'été. Mab incarnait le côté classique d'*Actuel* : les Lumières, Flaubert, Maupassant. Moi, je campais à l'autre extrémité : Bambaataa, Grand Master Flash... Quel mix! Rien que l'idée nous amusait. À la terrasse du Canon, Mab jouissait de tout ce que le 13e arrondissement de Paris a à offrir : les vitrines des restaus thaïlandais, les piquantes Asiatiques, effrontées, libres, ces femmes en train de conquérir le monde avec la vigueur de leur jeunesse. Idiot que je suis, je ne remarquais pas qu'à chacune de nos rencontres, j'apprenais quelque chose. Sur la politique, sur la littérature. Pour moi, les Julien Sorel, les Rastignac et les Bel-Ami d'aujourd'hui s'appellent Mohammed et leurs descendants sont les héros du hip-hop. Au fond, nous parlions de la même chose.

C'est une affaire curieuse que d'écrire à quatre mains. Quand on y arrive, cela crée une intimité absolue et cette fusion nous rendait heureux : nous nous comprenions sans mots en fabriquant des mots. On réinventait notre histoire, que nous avions oubliée, on la revivait en la mettant en musique et on oubliait les emmerdements du présent. Peu de différence avec un groupe

283

sur scène : nous étions dans le même tempo. Puis le vilain crabe du cancer s'est invité dans le corps de Mab. Le tempo a ralenti. D'autant que le roman de notre vie tournait au funèbre, peuplé d'amis disparus, Massadian, Bizot... N'étions-nous pas en train de raconter une histoire d'hier, *Actuel*, les années 1980, le hip-hop ? Une histoire dépassée, submergée par les nouveaux médias, Internet, les tweets, YouTube, noyée par le déluge d'informations permanent qui sature les neurones de l'homme augmenté ?

Non. Je parie que non. Il ne faut pas confondre information, savoir et sagesse. Je me souviens d'un reportage à Seattle, dans les années 1990. Seattle, la ville au nom de chef indien. Les Indiens d'Amérique disent que quand vous les photographiez, vous pelez une couche de leur âme. À Seattle, j'ai rencontré l'historien Morris Berman. Il m'expliqua que la France se transformait en musée, que les gens du Sud, du Roussillon, de Saint-Paul de Vence et du Lubéron étaient passés « de la civilisation kinesthétique à la civilisation visuelle ». Ils savaient qu'on les regardait et qu'à être trop regardé, on perd son âme.

« Nous, en Amérique, vivons dans une société d'informations qui nous asperge d'infos répétitives et en grande partie inutiles, répétait Berman. Ainsi le savoir se noie-t-il dans l'info, et la sagesse dans le savoir. La même tendance vous guette en France au détour de l'an 2000 avec la technocratisation de l'Université. Vos universités deviendront comme les nôtres, de simples banques de données. Ceux qui voudront apprendre devront le faire par eux-mêmes. Quand il n'y a que l'info, tout devient bête. Penser, c'est une autre histoire. »

En disant ça, Berman reprenait la philosophie d'un grand musicien américain, Frank Zappa, leader dans les années 1960 et 1970 d'un groupe pop nommé les Mothers of Invention. Zappa avait écrit :

« L'information n'est pas le savoir. Le savoir n'est pas la sagesse. La sagesse n'est pas la vérité. La vérité n'est pas la beauté. La beauté n'est pas l'amour. L'amour n'est pas la musique. *Music is the best*. »

Zappa et Berman ont raison : à quoi sert l'information si elle ne construit pas un savoir que le temps transformera en

sagesse ? À *Actuel*, Bizot et Burnier ont complété l'enseignement : l'information ne suffit pas, il faut aussi aimer les gens. Il
faut les aimer pour devenir un passeur de savoir et de sagesse.
Transmettre, laisser la place aux générations qui suivent, leur
donner leur chance, la chance de devenir, à leur tour, un jour,
des passeurs.

Il y a vingt-cinq siècles, dans le Livre IV de la *République*,
Platon eut une intuition prodigieuse : « Quand la musique
change, les lois de l'État sont ébranlées. » En 1968, Frank Zappa
en donna cette traduction moderne, éclatante :

> « Quand le rythme de la musique change,
> les murs de la ville tremblent. »

Remerciements

Je remercie Véronique Brun, Cécile et Ève Burnier, Léon Mercadet, Loïc Dury, Valérie Massadian, Futura, DST, Afrika Bambaataa, Fab Five Freddy, Bill Laswell, David Hershkovits, Geneviève Menais, Tom Van Eersel et Ava Zekri.

Bernard Zekri

Cet ouvrage a été imprimé en France par

à Saint-Amand-Montrond (Cher)
en octobre 2013

Les Éditions KERO utilisent des papiers composés de fibres naturelles,
renouvelables, recyclables et fabriquées à partir de bois issu de forêts
qui adoptent un système d'aménagement durable.

N° d'impression : 2005754.
Dépôt légal : septembre 2013.